LA SERIE CAUTIVERIO:

La Llave a Tu Fin Esperada

Porque yo se los pensamientos que tengo acerca de vosotros,
Dice Jehová, pensamientos de paz, y no de mal,
Para daros el fin que esperáis.
Jeremías 29:11 (VKJ)

De
KATIE SOUZA

PREPARATE PARA TRANSFORMAR
¡SU CAUTIVERIO EN UNA PROMESA!!

La Serie Cautiverio: La clave de su Fin Esperado
Se describe como
"EL MEJOR LIBRO JAMAS ESCRITO PARA LOS PRESOS"

*Mi oración es que este libro sea utilizado por el Señor para mostrarle cómo entrar
en el propósito por el que fue creado aquí en la tierra. Por encima de todo,
sin embargo, oro que se den cuenta que el destino final de su Fin Esperado
es de reinar con Él para siempre (Apocalipsis 22:5).
¡Que seáis fortalecidos en su camino en esta
peregrinación como preparación para ese día glorioso!*

AGRADECIMIENTOS A:

*El Padre nuestro Señor Jehová - Quién, a través de socios leales con EEM, personal
increíble, y los voluntarios desinteresados, han bendecido a esta visión de innumerables
maneras. ¡Gracias!*

*Mamá y papá por nunca darse por vencido, amándome incondicionalmente, y el apoyo a este
ministerio por cada paso del camino.*

A mi marido por aguantarme, adorándome, y el que me permitió hacer el sueño realidad.

Teresa Mozena (Manning) por asociarse conmigo y creer en esta misión desde el principio.

*Helen Berger su apoyo continuo al hacer posible esta traducción al español. Sin sus
sacrificios y diligencia, este libro no sería posible.*

Marisol Pareja por sus labores de amor inestimbales en la traducción de este libro.

Jorge Rodríguez por haber comenzado este proyecto. Gracias.

CONTENIDO

COMO USAR ESTE LIBRO

A lo largo de este estudio, Dios, por medio de Su Espíritu Santo, va a hablar con usted como lo aplica directamente las Escrituras con respecto a la antigua Israel a su actual encarcelamiento. Con el fin de ayudar a aprender a reconocer su voz, hemos proporcionado a las páginas en blanco titulado entradas diario personal ubicado en la parte posterior del libro.

A medida que lea este estudio, Dios va a poner los pensamientos en su mente que se aplicara directamente lo que está leyendo a su experiencia en cautiverio. En cada página os animo a resaltar, subrayar y circular palabras o frases que resalten. A continuación, hacer entradas de diario en "entradas diarios" en la parte posterior del libro los pensamientos que le da El Espíritu Santo sobre lo que lee. Esta práctica será de gran ayuda en el desarrollo de su capacidad para escuchar al Señor.

A través de esta misma practica, he aprendido a reconocer la voz de Dios, no solo en las Escrituras, pero dentro de una relación personal con él. Mientras El hablaba yo obedecí, tuve manifestaciones milagrosas de su presencia a lo largo de todo mi cautiverio. Fui parte de numerosas curaciones sobrenaturales, dirigí el desarrollo de un ministerio dentro de mi prisión, me rebelo mi Fin Esperado, me llevo a escribir este estudio, y me guio en la formación de este ministerio actual.

El Señor mismo dirigió a mi familia y a mí a apelar la sentencia de 13 años que había sido dictada por el tribunal federal, y debido a que obedecí la dirección del Señor, ¡la apelación fue concedida! Aun más sorprendente fue que seis meses antes de nuestra victoria el padre también me dio cuál sería la fecha de mi salida. ¡Efectivamente, después de ir a la corte y se vuelve a calcular mi sentencia, la fecha que me dio fue exacto!

Más tarde, voy a hablar en detalle sobre todos esto acontecimientos. En este momento, quiero que entienda que si la dirección especifica de Dios es el resultado de la construcción de una relación con El y el cultivo la oreja para escuchar y obedecer su voz. Las entradas diarios incluidos en este estudio será de gran ayuda en el desarrollo de esa conexión con El.

En Habacuc 2, Dios nos manda a hacer un registro escrito de toda la revelación que El nos da. Los versículos 2 y 3 dice:

"Escribe la visión, y declárala en tablas, para que corra el que leyere en ella. Aunque la visión tardara aun por un tiempo, más se apresura hacia el fin, y no mentira..." Habacuc 2:2

Al leer este libro, **escucha activamente a la voz de Dios, escriba cada pensamiento en el diario, y siempre apunta la fecha de su entrada**. Mientras pase el tiempo, verá como dice la Escritura, que las cosas que El te dice no van a ser falso, pero van a suceder.

Sea diligente en esto y todo lo que pertenece a El Señor,

Katie Souza

CAPITULO UNO

El Arresto

"Por tanto, mi pueblo fue llevado cautivo, porque no tuvo conocimiento..."
Isaías 5:13

Afuera, yo podía escuchar a mi perro, "Cotton" enloquecido, que sólo podía significar una cosa: alguien indeseable estaba allí, así que escondí el arma en un lugar accesible y me dirigí hacia la puerta. Baje la escalera de madera, sentí el piso frío a través de los calcetines en los pies, me recuerda que mis botas estaban en la basura. Las plantas se derritieron debido a los químicos. A medida que di la vuelta a la esquina, allí estaban; los policías, con las armas listas, amenazando con matar a mi amigo y el perro. Al verlos, mi estómago se volcó.

Justo la noche anterior, llegamos a la montaña para poder cocinar un lote de "Speed". La casa era un verdadero lugar de residuos tóxicos, hasta la rodilla en la basura química que dejó un montón de cocineros aspirantes. Pasé toda la noche tratando de limpiar el desorden para poder empezar, pero ahora los policías estaban aquí. "Si vienen adentro", pensé dentro de mí, "nos vamos presos con seguridad."

Traté de coger a "Cotton", pero ella estaba totalmente fuera de control, saltando y mordiendo a la policía. Era obvio que ella era mi perro porque odiaba los uniformes, tanto yo. Los policías, actuando como si pudieran leer nuestras mentes, estaban bajadas listo para disparar, así que cogí algodón por el cuello y puse mi cuerpo en frente de ella como un escudo. "¡No la maten a ella!" Grité. "¡Déjame ponerla en la casa!"

Pero no retrocedieron. Sólo seguían gritando que diera un paso atrás para que pudieran disparar. Cuando finalmente se dio cuenta de que no iba a cambiar de opinión, dejaron que mi amigo traer a "Cotton" adentro de la casa. Una vez que la amenaza del perro había desaparecido, empezaron a interrogarme. "Estamos aquí para limpiar la casa", le dije, diciendo una verdad a medias.

Esto no era lo que querían oír por lo que continuó acosando me durante unos quince minutos más. Entonces, finalmente, sin llegar a ninguna parte, intentaron un nuevo enfoque. Exigieron que volviera a entrar y que le diera el perro para que pudieran llevarla a la perrera. Instantáneamente, me encendí y comencé a discutir con ellos. Ahora ya no se movieron, así que di media vuelta y me dirigí adentro de la casa.

Cuando abrí la puerta, se acercó por detrás de mí y entraron. En menos de media hora, después de que vieron a todos los químicos, yo estaba sentado en el suelo en la tierra esposada. "Bueno, no puede ser peor que esto", reflexioné. Equivocación. Cinco minutos más tarde, los federales llegaron. A continuación mis otros dos amigos llegaron. Ellos fueron arrestados también.

"Finalmente me cogieron", me dije a mí mismo. En lo más profundo sentía que esta vez no me iban a soltar. Claro, yo había sido arrestado muchas veces antes. Mayormente por cargos de armas de fuego: asalto con arma mortal, disparando desde un vehículo moviendo, y la extorsión. Me encantaban mis armas y había hecho "colecciones" durante años. No mucha gente espera que una mujer llegara a su puerta, para sacar una pistola y llevarse todo lo que tenían pagar cobrar una deuda. Alimentada por alguna rabia interna, aterrorizando era mi deporte favorito.

Sin embargo, a pesar de que había sido arrestada en numerosas ocasiones antes, siempre evitaba hacer tiempo largo. Desaparecían los testigos o la falta de evidencia obligó a algunos de mis casos que desaparecieran, pero esta vez fue diferente. No faltó de nada para condenarme. Yo sabía que no iba a ninguna parte sino hacia abajo. Mientras le di la vuelta a este pensamiento en mi mente, sentí la desesperación creciendo dentro de mí, junto con el vómito que viene por mi garganta.

Lo siguiente que supe que estaba entrando y saliendo de la conciencia mientras una ambulancia me llevó al hospital. Yo sufría de intoxicación por sustancias químicas graves. Cuando mis ojos se abren y se cierran, yo siempre veía una cara delante de mí: la de un agente federal, mi escolta personal. Una vez en el hospital, los médicos seguían preguntándome cosas que no comprendía, y mucho menos poder responder. Yo estaba en tan mal estado que continúe cayendo dentro y fuera de la conciencia durante varias horas mientras trabajaban en mí.

Como se acercaba la noche y yo estaba entre sueños escuché a alguien decir: "Tenemos que ir." Luchando por abrir los ojos, vi el rostro del agente federal mientras suavemente me trató de sacudir. "Tienes que levantarte pronto y vestirte.", Dijo, mientras me quito las esposas. Al oír esto, cerré los ojos por unos minutos y deseando que él y la realidad que enfrentaba se fueran. Cuando volví a abrir los ojos, me di cuenta que mi deseo se hizo realidad. ¡Él se había ido!

¡Sentí mis muñecas - no estaban esposadas! Me senté rápidamente, me levante de la camilla y me puse la ropa. Entonces, mirando a escondidas detrás de la cortina cerrada, vi que el agente parado como a 10 pies de distancia en la estación de las enfermeras con su espalda hacia mí, estaba comprometido en una conversación con una enfermera. Esta era mi oportunidad. Sin dudarlo ni un segundo salí de la cabina silenciosamente, y tranquilamente paseando por el pasillo hacia la puerta de salida fuera de mi captor. Pasando a lado de los médicos y enfermeras, me sentí como si yo fuera invisible y nada podía detenerme. Cuando llegué a las puertas automáticas de cristal, se abrió silenciosamente, dándome la bienvenida al mundo libre. Cuando salí de la puerta, la puerta se cerró detrás de mí, hice una pausa para evaluar mi situación. La calle estaba a 50 metros de distancia y muy ocupado. Tan sólo tenía que correr en el tráfico, parar un coche, entrar y desaparecer para siempre. Volteé la cabeza hacia atrás para mirar por la puerta de cristal y vi que el agente federal siguió hablando con la enfermera, totalmente ignorante de la falta de mi ausencia. Una risita se escapó de mi boca. "Fácil", dije en voz alta.

Sin embargo, cuando di un paso adelante para ejecutar mi plan, de repente me sentí paralizada. Una nube de confusión me envolvió. Y lo que parecía tan fácil y claro hace solo segundos estaba revolcándose en mi cerebro. Yo seguí tratando de propulsar el cuerpo hacia adelante, pero no me obedecía. Fue entonces cuando gire la cabeza hacia un lado y vi a la enfermera en la recepción mirándome. Por fin me vieron. Como ella me miró fijamente, me di la vuelta lentamente y me dirigí otra vez hacia las puertas correderas de cristal. Luego, en un ritmo controlado, comencé a caminar por el pasillo directamente hacia el agente.

"¿Qué estoy haciendo?", Pensé, aturdida con pánico, pero era como si yo no lo pude evitar. Voces en mi cabeza comenzaron a gritar violentamente a que me volteara de nuevo, pero algo más fuerte no me lo permitió. Finalmente, yo estaba de pie justo detrás de mi captor, pero ni él ni la enfermera parecían darse cuenta de mi presencia. "Todavía se puede escapar", dijo la voz. "¡Date la vuelta - no es demasiado tarde!

"Pero, en lugar de huir, saque mi mano y tocó el agente en el hombro. Ahora ya estaba comprometida. Sorprendido, se dio la vuelta. Cuando me vio, palideció al instante. Vi puro miedo en sus ojos como y miles de preguntas de dónde había venido invadieron su mente. Mientras me miraba con un pánico sin palabras, me di cuenta de que sabía que algo pudo haber salido terriblemente mal. Por último, rompí el momento de silencio.

"¿Estás listo para ir?" Le dije. "Sí, sí", balbuceó. Todavía visiblemente alterado, saco las esposas y me los puso con una gratitud. Cuando escuche el sonido de trinquete familiar del las esposas, el metal apretando alrededor de mis muñecas, mi único pensamiento fue: "¿Qué demonios he hecho?"

Me pase la semana siguiente en una celda de reserva con mal olor, cada pulgada cubierto de mugre. Hacía mucho frío. Los bancos de metal y cemento fueron fríos al tocar. Como estaba bajándome de la droga, los huesos me dolían. Yo quería un cigarrillo tanto que hubiera roto el cuello de alguien para tener uno. Durante este tiempo, yo iba y venía de un tribunal federal lujoso en el que fui acusada y procesada. Cuando me paré en frente de la juez, sucia y con quemaduras en las manos y los pies aún en mis medias, se negó la fianza diciendo: "Todos sabemos de qué lado de la ley está usted señorita Caple." Mi sensación estaba en lo cierto. Tenían la intención de mantenerme. Me regresaron a la celda de reserva con olor a podrido, a continuación, vestida con pantalones de mi cárcel me llevaron de vuelta a la población general.

Esa noche, mientras yo estaba en mi celda sola, los pensamientos no dejaban de bombardear mi mente. ¿Por qué no me escape cuando tuve la oportunidad? ¿Que fue lo que me detuvo? ¡Luché con esas preguntas por horas hasta que me sentía explotar! Por último, al borde del abismo, empecé a gritar que los pensamientos en mi mente que se callaran. Milagrosamente, mi mente se tranquilizó y oí una sola palabra - "Ore". Curiosamente, sólo el pensarlo me traía consuelo. ¿Pero por qué? Orar es algo que nunca había hecho mucho antes.

No me malinterpreten, durante mi vida, he tenido varios encuentros con Dios. A la edad de 14 años, "naci de nuevo" en una playa en Hawái, aunque no sabía muy bien lo que eso significaba. A los 26 años, mi primo me llevó a la iglesia, donde, a pesar de estar fumada, Dios me bautizó con Su Espíritu Santo. El hombre que estaba allí orando por mí, dijo que Dios le dijo que yo era un traficante de drogas. Actué como si yo no sabía lo que estaba hablando. Luego a los 29 años, después de hacer todas las drogas durante varios años, tomé unas "vacaciones" en Idaho, donde mi tía y mi tío tenían una iglesia. Allí me encontré con Jehová. Fue genial, pero unos meses más tarde, las vacaciones se habían terminado. Estaba de vuelta cocinando drogas.

Ahora a los 35, yo estaba en el enlace de mi vida y la palabra "orar" fue lo único que hizo parecer mejor. Acostado en mi cama, reflexioné sobre esta extraña situación. Yo estaba encerrada, sin esperanza de libertad bajo fianza y una lista de cargos federales. Me he quedado atrapado con las manos, literalmente atadas, y no había nada que pudiera hacer más que rezar. Así que lo hice. Y para mi sorpresa, salió de mí. Décadas de la ira, el dolor y la dureza de corazón, saliendo de mí como una ola. Yo no podía creer que estaba confiando en alguien que no conocía tan profundamente - Dios. ¡Me sentí mejor de lo que había en años! Lo que no sabía era que Dios había estado esperando este momento toda mi vida. Con un increíble amor y paciencia, Él me aguanto muchos años de mi pecado, esperanzado en este momento cuando me haría quererlo tan profundo como él me quiera a mí. Yo estaba allí orando por horas. Parecía que no podía parar y sentía que no quería. Mi viaje había comenzado.

LECCIÓN UNO

1. Recuerda los eventos que condujeron a su arresto (tu esclavitud). Trate de reconocer cuándo y dónde Dios estaba presente en estos eventos.

2. ¿Ha tenido una relación con Dios antes de este tiempo? Explica.

3. ¿Cómo se siente al estar en cautiverio?

"Porque las cosas que se escribieron antes, para nuestra enseñanza se escribieron, a fin de que por la paciencia y la consolación de las escrituras, tengamos esperanza"
Romanos 15:4

El verso arriba sacada del nuevo testamento dice que el viejo testamento fue escrito para nosotros, para que pudiéramos aplicar sus lecciones directamente a nuestras vidas. "La Serie de Cautiverio: La Clave a tu Fin Esperado" es un estudio de exiliados del antiguo Israel tomado de las escrituras del antiguo testamento. Su propósito es enseñarte lo que la antigua Israel aprendió durante el tiempo de su encarcelamiento y después ayudarte a ti aplicar ese conocimiento a tu propio encarcelamiento.

Hay 39 libros en el viejo testamento; como dos docenas de ellos hablan en detalle sobre el cautiverio del antiguo Israel. Esto hace que el tema de su encarcelamiento uno de los temas más prevalentes en toda la Biblia. Hasta el día de hoy, hay más de 2 millones de personas en cárceles solo en los Estados Unidos. Muchos de ellos, aunque no lo saben, son los elegidos de Dios, los cuales él tiene un **propósito único** para ellos. **Por esto es que Dios ha llenado el viejo testamento con una fuente de información de los cautiverios de Israel. Su historia fue definida para ser usada como guía de libro, para llevar a los prisioneros de hoy en día, a su propósito final – por los que fueron creados, por medio del vehículo de su exilio.**

Desde el principio de mi encarcelamiento Dios me lleno de ganas de leer la Biblia. Comenzaba en Génesis y leía hasta el final de Apocalipsis y de nuevo regresaba a la primera página y volvía a leer todo de nuevo. Cada vez que leía las escrituras, el Espíritu Santo me enseñaba más sobre la historia de Israel. Mientras más aprendía, más me daba cuenta de que a pesar de que su encarcelamiento ocurrió hace más de 2,000 años atrás, **su experiencia fue exactamente como la de nosotros hoy en día.** Cuando aplique la escritura a mi cautiverio, cosas maravillosas me comenzaron a pasar en mí. Establecí una relación profunda con Dios. Milagros tras milagros comenzaron a ocurrir durante mi encarcelamiento. ¡Era tan increíble que quise compartir el tesoro con todos los prisioneros en todas partes!

Tome una encuesta mientras estaba encarcelada en un estudio bíblico que yo estaba dando. Pregunte cuantas personas habían leído todo el viejo testamento. Solamente una persona levanto su mano, y el resto de la clase, cuando les pregunte, no sabían que los Israelitas habían sido encarcelados.

Por la obvia falta de conocimiento de la gente de la historia del cautiverio de Israel, voy a empezar este estudio con un resumen del viaje de los Israelitas en, a través y fuera de su exilio. Para algunos de ustedes esto va a ser la parte más difícil de este estudio. No todos somos fuertes en historia pero, necesitas saber la historia de Israel para que no evites la interpretación del texto cuando el Espíritu Santo te hable. Una de las razones que yo tuve tanto éxito durante y después de mi encarcelamiento, se debe a que yo me informe completamente de la historia de Israel. Esto me ayudo a interpretar propiamente las revelaciones que Dios me estaba dando de acuerdo a mi cautiverio. Mientras sigues leyendo, no se te olvide hacer notas en los márgenes cuando sientas que el Espíritu Santo te esté hablando.

La Historia de Israel

El ancestro de la raza judía fue un hombre llamado Abram (después renombrado Abraham, por Dios mismo), quien nació por él año 2166 a. de JC. Dios le dio una promesa a Abraham, que un día sus descendientes tomarían posesión de una tierra llamada Canaán. Hoy en día se llama Israel, Canaán, estaba hecha de unas de las más fértiles y abundantes tierras en el mundo. Por esto es que fue conocida como *"la tierra abundante de leche y miel"*.

Cuando Abraham tenía más de cien años Dios empezó a cumplir su promesa dándole a Abraham un hijo llamado Isaac. Isaac creció y tuvo un hijo Jacobo, quien a su vez tuvo doce hijos. Cada uno de ellos iban a ser los ancestros de las doce tribus de Israel que componían la nación hebrea.

Uno de los hijos de Jacobo, José, fue el primer prisionero mencionado en la Biblia. Traicionado por sus once hermanos, José fue vendido a unos tratantes de esclavos quienes lo llevaron a Egipto, donde eventualmente término pasando trece años en una mazmorra Egipto. Durante su tiempo en la prisión, Dios le dio favor a José con el guardián que le puso a José a cargo de la prisión y de todos los prisioneros. Mientras pasaron los años, las habilidades administrativas de José se fueron desarrollando a la perfección preparándolo para el verdadero propósito que Dios le tenía para su encarcelamiento. ¡José un día iba a salvar al mundo del hambre!

Cuando el tiempo del hambre llego, Dios previno a faraón, rey de Egipto, por medio de un sueño. Desafortunadamente, ni él ni sus magos entendieron el aviso. Unos de los oficiales de faraón recordó que José había interpretado su sueño exactamente. Al escuchar esto, faraón pidió que trajeran a José de la mazmorra inmediatamente. Después de escuchar el sueño de faraón, José le dijo que Egipto iba pasar siete años de abundancia seguidos por siete años de hambre mortal. Cuando faraón y sus oficiales escucharon esto se sintieron inútil, y no sabían cómo salvar a Egipto. Sin embargo, José tenía la respuesta. Usando sus talentos administrativas que adquirió durante su encarcelamiento, aconsejo a faraón que guardara el cinco por ciento de las cosechas de todo Egipto, durante los primeros siete años de abundancia. Al hacer esto aseguraría que Egipto tuviera suficiente comida para cuando vinieran los años de hambría. Después de ver la sabiduría de José, faraón soltó a José de la prisión, lo puso a cargo de almacenar el grano y lo hizo segundo en comando sobre todo Egipto.

En el tiempo que la hambría comenzó siete años más tarde, José almaceno suficiente grano para sostener las vidas de todas las personas en Egipto y todos los países a su alrededor. Allí fue cuando sus hermanos, quienes estaban a morir por del hambre, viajaron a Egipto para comprar granos. Llegaron a estar frente a frente con José por primera vez después de muchos años. Aun difícil al principio, fueron reconciliados. Después, José movió a toda su familia a Egipto para que pudieran sobrevivir durante la hambría.

Los años pasaron y otro faraón entro al poder. José ya se había ido y su nombre olvidado. Este rey puso a las doce tribus bajo su látigo, forzándolos a que trabajaran la mayoría de la mano de obra, incluyendo todos los proyectos masivos de construcción. Los hebreos esclavizados comenzaron a pedir que Dios los salvara de Egipto; pero, por los siguientes 400 años, solo soñaban con la tierra prometida por Dios a través de Abraham.

Cuatro siglos más tarde, el Señor escucho sus llantos y levanto a un hombre llamado Moisés. A través de él, Dios hizo señales milagrosas y maravillas en contra de Egipto. Diez plagas fueron desatadas en la ciudad y faraón se vio obligado a soltar a los esclavos. Los Israelitas finalmente fueron liberados de la mano fuerte de Egipto. La gente empezaron su jornada a la herencia que tanto esperaban.

Pero lo que comenzó ser un viaje de once días a Canaán se convirtieron en 40 años. Mientras que viajaban por el desierto, los Israelitas rebelaron en contra de Moisés y de Dios. ¡Entonces, cuando llegaron a la frontera de Canaán y fueron instruidos a entrar y tomar posesión de la tierra, se rehusaron por miedo! finalmente la furia de Dios se derramo, y les hizo pagar su desobediencia haciéndolos caminar perdidos en el desierto hasta que la generación que salió de Egipto muriera.

Cuarenta años más tarde, la próxima generación de niños había crecido y estaban listos para reclamar su herencia. Mientras la joven nación se preparó para cruzar a Canaán, se les había dado una advertencia. Tenían que seguir cumpliendo los mandamientos de Dios para mantener posesión de la tierra prometida. Si Israel decide obedecer a Dios mientras que estuvieran en Canaán, Él los iba a bendecir sobre naturalmente en todas formas. Sin embargo, si rebelaban, él les iba a traer maldiciones como hambrías, enfermedades y pestilencias. Si después de ser advertidos repetidamente, Israel seguía desobedeciendo a Dios, les iba a dar la última maldición: La maldición del cautiverio. Invasores vendrían a quitarle a la gente su herencia y los llevarían presos a tierras lejanas.

Pre advertidos, Israel entro en Canaán alrededor de 400 a. de JC. Por medio de la guerra, tomaron posesión de la tierra de sus habitantes. Pero seguía el peligro acechando por la superficie. Aunque los Israelitas conquistaron la tierra, ellos no habían destruido completamente a todos la gente nativa que Dios les dijo. Durante las siguientes generaciones, esos sobrevivientes se iban a mezclar con la gente de Israel llevándolos a la idolatría. Esto era una violación directa a los mandamientos de Dios.

Unas de las personas más prominentes de la Biblia que práctico idolatría fue el rey Salomón. Fue conocido en Israel como el rey más sabio, el dictador más rico y el hombre que edifico el sagrado templo de Jerusalén. Salomón también fue el primer rey Israelita que se dejo de convencer a adorar ídolos. Se casó con muchas mujeres extranjeras de las naciones, las cuales Dios mando a que lo sacaran de Canaán, esas mujeres introdujeron la idolatría masiva a Salomón. El resultado de sus pecados fue que la nación de Israel fuera divida entre dos reinos separados. Diez tribus en el reino del norte, y dos, Judá y Benjamín, hacen el reino del sur. Eventualmente los dos reinosterminarían en cautiverio.

Las tribus norteñas empezaron mal desde el principio cuando su nuevo dictador, rey Jeroboam, los dirigió directamente a la idolatría. Temerosos su gente se devolvieron a Jerusalén porque ahí estaba su templo, Jeroboam puso dos becerros en altares para que todos se quedaran en casa para adorarlos. Esto era una violación directa de los mandamientos de Dios. El reino norteño empezó a irse a la deriva al exilio.

Mientras las generaciones pasaron, la reforma nunca ocurrió; al contrario, cada nuevo rey llevaba a su gente más profunda a la idolatría y las maldiciones de Dios se hicieron realidad. Enfermedad y hambre arrasaron con el norte, pero la gente no pusieron atención a las maldiciones. Él atrasa miento continuo. Finalmente después de 200 años de rebelión continua, Dios les mando la maldición de cautiverio bien fuerte. En 722 A.C., Dios llamo a la nación de Asiria a que tomaran el reino del norte cautivo, y los Diez tribus cayeron en las manos de los brutales Asérianos. Fueron deportados como prisioneros a el imperio Asírian, y ninguno de ellos regresaron a casa más nunca. Los Israelitas habían sufrido su primer exilio.

Mientras, el reino del sur, la cual su capítol es Jerusalén, duraron un poquito más que los del norte. Sin embargo, después de varias generaciones, ellos también practicaron todas las prácticas perversas de las naciones paganas alrededor de ellas. De vez en cuando, reyes como Ezequías y Josías entraban en poder, limpiando la tierra de su pecado pero todo lo bueno que ellos hicieron lo tumbaron reyes como el rey Manases, el hizo diez veces más malicias. Durante los 55 años que él estuvo en el poder, Manases edifico altares a otros Dioses, se arrodillo y adoro los anfitriones estrellados (astrología), practico la hechicería y brujería, adivinación, hasta sacrifico a su propio hijo en el fuego al Dios Molech. Cuando la gente y los oficiales de Judá comenzaron a seguir la dirección de Manases, la paciencia de Dios se acabó. Les mando su palabra a través de sus profetas que Israel del norte, el reino del sur, pronto iría en cautiverio también.

Cerca de medio siglo más tarde, el Señor cumplió su amenaza. Les trajo la maldición del cautiverio sobre las tribus sureñas. Levantando a Nabucodonosor, rey de Babilonia, a que atacara a su gente desobediente. Primero, Nabucodonosor se adueñó de toda la plata y oro del templo de Salomón. Y en el año 588 a. de JC su ejército tomaron a Jerusalén. Por dos años el hambre barrió esta ciudad atrapada, con la situación empeorándose de tal manera que, los Israelitas se tuvieron que comer a sus hijos para sobrevivir.

Al fin, Nabucodonosor quebró a Jerusalén, lo sacudió y quemo todo completamente. A las personas de Judá lo esposaron con cadenas y lo forzados a caminar casi 1,000 millas a Babilonia. Allí, fueron prisioneros, en barrios malos dentro de las paredes masivas de la ciudad. El segundo exilio había ocurrido.

Ahora los Israelitas estaban orando a Dios para que los liberara como lo había hecho mucho antes en Egipto. Pero, esto no iba a suceder, o al menos no inmediatamente. El plan de Dios era usar el cautiverio de Israel para traer su arrepentimiento y prepararlos para los propósitos que Él les tenía para sus vidas. Para comenzar este proceso, el Señor mando una carta dentro de Babilonia conteniendo instrucciones que los prisioneros debían de seguir mientras que estuvieran en cautiverio. A través de los años, los exiliados obedecieron esas instrucciones, y cosas maravillosas pasaron. ¡Ellos comenzaron a cambiar, a ser arrepentidos, ya prosperar en medio de su encarcelamiento! A la final de su sentencia de 70 años, los corazones de los Israelitas fueron cambiados totalmente hacia Dios. Estaban listos para perseguir Su propósito para sus vidas.

¡Cuando era hora para que Israel regresara a su casa! Entonces, Dios levanto un rey llamado Ciro a que los liberara dé su cautiverio. Dictador del imperio Medianita y Perso, el rey Ciro ataco Babilonia, y la poderosa nación cayó en una noche. Después de la victoria, Ciro mando un decreto para que los Israelitas regresaran a sus casas a reconstruir Jerusalén. Al fin los exilados eran libres. ¡La prueba de su encarcelamiento había terminado! Ahora, tenían que enfrentar la nueva lucha, de reconstruir sus vidas.

Tres diferentes olas de exiliados regresaron a Jerusalén de Babilonia. Cada grupo tenían sus problemas y propósitos únicos. Armados con una misión de reconstruir el templo de Salomón, la primera ola de retornantes llegaron a Jerusalén en 538 A.C. Dirigidos por Zerubabel, este grupo de exiliados entraron a la ciudad quemada e inmediatamente comenzaron a trabajar. Pero aunque empezaron con muchas ganas, sus esfuerzos pronto fueron desapareciendo mientras llegaba oposición de todas partes. Primero, los enemigos atacaron, después distracciones mundiales vinieron a interrumpir los esfuerzos que tenían de terminar la construcción. Al fin, los ataques fueron tan intensos, que se desanimaron. Ellos descontinuaron la construcción en el templo, y comenzaron a construir sus propias casas.

Por los próximos 18 años, los ex-prisioneros abandonaron la misión que Dios les había mandado y pagaron un precio muy alto. Donde al principio comenzaron a prosperar, ahora estaban luchando. Parecía que no importaba que tanta semilla Israel plantaba en sus campos, ellos cosechaban muy poco. Y a pesar que trabajaban arduamente en sus labores, misteriosamente no tenían dinero para demostrarlo. ¿En que fallaron? Dios les había mandado una sequía a todas sus manos de obra. Les mando un mensaje por medio del profeta Hageo de que estaba previniendo la prosperidad de Israel porque habían abandonado la construcción de su templo. Cuando la gente escucharon el mensaje de Hageo, rápidamente retornaron a su misión. Como obedecieron su tarea, su prosperidad regreso.

La segunda ola de retornos entro a Jerusalén en 458A.C. Este grupo fue dirigido por un hombre llamado Esdras, quien tuvo la misión de ensenar a los exiliados de Jerusalén la Palabra de Dios. Desafortunadamente, cuando Esdras llego a casa, descubrió que la gente estaban involucrados en una situación muy peligrosa. Se habían casado con mujeres ajenas, las cuales participaban en la idolatría. Esto fue lo que había llevado a cabo a Israel anteriormente, y les causo su primer cautiverio. Afortunadamente, Esdras reconoció el peligro. Él mandó a que todos esos matrimonios se disolvieran inmediatamente. Cuando Esdras mando a que los Israelitas obedecieran su mando, ellos escucharon. Los maridos mandaron lejos a sus esposas e hijos ajenos, previniendo que la maldición del cautiverio cayera en Israel otra vez.

Al fin, en 432 a. de JC, un hombre llamado Nehemías dirigió la tercera ola de retornos a Jerusalén. Aun estando en la tierra del cautiverio, Nehemías escucho que las paredes de Jerusalén estaban quebradas, dejando a la ciudad desprotegida. Después de obtener permiso del rey persa para viajar a Jerusalén para repararlo, Nehemías fue a casa y agrupo a todos los exilados para que comenzaran el trabajo.

Tal como la primera ola de exiliados, el grupo de Nehemías también fueron atacados mientras estaban construyendo. Más sin embargo, las amenazas dirigidos hacia ellos no importo, ellos no pararon de construir. De hecho, tan fuerte era el carácter de Nehemías de terminar el trabajo, quemando que con una mano aguantaran un arma, listos para pelear, y con la otra mano construían el templo. ¡Como Nehemías no dejó que nada interrumpiera su objetivo, los exilados terminaron la pared en un tiempo milagrosa de solo 52 días!

Después de todos los años en batalla, Jerusalén al fin estaba en tacto. El templo glorioso y la pared protectora habían sido restaurados, y la gente estaban viviendo una vida abundante, involucrados activamente en el servicio de su Dios. Israel reclamo su tierra de leche y miel. Después de los años, los exiliados aprendieron una lección muy importante. **Mientras que mantuvieran sus ojos en Dios y en los propósitos que Él les daba, iban a superar cualquier obstáculo, iban a prosperar y NUNCA más regresarían a cautiverio.**

La historia de Israel es una de victoria- no de su cautiverio - pero victoriosa por medio de ello. Dios uso su encarcelamiento para devolverles a la tierra prometida y él quiere hacer lo mismo contigo. Créelo o no tu posees una herencia lleno de leche y miel. Por medio de este estudio tú vas a descubrir cómo es que Dios quiere que tú tomes posesión de ella por medio de tu cautiverio. ¡Así que, vamos a empezar a aplicar los exilios de Israel a tu experiencia de encarcelamiento para que tú también puedas obtener tu Fin Esperado!

LECCION DOS

1. *Tales cosas se escribieron hace tiempo en las Escrituras para que nos sirvan de enseñanza. Y las Escrituras nos dan esperanza y ánimo mientras esperamos con paciencia hasta que se cumplan las promesas de Dios.* (Romanos 15:4) ¿Según este versículo, el antiguo testamento fue escrito para que pueda aprender de él y aplicarlo a su propia experiencia? ¿Qué partes de la historia de Israel te destacan más y por qué?

2. ¿Ve usted una conexión directa entre usted y los cautivos Israelitas antiguos?

3. ¿Qué partes de su historia te da esperanza y por qué?

CAPITULO TRES

La Maldición del Cautiverio

"Y Jehová te esparcirá (tomarte en cautiverio) por todos los pueblos, desde un extremo de la tierra hasta el otro extremo; y allí servirás a dioses ajenos que no conociste ni tu ni tus padres, al leño y a la piedra. Y ni aun entre estas naciones descansaras, ni una planta de tu pie tendrá reposo; pues allí te dará Jehová corazón temeroso, y desfallecimiento de ojos, y tristeza de alma; y tendrás vida como algo que pende delante de ti, y estarás temeroso de noche y de día, y no tendrás seguridad de tu vida. ¡Por la mañana dirás! ¡Quien diera que fuese la tarde! ¡Y a la tarde dirás! ¡Quien diera que fuese la mañana! por el miedo de tu corazón con que estarás amedrentado, y por lo que verán tus ojos.
Deuteronomio 28:64-67 (De la lista de bendiciones y maldiciones- énfasis del autor)

¿Cómo llegaste a estar encarcelado? Algunos piensan que esto es fácil de contestar- violaste la ley, te arrestaron, después fuiste a la cárcel. ¿Pero dónde se ubica Dios en todo esto? Ejemplos paralelos de lo que estás pasando durante tu encarcelamiento se encuentran en las escrituras. Los versos arriba son de la lista de bendiciones y maldiciones escritas en el libro de Deuteronomio.

Esta escritura en particular yo la llamo la "maldición del cautiverio". Si parece ser exactamente lo que estás pasando desde su encarcelamiento, no te sorprendes. Los antiguos Israelitas pasaron lo mismo cuando fueron prisioneros miles de años atrás.

La "maldición del cautiverio" originalmente fue dado a los Israelitas antes de que entraran a la tierra prometida de Canaán. Era una palabra profética advirtiéndoles que si no continuaban obedeciendo los mandamientos de Dios mientras que vivieran en su nueva herencia, Dios los iba a quitar de la tierra a través de invasores, quienes los llevarían a cautiverio. Desafortunadamente, Israel no escucho la amenaza. Fueron llevados al exilio, primero en 722A.C., por la mano de Asiria y otra vez en 586A.C., por los Babilonios.

Para mí, el descubrimiento en la Biblia de la maldición del cautiverio, me dio la sabiduría de quien era responsable por nuestro encarcelamiento. Muchos dicen que el diablo lo hizo, mientras que otros insisten que fue nuestra culpa, pero la mayoría están de acuerdo que un Dios amoroso nunca nos traería dentro de un lugar tan horrible como lo es la prisión. Bueno, las escrituras dicen lo opuesto. Si Es Dios el que te trae al cautiverio pero solo como resultado de tu pecado. Recuerdo el momento que leí esta escritura en Deuteronomio y recibí esta revelación. ¡Me cambio la vida porque quería decir que Dios planeo mi encarcelamiento, así que él iba hacer algo maravilloso con ella! (Romanos 8:28)

¿Porque Dios te llevaría al cautiverio? Número uno, porque pecaste en contra de Él y partiste hermandad con El. La Biblia dice, *"según nos escogió en el antes de la fundación del mundo, para que fuésemos santos y sin mancha delante de él,"* (Efesios 1:4 TLB).

¡Dios te escogió para que seas de El antes de que el mundo existiera! ¡Eso es bastante! Te debiera de dar una mejor idea de porque Dios odiaba la vida de pecado que llevabas en la calle. Tus acciones te estaban separando de él. Para sanar esta relación, Dios te lleva al cautiverio, limpiándote de tu pecado y restaurándote de nuevo a Él.

La segunda razón porque Dios te lleva cautivo es porque Él tiene un propósito para tu vida diferente al que tú estabas persiguiendo. La Biblia dice, *"Todo fue creado por medio de él y para el"* (Colosenses 1:16 MSG)

Dios no te creo para que vivieras la vida que tú escogieras. Él te creo para Sus propósitos, unos que solo se encuentran en El. Dios es tu creador. Solo Él sabe porque fuiste creado. El segundo capítulo de efesios dice: *"Por qué somos hechura suya, creados en Cristo Jesús para buenas obras, las cuales Dios preparo de antemano para que anduviésemos en ellas.* (Efesios 2:10 -VKJ).

Dios tenía un propósito planeado para tu vida desde antes de que nacieras. Desafortunadamente, afuera de la prisión estabas siguiendo tus propios planes. Todos fuimos creados para servir un propósito único, pero la mayoría no conocemos nuestro propósito. De hecho, una multitud de personas pasan por la vida persiguiendo cosas que creen que tienen que hacer sin consultar a Dios primero para saber por qué es lo que el actualmente nos creo. Esta es la mayor razón Dios te trajo al cautiverio: **Para formarte otra vez a lo que originalmente fuiste creado ha ser y para revelarte y darte tu propósito especial**. ¡La Biblia tiene un nombre especial para este propósito; se llama **tu Fin Esperado!**

"Porque yo se los pensamientos que yo tengo acerca de vosotros, dice Jehová, pensamientos de paz, y no de mal, para daros el fin que esperáis" (Jeremías 29:11 VKJ)

¡Todos tenemos un Fin Esperado!, pero pocos lo encontramos. Vas a aprender por medio de este estudio que tu cautiverio es específicamente diseñado por Dios para prepararte para tu tarea y ayudarte a descubrir tu Fin Esperado. ¡El verso de arriba, sobre tu Fin Esperado!, viene de un capítulo de Jeremías titulado *"Una carta a los exiliados".* Esta carta fue originalmente mandada a los cautivos de los antiguos Israel quienes fueron prisioneros en Babilonia. En ella está la promesa que Dios tiene un futuro certero para cada uno de ellos e iba a usar su encarcelamiento para hacerlo pasar. Esta misma promesa de Jeremías es el motivo por la cual estas en la prisión hoy. ¡Puede que sea un poquito difícil de creer esto ahora mismo, pero Dios va a usar tu cautiverio para tu beneficio y Su Gloria, Él va hacer que tus sueños sean realidad!

¿Así que, como es que algo como la *"maldición del cautiverio"* se apropia para todas estas cosas gloriosas? Dios les dio la lista de maldiciones y bendiciones a los Israelitas para ayudarlos a que sigan el buen camino durante su estadía en Canaán. Usando las bendiciones como incentivo, El prometió sobrenaturalmente aumentar aquellos a los que continúen obedeciendo sus mandamientos. Más sin embargo, catástrofes como maldiciones caerían sobre los que escogieran desobedecer. Vamos a estudiar más profundo las bendiciones y maldiciones para que podamos entender completamente los propósitos que Dios tiene para ellos.   Primero la lista de bendiciones:

"Acontecerá que si oyeres atentamente la voz de Jehová tu Dios, para guardar y poner por obra todos sus mandamientos que yo te prescribo hoy, también Jehová tu Dios te exaltara sobre todas las naciones de la tierra. Y vendrán sobre de ti todas estas bendiciones, y te alcanzaran, si oyeres la voz de Jehová tu Dios". (Deuteronomio 28:1).

"Jehová derrotara a tus enemigos que se levantaren contra de ti…." (vs.7).

"Jehová te enviara su bendición sobre tus graneros, y sobre todo aquello en que pusieres tu mano" (vs.8).

"Te abrirá Jehová su buen tesoro, el cielo, para enviar la lluvia a tu tierra en su tiempo" (vs.12).

"Te pondrá Jehová por cabeza, y no por cola; y estarás encima solamente, y no estarás debajo, si obedecieres los mandamientos de Jehová tu Dios, que yo te ordeno hoy, para que los guardes y cumplas" (vs.13).

Dios ofreció a Su gente incentivos para que hagan bien, prometiéndoles bendiciones a los que obedecieran. Mira como los versos de Deuteronomio lo dicen.

"El Señor te otorgar…." *"El Señor te abrirá…"* y *"El Señor hará…"*

Estas escrituras hacen obvio el hecho de Quien está en control del universo. Dios es Dios y Él tiene el poder de lograr lo que sea. En las escrituras de arriba, El prometió dirigir la gente, circunstancias, y aun la naturaleza, para asegurarse que Su gente obediente sean bendecidas. ¿Pero qué pasaría con los que escogieran no obedecer? Dios dijo que serían maldecidas.

"Pero acontecerá, si no oyeres la voz de Jehová tu Dios, para procurar cumplir todos sus Mandamientos y sus estatutos que yo intimo hoy, que vendrán sobre de ti todas estas maldiciones, y te alcanzaran." (vs.15)

"El Señor te golpeara con enfermedad desgastante" (v22).

"Dara Jehová por lluvia a tu tierra polvo y ceniza; de los cielos descenderán sobre ti hasta que perezcas." (v24)

"Jehova te entregara derrotado delante de tus enemigos.." (v25).

"Jehová te herirá con locura, ceguera y turbación de espíritu... y no serás prosperado en tus caminos" (vs.28-29).

Cuando somos desobedientes a Dios, estamos en pecado. El pecado te separara de Dios y de sus propósitos para ti. La desobediencia también trae consecuencias a nuestras vidas. En Deuteronomio, Dios dijo que esas consecuencias vendrían en la forma de maldiciones y El seria el esforzador. Toma nota como las escrituras comprueban lo soberano que es Dios y su habilidad de llevar a cabo Sus amenazas. *"El Señor te golpeara" "El Señor te causara" "El Señor te afligira".*

El Señor es intencionado y capaz de mover las mismas fuerzas de la naturaleza de modo de poder bendecir a Sus hijos obedientes. Más sin embargo, Él también está listo para la lluvia, causar una derrota total y hacer que Su gente fracasaran en todo lo que hagan. ¿Porque Dios haría lo que parece ser cosas tan horribles a Su propia gente? **Por el amor que nos tiene, Él trabaja para desviarnos para que no seguimos en nuestro pecado, la cual nos evita recibir nuestra herencia, y Su presencia.**

Desafortunadamente, aun despés de que a los antiguos Israelitas les dijeron sobre las maldiciones, todavía escogieron rebelarse en contra de Dios. Y porque lo hicieron, trajo catástrofes sobre ellos. Israel sufrió hambres, pestilencias y sequía, y aun así continuaron hasta que fue demasiado tarde. ¿Pero muy tarde para qué? La ultima maldición que Dios dijo que el esforzaría era la maldición del cautiverio.

*"Y Jehová te esparcirá **[llevarte al cautiverio]** por sobre todos los pueblos"* (vs. 64).

La *"maldición del cautiverio"* era el golpe final. Las otras maldiciones fueron para presionar y persuadir a Israel a que pararan de pecar en contra Dios. Desafortunadamente, la gente no hizo caso a sus advertencias, así que Dios les trajo su última maldición. Mando invasores a que capturaran a Israel.

Cuando al principio leí la lista de maldiciones en Deuteronomio, me di cuenta que Dios me había golpeado con cada una de ellas. A través de los años, adquirir los químicos para cocinar la droga se hizo más difícil, envolvía más riesgo. Finalmente, por todas las restricciones federales, me resolví a robar tiendas para obtener la material que necesitaba. Mientras tanto parecía que siempre tenía que batallar con alguien porque me habían estafado o me habían delatado a la policía. Estaba sufriendo de *"sequia, hambre y enfermedades"* y era justo lo que las escrituras advertían, vine a fracasar en todo lo que hacía. ¡(Vea Deut.28:29) en ese entonces yo creía que estaba maldecida, ahora sé que verdaderamente así era! Dios había traído toda esa aparente mala suerte en contra de mí para disuadirme de continuar en lo que andaba. Desafortunadamente, en vez de dejar que la presión de las maldiciones me pararan, seguía más fuerte en mí pecado aun con más ganas hasta que Dios finalmente me hizo llegar la "maldición del cautiverio".

¿Cuándo recuerdas tu vida fuera de la prisión, puedes recordarte de varias cosas, una tras otra que iban mal? Tal vez perdiste a tus hijos, tu casa, tu carro, o todos tus tratos empezaron a quebrarse. Lo que fuera, probablemente llegaste al punto donde parecía que tu vida estaba "maldecida". ¡Imagínate eso! Todas esas circunstancias aparentes de mala suerte no eran solamente coincidencias; eran las maldiciones de Dios. Pero como los Israelitas, tú no pusiste atención a las banderas rojas hasta que fue demasiado tarde. Estabas tan enfermo que Dios solamente podría recetar el único remedio posible- cautiverio. ¿Ahora Él tiene tu atención, No? Bien, ese era Su plan.

Como todas las maldiciones, la "maldición del cautiverio" con todos sus problemas fue diseñado para traerte a los brazos del Señor. Solo la presión de tu cautiverio es para crear en ti una necesidad desesperada por buscar a Dios para ayudarte en tu situación. Vamos a leer toda la maldición otra vez.

"Y Jehová te esparcirá [tomarte en cautiverio] por todos los pueblos, desde un extremo de la tierra hasta el otro extremo; y allí servirás a dioses ajenos que no conociste tu ni tus padres, al leño y a la piedra. Y ni aun entre estas naciones descansaras, ni la planta de tu pie tendrá reposo; pues allí te dará Jehová corazón temeroso, y desfallecimiento de ojos, y tristeza de alma; y tendrás tu vida como algo que pende de ti, y estarás temeroso de noche y de día, y no tendrás seguridad de tu vida. ¡Por la mañana dirás! ¡Quien diera que fuese la tarde! ¡Y a la tarde dirás! ¡Quien diera que fuese la mañana! Por el miedo de tu corazón con que estarás amedrentado, y por lo que verán tus ojos." (vs. 64-67)

"Una mente ansiosa y un corazón acongojado" Que perfecta descripción del trauma emocional y mental por el que pasaste cuando primero fuiste encarcelado. En el principio de mi encarcelamiento, yo viví en "constante suspenso", nunca sabiendo que iba pasar. Mientras los federales investigaban nuestro caso, más y más evidencia resultaba...apretando más la soga en mi cuello. Al fin, uno de nuestros codemandados acordaron testificar en contra del resto de nosotros, lo cual sellaba nuestra condena. Batallamos en la corte federal por dos largos años hasta que finalmente perdimos y yo fui sentenciada a 151 meses en la prisión federal. Durante todo esto mi acoso mental físico y emocional fue tan grande, yo me sentía abrumada.

Ahora sé que Dios permitió todas esas circunstancias horribles para traerme a su propósito final: De regresarme a Él, de una forma desesperada por su ayuda. Fue durante ese tiempo, que comencé a buscar al Señor con todo mí ser. La "maldición del cautiverio" estaba realizando su función en la que fue hecha, provocándome a correr a los brazos esperados de mi Salvador. ¡Y correr fue lo hice- a todo lo que da sin parar!

¡Has sido maldecido al cautiverio, pero solo para que la presión de la maldición puede tomar efecto y funcionar para traerte a Dios y a todos sus maravillosos propósitos que él tiene guardados para ti! ¿Y ahora qué? Lo primero que tienes que hacer es romper la maldición. La Biblia dice que la única forma de hacerlo es aceptando al hijo de Dios, Jesús Cristo como tú Señor y salvador.

"Cristo nos redimió de la maldición de la ley, al hacerse él una maldición para nosotros, porque está escrito: 'Maldecido es todo aquel que cuelga de un árbol.' Él nos redimió para que la bendición dada a Abraham viniera a los gentiles por Jesucristo, para que por fe pudiéramos recibir la promesa del Espíritu" (Gálatas 3:13-14).

Cuando Jesús fue colgado en la cruz -El tomo todas nuestras maldiciones, incluyendo la maldición del cautiverio, y los puso en El mismo. Entonces cuando Él fue resucitado de la muerte, El derroto todas esas maldiciones, trayendo libertad a aquellos que lo aceptan. Por este mismo sacrificio Jesús también gano el derecho para que tú recibes las bendiciones de Abraham. Tomate un momento. Lea de nuevo la lista de bendiciones en Deuteronomio 28 y reconozca como pueden ser tuyos, cuando le pidas a Jesús que entre a tu vida.

¿Así que, esto quiere decir que si aceptas a Jesús el Señor, la "maldición del cautiverio "se quitara de tu vida mañana? ¡Probablemente no! ¡La maldición se terminara, pero Dios te trajo aquí por una razón; para cambiarte, para que tengas una relación personal con Él y para prepararte para ir y tomar posesión de tu Fin Esperado! que él tiene planeado para ti. Más sin embargo, tienes que empezar con Jehová. Si todavía no lo has aceptado como Señor y Salvador de tu vida, hazlo ahora para que la maldición sea rota. Por favor ora esta oración conmigo:

"Señor Dios, yo reconozco que he pecado en contra de ti. He desobedecido Tus mandamientos. Yo te estoy pidiendo Tu perdón. Yo me doy cuenta de que estoy bajo la "maldición del cautiverio". También reconozco que Cristo murió en la cruz, y fue maldecido por mí. Él fue resucitado a la vida para redimirme de la maldición. El me hace elegible para todas tus bendiciones del pacto. Yo pido a Jesús, en este momento, que entre en mi corazón para que yo pueda empezar mi camino hacia ti y la herencia maravillosa que tú has preparado para mí. En el nombre precioso de Jehová, yo oro. Amén"

LECCIÓN TRES

1. La Biblia dice: *En él fue creado todo lo que hay en los cielos y en la tierra, todo lo visible y lo invisible; tronos, poderes, principados, o autoridades, todo fue creado por medio de Él y para El.* "Colosenses 1:16 Cuando estabas afuera de la prisión en la calle, ¿Crees que seguías los propósitos de Dios o los suyos?

2. ¿Cuáles eran los propósitos que perseguías? ¿Qué estabas tratando de lograr?

3. La Biblia dice: *Sólo yo sé los planes que tengo para ustedes. Son planes para su bien, y no para su mal, para que tengan un futuro lleno de esperanza.*"Jeremías 29:11¿Cree usted que Dios tiene un propósito mejor para tu vida mejor que la que tú persigues?

4. La Biblia dice: *Si no oyes la voz del Señor tu Dios ni procuras cumplir todos los mandamientos y estatutos que hoy te mando cumplir, vendrán sobre ti, y te alcanzarán, todas estas maldiciones......***El Señor te esparcirá por todos los pueblos, de un extremo al otro de la tierra.....*** (Deuteronomio 28:15, 64)* ¿Qué acciones causaron que la maldición de cautiverio te llegara?

5. Lea este versículo y luego responda lo siguiente: *Cristo nos redimió de la maldición de la ley, y por nosotros se hizo maldición (porque está escrito: "Maldito todo el que es colgado en un madero"[14] para que en Cristo Jesús la bendición de Abrahán alcanzara a los no judíos, a fin de que por la fe recibiéramos la promesa del Espíritu. (Gálatas 3:13-14)*¿Según este versículo, que hizo Cristo en la cruz por ti?

CAPITULO CUARTO

¡Nada Puede Substituir tu Fin Esperado!!

"En el noveno año de Oseas, el rey de Asiria tomo Samaria, y llevo a Israel cautivo a Asiria. Porque los hijos de Israel pecaron contra de Jehová... Y anduvieron en los estatutos de las naciones que Jehová había lanzado de delante de los hijos de Israel, y en los estatutos que hicieron los reyes de Israel" 2 Reyes 17:6-8

En 1406 aC, los Israelitas dejaron el desierto para entrar a Canaan. En menos de siete siglos mas tarde, en 722 aC, sufrieron su primer exilio en la tierra de Asiria. La Biblia dice que el cautiverio *"tomo lugar porque los Israelitas habían pecado en contra del Señor su Dios"* El siguiente verso nos va a decir que pecados fueron responsables por el exilio de Israel,

"Ellos adoraron otros Dioses y siguieron las prácticas de las naciones que el Señor había sacado ante ellos".

En este capítulo vamos a estudiar en los dos pecados que mandaron a Israel al exilio. Esto es la base de porque tú también fuiste puesto bajo la "maldición del cautiverio". Vamos a empezar con la primera parte de las escrituras las cuales hablan de cómo Israel *"adoraban otros Dioses"*. En el libro de Deuteronomio, Dios dio esta advertencia directa a Su gente.

"Cuando hayas engendrado hijos y nietos, y hayas envejecido en la tierra, si os corrompieres e hicieres escultura o imagen de cualquier cosa, e hicieres lo malo ante los ojos de Jehová, vuestro Dios, para enojarlo; **Y Jehová** *os esparcirá entre los pueblos, y quedareis pocos en número entre las naciones a las cuales os llevara Jehová* **[tomarte en cautiverio]** *sobre las gentes..."* (Deuteronomio 4:25 &27).

El mensaje de Dios fue claro. Si los Israelitas empezaban a practicar la adoración de ídolos después de que se movieran a su nueva herencia él los iba a llevar al cautiverio. De cualquier manera, aunque Israel había sido advertido, aun así no escucharon. Pronto después de que entraron a la tierra prometida, la gente empezaron a adorar a otros Dioses en la forma de ídolos. ¿Qué exactamente es un ídolo? Miles de años atrás, ídolos eran hechos de oro, plata, madera o piedra. Los antiguos Israelitas creían que estos objetos que no tenían vida hechos por el hombre poseían un poder real para controlar su prosperidad, fertilidad y hasta el clima para sus cosechas. Esto puede sonar simple para ti, pero aunque te des cuenta o no, cuando tú estabas afuera de la prisión en la calle, caíste bajo el mismo engaño. Creías que los ídolos podían cambiar tu vida.

Ídolos no solo son cosas del pasado. Existen hoy en día, tomando todas clases de formas como dinero, drogas, alcohol, y hasta gente. El diccionario "Webster" define la palabra *"ídolo"* como "cualquier objeto de ardiente o excesivo devoción". De acuerdo a la definición, un ídolo no necesita ser una estatua de oro pero cualquier cosa que la hagas ser el centro de tu enfoque en tu vida. Sin embargo, solamente Dios tiene el derecho de ser el primero en la posesion porque el es el que nos dio la vida. Pero antes de que vinieras a la prisión tú le estabas dando tu atención a todo menos a Dios, de modo que en esencia tú estabas practicando la adoración de ídolos y la Biblia dice que fuiste tomado en cautiverio por eso.

¿Por que estabas correteando tras ídolos? Porque tu pensaste que ellos te iban a traer alguna clase de felicidad. Noventa y nueve por ciento de personas no son felices y andan buscando diferentes maneras para sentirse mejor. Por esto es que la gente usa drogas o comen demasiado. Están tratando desesperadamente de encontrar alguna clase de satisfacción para llenar el vacío que está por dentro. ¿Pero qué es lo que causa a uno a ser tan infeliz en primer lugar? De acuerdo a la Biblia dos cosas, no tienen a Dios y no saben el propósito para los cuales fueron creados. La Biblia dice,

"Todo lo hizo hermoso en su tiempo; y ha puesto eternidad en el corazón de ellos. *[Un sentido divinamente implantado de un propósito trabajando por las eras lo cual nada bajo el sol solo Dios puede satisface]*....."(Eclesiastés 3:11 AMP)

¡Nada bajo el sol te puede dar satisfacción completa, solo Dios y tu Fin Esperado! Pero cuando estabas afuera de la prisión en las calles tú no sabías esto y tratabas de hacerte sentir mejor con drogas, sexo o cualquier ídolo que hayas estado persiguiendo. Desafortunadamente, esas cosas no llenaban el vacío que sentías. De hecho, te hicieron más daño durante tú buscada, te llevaron más lejos del Creador y tu verdadero, propósito.

Recuerdo cuando estaba en la calle, siempre sentía que algo me faltaba. No importaba que tan loca me ponía o que tanto dinero tenía, ese sentimiento no se iba. De hecho lo más que trataba lo peor que me ponía. Finalmente, recuerdo llegar al punto que fui tan miserable que solo quería morirme. Pero yo era el tipo que no me mataría de modo que buscaba pleitos con los más grandes, más malos en el mundo de las drogas con el intento de provocarle a alguien que lo hiciera por mí. Muchos trataron pero afortunadamente ninguno tuvo éxito.

En contraste, cuando salí de la prisión las cosas fueron totalmente diferente. ¡Tenía una relación con Dios y por medio de mi cautiverio me dio mi Fin Esperado! A través de mi cautiverio, El me dio mi Fin Esperado. Poseyendo mi propósito único quería decir que el vacío que una vez me controlaba se había ido. Consecuentemente, la rutina vieja de buscar a ídolos también se fue. ¡De hecho, el propósito que Dios me había dado me dio tanta alianza que no tenía que pelear las ganas de hacer drogas más porque ya no las deseaba! Mi vida estaba llena de Dios y mi propósito creado de modo **que ya yo estaba completamente satisfecha.**

Desafortunadamente, otros ex-convictos que yo conozco no les fue tan bien. Muchos de ellos, aun Cristianos, volvieron a usar drogas y hacer crímenes y eventualmente fueron devueltos a la prisión. ¿Por qué? ¡Bueno aunque algunos mantuvieron una relación con Dios mientras estuvieron adentro de la prisión, ninguno tomo posesión de su Fin Esperado! durante su cautiverio. Recuerden, las escrituras dicen que solo dos cosas pueden dar satisfacción total en la vida: Dios y su propósito creado. Los Cristianos que volvieron a la prisión no tenían la otra mitad de la solución.

No es suficiente tener a Dios mientras que estas en prisión; también tienes que tomar las riendas hacia el futuro que él tiene para ti. Mi esposo Roberto, quien estaba encarcleado 17 años, es un buen ejemplo de esto. Cuando él estaba en la calle, el persiguió los ídolos de dinero y drogas. Después, lo arrestaron y llego a conocer al Señor y pasaba su tiempo estudiando la Biblia. Cuando a Roberto lo soltaron, ya había tenido una relación permanente con el Señor. También tenía mucho conocimiento de las escrituras. Desafortunadamente, una vez que estuvo afuera descubrió que necesitaba algo más.

¡Cuando a Roberto lo soltaron, él no sabía cuál era el propósito que Dios le tenía, lo que indicaba que solo llego a la mitad de la solución! El resultado: volvió a los mismos comportamientos en el que estaba antes de su arresto. Buscaba algo que le diera la satisfacción que él no tenía. Lucho con cigarros y alcohol. Hasta hizo un comentario más de una vez, que regresaría a las drogas si no estuviera en probación. Roberto también lucho con cómo manejar la tensión que sentía. Aún era un empleado fiel y buen trabajador se sentía miserable donde quiera que trabajaba. Esto causo que saltara de trabajo en trabajo en busca de ese algo que a él le faltaba. Pero cada vez que empezaba un nuevo trabajo, los sentimientos miserables regresaban un poco después de la calma.

En el tiempo que me case con Roberto, su modo de buscar satisfacción está enfloreciendo. Por la frustración que él sentía, cada semana salía con una nueva idea para que la probáramos. ¡Recuerdo un día que me llamo y me dijo que debiéramos dejar todo para enlistarnos en una escuela para barberos para que pudiéramos empezar un negocio de cortar el cabello en los domicilios! ¡No me malinterpreten, no estoy tratando de decir que los barberos no son importantes, pero yo ya sabía cuál era mi Fin Esperado! ¡Y eso no lo era! También sabía que las docenas de ideas que mi esposo tenía eran solamente su manera de substituir algo que él ni siquiera sabía que le estaba faltando: ¡Los verdaderos propósitos que Dios le tenía para su vida!

¡Roberto, como tantos otros Cristianos, luchan durante sus vidas porque no saben cuál es su Fin Esperado! Recuerdo bien el día que el Señor empezó a revelarle a Roberto el propósito verdadero de su vida. ¡Le Cambio su vida! ¡Ya no tenía la plaga de estar deprimido por no saber su Fin Esperado y paro de perseguir diferentes ídolos! **¡El comportamiento que lo llevo al cautiverio se había ido!** ¡Fue quitado por el poder de su Fin Esperado! Aunque era un esposo maravilloso cuando me case, llego a ser el hombre de mis sueños después de esta revelación.

¡Nada puede substituir tu Fin Esperado! Lo necesitas, debes de tenerlo pero nunca lo vas a encontrar siguiendo ídolos. De hecho los ídolos solo te van alejar de tu verdadero propósito. La Biblia dice que cuando Israel buscaba ídolos sus vidas se arruinaron.

"Desecharon los estatutos del Señor y el pacto que había hecho con sus antepasados, así como los testimonios que él les había prescrito, y siguieron a (los dioses falsos), con lo que (ellos mismos perdieron valor), y siguieron a las naciones a su alrededor, a pesar de que el Señor les había mandado que no las imitaran. (2Reyes 17:15-Reina Valera Contemporánea).

Israel siguió los falsos ídolos del mundo y sus vidas vinieron a ser lo mismo que los Dioses que buscaban; falsos, vacíos y fútiles. La Biblia llama los ídolos falsos porque te engañan y te hacen creer que vas a encontrar felicidad en ellos. Son llamados vacíos porque al seguirlos no te van a llenar como tú verdadero propósito que Dios te tiene. Y son llamados fútiles porque seguirlos es una pérdida de tu tiempo. **¡Nunca encontraras tu Fin Esperado en la búsqueda de tus ídolos!** De hecho, adoración de ídolos solo te llevara a que estés totalmente fuera de control. Cuando yo estaba afuera de la prisión, hice cosas que, si no fuera por Dios lo considerarían imperdonable. Yo no era diferente a los antiguos Israelitas quienes desesperadamente en su adoración de ídolos que hasta sacrificaron a sus propios hijos en el fuego al Dios Moloch. (Levítico 20:3 Reina Valera - Contemporánea).

Puedes estar pensando que tú nunca harías esto. Más sin embargo, en nuestra propia manera cada uno de nosotros (me incluyo yo) sacrificamos a nuestros amados y a nosotros mismos al fuego para llenar el vacío. ¿Cuantas veces dejaste a tus hijos con tu familia o hasta con un extraño para poder buscar una bolsa de drogas? ¿Tal vez los dejaste en algún lugar porque estabas tan endrogada que no te importaban? Vez, que en la búsqueda de tu satisfacción sobrepasabas la preocupación por otros. ¡Por esto, es que debes tomar posesión de tu Fin Esperado mientras que estés en cautiverio porque eso solo te va a prevenir volver a los ídolos! ¡Este estudio te va a enseñar cómo encontrar cuál es tu propósito!

Ahora, regresemos a la primera escritura en este capítulo. Vamos a estudiar el otro pecado que puso a Israel y a ti en cautiverio.

"Ellos adoraron otros Dioses y siguieron las prácticas de las otras naciones que el Señor había sacado de ante de ellos"

Los dos pecados arriba son directamente relacionados: La adoración de otros Dioses es lo que la gente de otras naciones en Canaán practicaban. La escritura de arriba 2 Reyes dice que Israel peco al seguir los ejemplos de esa gente. ¿Has escuchado la frase "lo que uno ve, uno hace"? Bueno esto es lo que les paso a Israel. Ellos vieron la gente de otras naciones practicando la idolatría y empezaron hacer lo que esa gente hacía.

Cuando los Israelitas primero cruzaron a Canaán, ellos pelearon a sus habitantes para tomar posesión de la tierra. Antes de esta guerra, el Señor les dio instrucciones específicas a Su gente de cómo es que ellos tenían que bregar con sus cautivos cañarenses. Sus instrucciones fueron:

*"Cuando el Señor tu Dios te haya introducido en la tierra de la que vas a tomar posesión, y haya desalojado delante de ti a muchas naciones, es decir, a los hititas, gergeseos, amorreos, cananeos, ferezeos, jivitas y jebuseos, que son siete naciones más numerosas y más poderosas que tú, y el Señor tu Dios te las haya entregado y las hayas derrotado, **deberás destruirlas totalmente. No harás con ellas ninguna alianza, ni les tendrás misericordia. Tampoco deberás emparentar con ellas...... porque harán que tus hijos dejen de seguirme, para seguir y servir a dioses ajenos..."** (Deuteronomio 7:1-4).*

La conquista de Canaán fue casi un triunfo total. Israel gano las batallas pero fracasaron en obedecer las instrucciones de Dios debidos a la gente de la tierra. En vez de destruirlos por completos a los caninitas, los Israelitas dejaron vivos a algunos de ellos y hasta hicieron tratos con ellos y se casaron con esa gente. Eventualmente, una consecuencia mortal vino a cabo por esas relaciones. Los Caninitas envenenaron espiritualmente a Israel y les enseño como practicar la idolatría. La Biblia dice la gente de Israel termino en cautiverio porque ellos, **"Imitaron las naciones alrededor de ellos** *a pesar que Dios les había ordenado,* **no hagan lo que ellos hacen,** *' e hicieron las cosas que el Señor les había prohibido que hicieran"* (2 Reyes 17:15).

Los Israelitas imitaron el comportamiento de la gente del mundo y terminaron en la prisión por eso. ¡Esto es precisamente lo que te paso a ti en la calle! Permitiste a personas que influenciaron tu comportamiento. Mientras más tiempo pasabas con ellos, más hacías lo que la escritura dice, "imitaste". Te endrogaste, escribiste cheques malos, robaste. Y por eso terminaste en cautiverio.

Ninguno de nosotros somos exentos a esto. Cada droga que yo hacía, yo aprendía como hacer de unas de "amigas". Yo fume mariguana, olía cocaína y me inyectaba porque alguien a mí alrededor lo estaba haciendo. Aprendí a vender drogas porque vi a otros vendiendo drogas, aprendí a cocinar de otros cocineros. Permití que la gente en mi vida cambiara mi corazon hacia los idolos de este mundo.

Al principio, no quería admitir que alguien me influenciara tanto. Siempre había sido un líder y no un seguidor pero aprendí que nunca debes de subestimar el poder que la gente del mundo puede tener en tu vida. En Deuteronomio, donde Dios mando a que Israel destruyera a los caninitas, él dijo que la gente del mundo eran más 'grandes y más fuertes' que Israel. Queriendo decir que su influencia era más grande de lo que su gente pudiera resistir. No importa qué clase de persona seas, nadie está exento de influencias mundanas. Por eso es que Dios nos manda a quitar por completo toda esa gente de nuestras vidas.

Miremos a Salomón, el rey más sabio que guio a Israel. El hablo 3,000 proverbios, escribió 1,000 canciones y podía describir cualquier clase de planta, animal, pájaro o reptil. La Biblia dice, *"Y dio Dios á Salomón sabiduría, y prudencia muy grande, y anchura de corazón como la arena que está a la orilla del mar. (*1 Reyes 4:29). Pero aunque Salomón era un brillante y poderoso rey, todavía fue influenciado a practicar idolatría por la gente que permitió a su alrededor.

"Pero el rey Salomón, amo, además de la hija de faraón, a muchas mujeres extranjeras; a las de Moab, a las de Amón, a las de Edom, a las de Sidon, y a las heteas; gentes de las cuales Jehová había dicho a los hijos de Israel: No os llegareis a ellas, ni ellas se llegaran a vosotros; porque ciertamente harán inclinar vuestros corazones tras sus dioses....Y cuando Salomón era viejo, sus mujeres inclinaron su corazón tras dioses ajenos, y su corazón no era perfecto con Jehová su Dios, como el corazón de su padre..." (1 Reyes 11:1-4)

Las esposas de Salomón lo llevaron a pecar en contra de Dios persiguiendo ídolos. Por el pecado de Salomón, la nación de Israel se dividió entre dos reinos idolatras, ambos terminando cautiverio.

Eres llamado por Dios a ministrar a la gente del mundo, no para casarte con ellos. Si lo haces, es inevitable que vas a ser influenciados por sus mismos comportamientos. Una de las razones por las que estas en cautiverio ahora es por las asociaciones que tú hiciste durante tu tiempo fuera de la cárcel. Ahora que sabes que la Biblia dice que te llevaran al exilio por esa clase de relaciones, necesitas ser muy cuidadoso de no volver a involucrarte con ellos otra vez.

Muchas veces cuando aún estaba dentro de la prisión, vi el camino de algunos creyentes tumbarse por la gente con la que se rodeaban. Una y otra vez, vi a personas caer porque se enredaban en el drama. Ellos paraban de ir a la iglesia y a estudiarla Biblia y empezaron a incluirse en toda clase de drama: chismes, peleando, robando más drogas y homosexualidad. Jesús dijo,

"Y si tu mano derecha te causa a pecar, córtala y descartala.es mejor que pierdas una parte de tu cuerpo que tu cuerpo entero se vaya al infierno" (Mateo 5:30).

Esto puede sonar un poco al extremo, pero lo que significa es que tienes que ir a los extremos para cortar esa gente que lo encamina mal. Ahora mismo, mientras que estés leyendo esto, el Espíritu Santo te esté condenando por alguna relación o amistad en la que estas ahorita que es malo para tu camino con Dios. Si este es el caso no pruebes a Dios.

Mezclándose con la gente de otras naciones fue la trampa que causo a que Israel cayera una y otra vez. ¡De hecho aunque sabían que este pecado en particular era una de las razones por las que fueron al cautiverio, siguieron mezclándose con la gente de las naciones extranjeras después de que salieron! Pero, no fueron los únicos que repitieron este pecado. ¿Sabías que el número de gente que regresa a prisión es astronómicamente alto? La razón por la cual muchos de ellos terminan regresando es porque se vuelven a mezclar con la gente equivocada otra vez.

Si estas planeando juntarte otra vez con el mismo grupo antiguo cuando te dejen salir, lo mejor que puedes hacer es reservar tu cama desde ahora porque vas a regresar. La Biblia lo dice. La asociación de Israel con la gente del mundo los llevo al cautiverio y tu asociación te hizo lo mismo. Si estas dentro o afuera, no repitas el mismo error dos veces.

1. La Biblia dice: *En su momento, Dios todo lo hizo hermoso, y puso en el corazón de los mortales la noción de la eternidad, aunque éstos no llegan a comprender en su totalidad lo hecho por Dios* (Eclesiastés 3: 11), de acuerdo a esta escritura, ¿Cuáles son las dos cosas en este mundo que le brindan satisfacción total?

2. La Biblia dice que una razón por la cual Israel fue en cautiverio es porque *"ellos siguieron a otros dioses"* (2 Reyes 17:8) ¿Que ídolos estabas persiguiendo en la calle, tratando de encontrar satisfacción?

3. La Biblia dice que la otra razón Israel estaba en cautiverio se debía a que *"ellos........siguieron las costumbres de otras naciones que el Señor había desposeído delante de él"* (2 Reyes 17:08) ¿Con quién estabas saliendo con en las calles? ¿Cómo fue que esas personas influyeron tu comportamiento?

4. ¿Entiendes que los ídolos que estabas persiguiendo, y las personas que te influenciaron negativamente son los que han contribuido a tu maldición de cautiverio? ¿Va a pensar dos veces antes de involucrarse con los ídolos o a la gente mala de nuevo?

CAPITULO CINCO

Sumisión Forzada

"Más los filisteos le echaron mano, y le sacaron los ojos, y le llevaron a Gaza; y le ataron con cadenas para que muriese en la cárcel. Y el cabello de su cabeza comenzó a crecer, después de que fue rapado. Jueces 16:21-22

Mi cara fue aplastada contra el cemento porque los oficiales correccionales me habían clavado ahí y estaban esposando mis manos detrás de mi espalda. Me llevaban a segregación **otra vez** por pelear **otra vez**. Tres de ellos me escoltaron de la yarda al frente del centro, y después me tiraron en una celda de admisiones. En cuanto abrieron la puerta, el olor pungente de orina me pego en la cara. El olor estaba extrañamente mezclado con un olor a cítrico de las cascaras de naranja y los bocadillos que estaban medio comidos tirados en el piso. Eran de las bolsas de comida que daban a los recién encarcelados.

Mientras la puerta se cerró detrás de mí, la cara del capitán que llamábamos "hijastro de pelo rojo" se asomó por la ventana de la puerta. "¡Así que estas aquí otra vez! Ladro, causando vapor en el vidrio de su aliento. "¡Tú sabes que mientras no te compongas tu @x!?@ ¡Actitud, vamos a seguir tirándote en el hoyo!"

Él tenía razón, pero yo no tenía planeaba cambiar. Ladro algo más y después se desapareció, dejándome solo el sonido de sus botas por el pasillo. Como yo era su mejor "cliente", yo sabía que su misión seria de no dejar mi estadía aquí ser una placentera.

Mientras buscaba un lugar que no tuviera vomito para sentarme, yo sabía que hacerme la vida amarga no va a ser muy difícil de lograr. Yo no estaba en una segregación normal. Iba a estar en admisiones por el tiempo completo disciplinario. Este lugar no tenía dormitorios segregados para mujeres, así que cuando alguna de nosotros nos metíamos en problemas nos llevaban a admisiones con todos los gastos pagados.

Pero esto no era lo que yo llamaría una vacación. El ruido era constante las 24 horas y 7 días de la semana con gente gritando o llorando, rogando por otra llamada por teléfono, medicamento o un baño. Algunos golpeaban sin parar en las puertas de metal mientras que los otros les gritaban que se callaran. Me levante apenas a tiempo de ver a una mujer borracha pasar corriendo, tropezándose al fondo del pasillo mientras que resistía a los policías. Rápidamente el "hijastro pelo rojo" y uno de sus gemelos diabólicos le brincaron, el gemelo golpeándole los pies hasta que la subyugaron. Ahora lloriqueando, la arrastraron por el piso por un brazo dentro de una celda, al mismo tiempo que cerraban la puerta detrás de ella.

Eso es lo que pasaba en admisiones. Mientras me daba la vuelta alejándome de la ventana, un muchacho o en la celda en frente me hizo señas. Pare y me enseno su cuerpo, esperando que yo hiciera lo mismo. Desairándolo, me di la vuelta. "No me interesa "pensé. Tenía problemas más fuertes. Como cuánto tiempo estaría aquí esta vez y cuando me traerían un colchón y una cobija. No me importaba si estuvieran sucias. Yo tenía frio y estaba cansada.

Para mi, esto erala parte mas dura, el aire acondicionado congelado entrando de los ventiladores sobre mi cabeza. Todo lo que mi cuerpo tocaba era frígido; la banca de metal fría como hielo, piso de cemento frio congelante. Agarre el papel de baño y empecé a tirar bolas de papel mojado a el ventilador para bloquear el aire, pensando si tenía suficiente papel para hacerlo y a la misma vez poder limpiar el asiento del inodoro para poder usarlo.

Si admito que ya yo estaba cansada de hacer visitas a las admisiones. Me estaba cansando. Fuera totalmente diferente si me hubieran puesto en una celda cómoda como las de los hombres. Estaban en dormitorios con camas y cobijas, material para escribir y leer y claro una ducha con baño. ¡A eso si me pudiera acostumbrar! ¡Allí no importara cuantas veces me metiera en problemas, porque sería como si fuera a mi propio cuarto de hotel! ¡Pero no había estadía en el Hilton para mí, cada vez que actuaba mal me llevaron a admisiones!

Toda mi vida había sido peleonera. Era arrogante, agresiva, boca sucia que siempre tenía control. Nunca deje que nadie me dijera lo que tenía que hacer. Pensé que yo era lo mejor del mundo. Y ahora estaba encerrada rodeada de policías que hacían lo que les daba la gana. Mi respuesta hacia ellos siempre era "No", y siempre me mandaban al hoyo. Por el otro lado, me ponía a pensar porque Dios no estaba sacando la cara por mí. Después de todo, yo estaba leyendo su Biblia. ¡De hecho la estaba leyendo todo el tiempo! ¿No quería eso decir que él me sacaría de esas clase de situaciones?

Camine hacia la ventana, evitando la mirada con mi nuevo "amigo" del otro lado del pasillo. Y me asome por el vidrio esperando ver a alguien para pedirle un cigarrillo. "¿Cuando empecé esa pelea?" pensé en mi mente, buscando el recuerdo. "Mmm..Ha de ver sido como la una," recordé molesta. ¡Esto quería decir que los trabajadores no iban a parar por admisiones por muchas horas y yo necesitaba un cigarrillo ahora mismo!

Volteándome, tire un bocadillo duro de Bolonia que se resbalo al cruzar el otro lado del pasillo. La última vez que le pedí a alguien que me pasaran unos cigarros termine en una pelea de "WWF" para tratar de quedarme con ellos. El capitán y el teniente se juntaron en contra de mí en un equipo de "tag". Al pensarlo me dio risa, pero el recuerdo me dio felicidad temporáneo. Rápidamente, me regrese a la realidad de tener que pasar por esto otra vez. ¿Cuantas semanas iba a durar esta vez?

Pensándolo, me di la vuelta otra vez, inclinándome en la puerta fría de hierro. Mire de nuevo hacia el pasillo vacío. ¿Dónde está una policía cuando lo necesitas? Yo sabía que iba tomar mucho tiempo para que me dieran un colchón. Siempre pasaba así. Mientras más lo pensaba más mal me ponía.

Justamente, pude escuchar las puertas del médico abriéndose. Estaban trayendo la "rata" con la que me había peleado. Estaba gritando algo de que su costilla había sido rota, y su amiga que también estaba en el pleito, venia justo detrás de ella. Ella seguía gritando histéricamente el nombre de su amante lesbiana una y otra vez. La rata esa era mi acusadora. Me acababa de enterar de que ella testificaría en contra de nosotros en la corte federal. De repente me sentí enferma del solo pensarlo, pero también fue porque no había comido en todo el día y yo era diabética.

Dejándome caer en el pegajoso piso, rápidamente me entere de que no iba a comer por mucho tiempo. Así que en vez de preocuparme, me senté allí pensando en la traición de mi acusadora. Pronto mis pensamientos de odio empezaron a crecer por dentro de mí y me llene de odio. Inclinándome, puse mi boca en la grieta de la puerta y empecé a cantar, "tráiganme un colchón y una cobija" una y otra vez, pero sin resultado. ¡Finalmente, me di la vuelta pare patear la puerta como mula.bum!bum!bum! el ruido haciendo eco en el pasillo sonaba como un disparo. ¡Uno de ustedes#!!¡@X! policías tráiganme una@#@!x!@ cobija ¡Ahora!!! Grite. Escuche sus risas. Me iban a dejar congelar a propósito para darme una lección.

Pasaron horas, y todo el tiempo escuche a esas mujeres gritando y llorando. En cuanto a la policía, cuando pasaban por mi ventana se burlaban de mí, y yo respondía desagradablemente. Al fin, ya cansada del juego, pensé si me duermo, pudiera pasar el tiempo rápido mientras dormía. Así que me acosté en la banca de metal de 10 pulgadas de ancho tratando de mantener el frio que llegaba hasta mis huesos. Cuando me desperté de mi siesta, estaba adolorida. Mi ropa y cabello apestaban al agua podrida del inodoro.

¡Sí! Ya yo estaba cansada de esto. Diera lo que sea para poder estar en mi cama fumándome un cigarrillo. ¿Cuantas veces más iba a pasar esto para que yo pudiera hacerlo bien? Mientras lo seguía pensando, me subió la tensión. Podía sentir el nivel del azúcar elevarse. De hecho, minutos más tarde, tuve una convulsión.

No sé cuánto tiempo después, me desperté con una taza de "koolaid" en mi mano. Escuche a la enfermera decir, mientras la sacaban de mi celda, que mi nivel de azúcar en la sangre se bajó a 69, peligrosamente bajo. Allí fue cuando me di cuenta de que había una bolsa de comida a mi lado.

¡"Ya era hora"! Le escupí al oficial de correcciones que estaba con ella, pero esto solo hizo que el cerrara la puerta más fuerte cuándo salió.

Hombre, yo estaba cansada. Completamente desgastada. Estaba peleando con todo el mundo: la policía, los prisioneros, la corte, y aunque no me di cuenta, Dios mismo. Me sentía débil; como que ya no podía más y lentamente me acurruque contra la pared del cemento frio. Al fin había llegado al tope de mi paciencia, exactamente donde Dios me quería.

De una, me di cuenta que Él estaba allí con migo, porque sentí vergüenza. Su presencia me dio la convicción de que todas mis acciones estaban fuera de lugar. Mientras me sentía allí sintiendo su mano de casta, lo escuche claramente diciéndome que quería que parara de pelear y quería que me rindiera a mi cautiverio. Al solo pensarlo, me hizo que la piel se me enchinara. Rendición era algo que no estaba en mi vocabulario. Mi orgullo nunca me dejaría hacerlo.

Afectada, me tome otro trago de "koolaid" y saque una bolsa de fritos de la bolsa de comida. Mientras masticaba las papitas el azúcar en mi sangre comenzó a subirse y mi mente se aclaró. ¿Cómo era posible que Dios esperaba que yo haría lo que él decía? Mientras le daba vuelta a esta pregunta en mi mente, mire a mí al alrededor. Mi pequeña celda era repugnante y helada y al final del pasillo todavía podía escuchar a mis adversarios luchando con los guardianes. Parecía que nada había cambiado pero de pronto todo era diferente. Una luz se prendió y entendí lo que realmente estaba pasando. Todo este tiempo me rehusé a rendir, y Dios estaba jugando al "tío" conmigo; torciéndome el brazo hasta que me entregara.

Las revelaciones me comenzaron a inundar. Instantáneamente yo sabía que Dios me había asignado está celda sucia, justamente para mí. De hecho, todo lo que estaba pasando era departe de Él para que me sometiera: La policía, y hasta la misma muchacha que testificaría en contra de mí, estaban todos actuando en acuerdo al plan soberano de Dios. La realización fue tan impresionante que me dejo con el deseo de portarme bien, y dejar de la rebeldía.

En ese momento escuche a alguien caminando en el pasillo. Ahora, sentía tanta energía, que salte a la ventana justo a tiempo de ver la espalda del oficial que estaba pasando por allí. Aquí estaba mi primera oportunidad para obedecer a Dios. Tratando de sonar lo más dulce posible, llame al oficial "oye, permiso," Dije. Pero me ignoro y siguió caminando. Molesta pero todavía tratando de ser amable, continúe. "¿Oiga Oficial, cree que me pudiera dar una Biblia?"Esto lo hizo parar. Lentamente se voltio con una mueca en su cara y dijo con mucho énfasis.

"No, no puedes tener libros aquí."

"Está bien" le respondí, aguantando la bola de obscenidades subiendo por mi garganta. "Dios me traerá una".

En eso se dio la vuelta, riéndose y siguió caminando. Mientras lo veía caminando, apreté mis puños por la frustración y trate de no gritar. Me di cuenta que rendirme iba a ser muy difícil. Así que, todavía un poco molesta, ore en voz alta,

"¡Enséñales Señor, mándame una Biblia!"

El día siguiente me llevaron a la ducha. Hasta me dieron pantalones limpios para ponerme. Después de que termine, fui a tirar mi uniforme apestoso en el barril para la ropa sucia y vi que estaba vacío. Esto no era normal porque siempre estaba lleno de uniformes sucios. ¡Mientras camine para tirar mi ropa mire hacia el fondo del barril, y allí había una Biblia! ¿Una señal? ¿Un milagro? ¡Dios contesto mi oración! Mientras me agache para agarrar mi precioso regalo, decidí firmemente que haría lo que Dios me digiera, no importaba lo que era.

Volví a caer y me llevaron varias veces más para admisiones después de esto. Pero la diferencia era que pasaba mí tiempo orando y cantándole a Dios en vez de luchar en contra de los oficiales. Mientras tanto, pasaron los meses, los problemas de mi actitud y comportamiento empezaron a desaparecer y características positivas tomaron su lugar. También comencé a realizar que mi cautividad estaba siendo usado por Dios para mi beneficio de una manera extraña. Aunque no podía ver como en ese momento, Dios definitivamente me lo mostraría con el tiempo. Nunca me imaginé lo que me esperaba, iba tener experiencias que nunca ni en mis sueños los hubiera creído.

1. Recuerda los momentos de su encarcelamiento cuando rompiste las reglas.

2. ¿Tuviste que pagar las consecuencias espiritualmente, físicamente o de alguna otra manera?

3. ¿Ahora, puedes ver la mano de Dios en esos momentos difíciles? ¿De qué manera?

CAPITULO SEIS
Rendimiento Total

"Y la nación y al reino que no sirviere a Nabucodonosor rey de Babilonia, castigare a tal nación con espada y con hambre y con pestilencia, dice Jehová, hasta que la acabe yo por su mano....someted vuestros cuellos al yugo del rey de Babilonia, y servidle a él y su pueblo, y vivid." Jeremías 27:8 & 12 AMP

Era 586 a. de JC., y Jerusalén estaba atacado por grupos de fuerzas Babilónicas golpeándole sus puertas defensivas. En medio del ataque Dios les mando palabra a Su gente. Ríndanse a los Babilonios y vivan. Resistan el enemigo y sean castigados por el por medio de su mano. Desafortunadamente para Judá (El reino del sur), escogieron resistir y tal como Dios les advirtió pagaron severamente por ello.

La armada de Babilonia hizo un ataque largo de dos años, durante el tiempo que aquellos atrapados en la ciudad fueron consumidas por hambre y pestilencia. Enfrentando la hambría, muchos cedieron al canibalismo. Aquellos que sobrevivieron fueron matados más tarde o cayeron en cautiverio cuando los Babilonios quebraron las paredes. En referente a la ciudad, las casas grandiosas de Jerusalén y el sagrado templo fueron quemados por completo. Los Israelitas perdieron todo porque rehusaron rendirse a sus enemigos como Dios les había dicho.

En el comienzo de mi encarcelamiento, fui parecida a la ciudad de Jerusalén, atacada y negando tirar la toalla. Por mi resistencia, yo también fui destruida por Dios, repetidamente castigada en las manos de mis captores hasta que me rompieron. Una vez que pare de pelear y agache mi cuello bajo la yunta de mi carcelero, como la escritura arriba lo dice, yo empecé a "vivir" y experimentar victoria en mi cautiverio. Déjame decirte algo muy importante. Es natural resistir ataque, pero es la naturaleza de Dios de usar los ataques para romper nuestra resistencia.

¿Porque Dios mandaría a que Su propia gente se rindiera a un grupo tan vicioso? Porque el cautiverio prevalente de Israel era su obra. Él lo ordeno. Dios levanto a la nación Babilonia para que pudieran atacar a su ciudad y aprisionar a Su gente. Miremos las pruebas de esto en el libro de Habacuc.

"Mirad entre las naciones, y ved, y asombraos; porque hare una obra en vuestros días, que aun cuando se os contare, no la creeréis. Porque he aquí que, yo levanto a los caldeos, nación cruel y presurosa, que camina por la anchura de la tierra para poseer las moradas ajenas. Formidable es y terrible; de ella misma procede su justicia y dignidad...y sus jinetes se multiplicaran; vendrán de lejos sus jinetes, y volaran como águilas que se apresuran a devorar. Toda ella vendrá a la presa; el terror va delante de ella, y recogerá cautivos como arena. (Habacuc 1:5-6 & 9)

Los Babilonios fueron los instrumentos que Dios escogió para llevar a cabo en Judá la maldición del cautiverio. Por más duro que haya sido de creer esto para los Israelitas, no debió de sorprenderlos ya que no era la primera vez que Dios había usado una nación pagana en contra de Su gente desobediente. Más de cien años atrás en 722 a. de JC., el reino del norte después de siglos de idolatría fueron llevados al exilio por la mano de Asiria. En el libro de Isaías, Dios dijo esto sobre cómo uso a Asiria contra el reino del norte;

"Oh Asiria, vara y báculo de mi furor, en tu ano he puesto mi ira. Le mandare contra una nación pérfida, y sobre el pueblo de mi ira le enviare, para que quite despojos, y arrebate presa, y lo ponga para ser hollado como lodo de las calles. Aunque no lo pensara así, ni su corazón lo imaginara de esta manera, sino que su pensamiento será desarraigar y cortar naciones no pocas." (Isaías 10:5, 6 & 7).

Asiria sin saberlo, como Babilonia, estaban operando bajo el control soberano de Dios cuando tomaron a los Israelitas al exilio. Historia nos comprueba a través de todos los siglos que Dios usaba cualquier agencia que él deseaba para llevar a cabo la maldición del cautiverio a Su gente. ¿Pero cómo esto se relaciona contigo y con tu encarcelamiento? La escritura dice: "Yo, El Señor, no cambio" (Malaquías 3:6). La cual te dice que lo que hizo en el pasado, lo volverá hacer en el presente.

¿Creerías que Dios ha traído todo el sistema judicial para arrestarte y aprisionarte? Las escrituras en Habacuc dijo que tú no creerías aunque te lo digieran. De cualquier forma, si es verdad. Hoy, los instrumentos que Dios ha escogido para llevar a cabo su plan son la policía, los federales, jueces, cortes, centros de detención y prisiones. Cada persona y parte del sistema de justicia son los Babilonias y Asirias de hoy día. Como en los tiempos antiguos Dios esta divinamente dirigiendo sus acciones concernientes a tu exilio. Déjame explicártelo.

Dios usa el sistema de justicia para lograr Sus propósitos específicos. Para descubrir cuáles son, vamos a ver lo que Habacuc dijo en referente a como Dios uso a Babilonia como los captores de Israel.

*"...Oh Señor, tú has puesto [los caldéanos] **para ejecutar [tu] juicio** y tú, Oh roca tú **has establecido para castigo y corrección**"* (Habacuc 1:12).

Los Babilonios (también conocidos como los Caldéanos) fueron apuntados por Dios para lograr tres tareas con los cautivos de Israel, *"juicio"* y *"castigo y corrección"*. Vamos a mirar a cada tarea.

Primero, el sistema de justicia es usado para establecer *"juicio"* a los que rompen la ley. Pecar tiene sus consecuencias. Cuando estabas afuera de la cárcel en las calles tú rompiste la ley y consecuentemente fuiste arrestado y te encarcelaron a causa de tu pecado. Este proceso se llama juicio. Es lo que Dios usa para pararte fríamente y te previene continuar en el camino que andabas. Ves, antes de comenzar tu camino hacia tu verdadero propósito, tienes que salir de las calles. **Para que puedes estar separado de las cosas que te llevan a pecado.** Dios usa el proceso del juicio para lograr esto. Aunque ser prisionero es doloroso, si es realmente el primer paso hacia los maravillosos propósitos que el padre tiene para ti.

Segundo, el sistema de justicia es apuntado por Dios para establecer el *"castigo"*. El castigo, quiere decir disciplinar. Una de las mayores funciones del sistema judicial es parar lo malo por medio de castigo. Cuando impones una ley a alguien, hasta cierto punto los vas a parar de que continúen con su comportamiento ilegal por miedo del castigo que van a recibir. Lo que me paso a mí en admisiones es un buen ejemplo, pero déjame darte otro.

Mis acusadores y yo peleamos nuestro caso casi por dos años. Durante ese tiempo fuimos transportados a la corte federal para numerosas audiencias. Bueno, en esos viajes yo traía desorden total a los oficiales federales. Yo los amenazaba y los intimidaba verbalmente, rehusaba entrar en la celda de admisiones, pateaba y daba golpes a las puertas metales del in inodoros, y tiraba cosas a las cámaras. Una vez, me robe las llaves de la caja de pistolas con la intención de escapar.

Por mis acciones, me molestaban mucho los oficiales federales. Me arrastraban físicamente por los pasillos agarrados de mis brazos y mis piernas, me tiraban contra la pared, me esposaban las manos y los pies por horas mientras me tenían en la celda de detenciones. ¡Los oficiales federales estaban tan molestos que llamaban al centro de detenciones antes de llegar para decirles que me metieran al hoyo cuando regresara de mi audiencia! ¿Que cual es mi punto en decirte todo esto? ¡Finalmente me canse tanto de ser castigada por ellos, pare de estar actuando mal! La disciplina que "Babilonia" me había aplicado logro lo que Dios mando hacer: Darle fin a mi comportamiento pecadora.

Cuando ya pare la rebeldía, tome el segundo paso en el proceso de Dios, empezando a actuar de la manera correcta. Por esto es que en las escrituras dice que Babilonia fue establecida para **"disciplinar y corregir."** Las dos van mano en mano. Una vez que el comportamiento pecadora se para, en ese momento y solo en ese momento el comportamiento correcto puede tomar su lugar y los cambios empiezan a ocurrir.

Nuestra Babilonia de hoy en día es la herramienta que Dios usa para cambiar tu actitud. ¿Sabías que repetidamente en el viejo testamento Dios llamo Asiria y Babilonia nombres de instrumentos? En Jeremías 27: 6 llamo al Nabucodonosor rey de Babilonia *"mi instrumento"*. En Jeremías 50:6 Babilonia misma es llamada *"el martillo de la tierra entera"* En el libro de Isaías; Asiria es referida como *"el palo,"* *"un hacha"*, *"un serrucho" y "una macana"*. (Isaías 10:15) Dios llamo a estas naciones por los nombres de herramientas porque él las usaba como tal, para parar viejas actitudes en su gente cautiva y re-edificar nuevas en ellos. Yo sé que esto sí es verdad por los golpes que yo recibí por el **"martillo"** babilonio. Pero justo como un soldador golpea la materia prima para hacerlos en un instrumento perfectamente formado, mi martilleo fue bueno porque hizo lo mismo por mí.

Pensar que esto es *"bueno"* puede ser duro de aceptar porque para el convicto común el sistema judicial es considerado nuestro enemigo. Creemos que la policía son corruptos, los jueces están mal y las leyes son injustas. El consenso es de que el sistema legal puede hacer lo que quiera y salirse con la suya. Bueno, puedes estar seguro de que los Israelitas sintieron lo mismo sobre sus carceleros, así como lo sentimos nosotros. Lea de nuevo, la descripción Habacuc dio de los Babilonios.

"...los Babilonios, esa gente rudos e impetuosos...Son su propia autoridad..." (Habacuc 1: 6 & 7).

¿Suena común? Esto es exactamente como vemos el sistema judicial de hoy. Nada ha cambiado por miles de años pero nuestra actitud prejuiciosa en contra de ellos debe cambiar ya que solo nos hace daño. Debemos echar a un lado el resentimiento, rebelión y sospecha y someternos a su autoridad porque es la voluntad de Dios que lo hagamos. Vamos a mirar lo que el libro de romanos dice sobre esto.

"Sométase toda persona a las autoridades superiores; porque no hay autoridad sino de parte de Dios, y las que hay por Dios han sido establecidas [por su permiso, su sanción]" (Romanos 13:1 AMP)

Primero, vamos a ver a qué autoridades te debieras de someter. ¡De acuerdo a esta escritura, **a todas!** La Biblia lo aclara, no hay ni un policía o juez que no haya sido puesto en su posición por Dios, de modo que te tienes que someter a ellos. ¿Qué pasa cuando no lo haces?

"De modo que quien se opone a la autoridad, a lo establecido por Dios resiste; y los que resisten, acarrean condenación para sí mismos. [En orden divino] [Recibiendo la multa merecida]. (Romanos 13:1 & 2 AMP).

Yo sé que esta escritura es verdadera por experiencia propia. Si resistes la autoridad, estas en realidad directamente resistiéndole a Dios y pagaras las consecuencias por hacerlo. Cuando a Jerusalén lo atacaron los Babilonios, Dios les dijo a Su gente que se rindieran, pero ellos se rehusaron. ¡Porque no obedecieron, pagaron un juicio severo y perdieron todo incluyendo su libertad!

El plan de Dios de someterte es diseñado para bendecirte. Esto será muy duro para algunos de ustedes de creer especialmente si te necesitas someter a un oficial que parece totalmente injusto. Pero la Biblia promete que si obedeces a esa persona Dios te traerá **bien** por medio de ellos. Mira la prueba en la siguiente escritura en Romanos.

*"Dejen que cada persona que es un sujeto leal a las autoridades gobernantes...**porque él es un sirviente de Dios para tu bien**."*(Romanos 13:1 & 4 AMP).

¿Puedes pelear el que el oficial federal que te maltrata o el juez que te dio tanto tiempo como puede posiblemente ser un sirviente para tu bien? Bueno, déjame decirte. Mi juez me dio una sentencia de 13 años y gracias a Dios que me los dio. Todo ese tiempo me asusto tanto y me apure a buscar a Dios de una manera intensa.

¡El resultado de mi búsqueda desesperada fue que conocí al Señor y él me cambio., me dio poder, y me dio el futuro y la ministra que tengo hoy! ¡En referente a mi sentencia, bueno Dios la quito de cualquier manera! ¡Todas las cosas increíbles que tengo ahora son un resultado de que un juez fuera un servidor para mi bien cuando él me dio mucho tiempo!

Dios trabaja en todo por el bien de esos que lo aman. (Vea Romanos 8:28). Miren a mi acusadora quien testifico en contra mía en juicio. Yo no hubiera sido condenada si no hubiera sido por ella. ¡Esto quería decir que me hubieran dejado salir y hubiera vuelto a mis viejos comportamientos, nunca hubiera tenido la vida increíble que tengo hoy!

Mientras que las autoridades gobernantes no contradigan las leyes de Dios eres requerido a someterte. De modo que la siguiente vez que creas que un oficial te ha hecho mal o por una situación, recuerda, Dios lo usara para traerte más bendiciones de las que tú puedes imaginar si tan solo confías en lo que él está haciendo y obedeces.

LECCIÓN SEIS

1. Habacuc 1 e Isaías 10 explica que las naciones de Asiria y Babilonia fueron usados por Dios para llevar a cabo la maldición de la cautividad de los Israelitas. Malaquías 3:6 dice: *Hijos de Jacob, yo soy el Señor, y no cambio. Por eso ustedes no han sido consumidos.* ¿Qué cree usted que estas Escrituras dicen con respecto al sistema judicial, su arresto y su encarcelamiento?

2. La Biblia dice: Todos debemos someternos a las autoridades, pues no hay autoridad que no venga de Dios. Las autoridades que hay han sido establecidas por Dios. (Romano 13:1) Nombra algunas de las autoridades con las que has tratado desde su arresto. Sea específico. ¿En el presente, cuál es tu opinión de estas personas?

3. ¿De acuerdo a la escritura de arriba, cuál de esas personas fueron puesto a su posición por Dios?

4. ¿De acuerdo a la Biblia, que pasa cuando obedeces? Escriba Romanos 13:2

5. La Biblia dice, "Cuando obedeces las autoridades, estas obedeciendo a Dios. Después, Él le traerá lo bueno a través de ellos" (Romanos 13:1). Escriba un instancia cuando ahora puedes ver lo bueno que te vino a través de uno de los oficiales, especialmente si fue una situación difícil.

CAPITULO SIETE

Los propósitos del tiempo

"En tu mano están mis tiempos; líbrame de la mano de mis enemigos y de mis perseguidores."
Salmos 31:15

Si quieres ver a un prisionero chillar, solo menciona la palabra "tiempo" porque en esencia es lo que nos ha aprisionado. La mayoría de las personas en cautiverio calcula el tiempo de acuerdo a cuantos días, meses o años les queda hasta que salgan, si algún día salgan. Cuando un prisionero entiende como Dios ve el tiempo, les da miedo y se sienten confusos. Las escrituras como Salmos 90:4 dicen que "mil años son como un día para Dios" nos hace pensar que Dios ve una sentencia de vida como una gota en el balde. ¿Habrá algo bueno en el tiempo al menos que sea corto?

Nuestra imagen del tiempo necesita cambiar. Necesitamos aprender sobre la calidad redentora del tiempo y a usarlo para nuestro beneficio en vez de dejar que el tiempo nos use a nosotros. En este capítulo vamos a mirar como Dios usa el tiempo para lograr sus propósitos en nuestras vidas y ver la diferencia entre el tiempo del hombre y el tiempo del favor de Dios.

Dios no vive en tiempo pero él lo creo y usa lo usa para lograr Su voluntad. De acuerdo al tiempo que tienes que servir, **Dios quiere propósitos específicos en ti que trabajen a través del vehículo de tu tiempo.** Para saber cuáles son esos propósitos vamos a referirnos al libro en el viejo testamento en 1 Reyes.

El versículo que vamos a estudiar es de la series de oraciones que el rey Salomón dio cuando dedico el templo recién hecha en Jerusalén. Durante esta ceremonia, Salomón oro por los Israelitas quienes eventualmente irían en cautiverio en las próximas generaciones. Su oración es importante para ti ahora, porque te dará una clave de los propósitos que Dios quiere que completes durante tu encarcelamiento. Vamos a mirar la oración de Salomón y vamos a descubrir lo que esta oración quiere decir para ti.

"Cuando ellos pequen contra de ti-porque no hay uno sin pecado- y tú te enojes con ellos y se los entregues a su enemigo, quien los llevara cautivos a su propias tierras, muy lejos o cerca; y si tienen un cambio de corazón en la tierra en que son cautivos, y se arrepienten y ruegan a ti en la tierra de sus conquistadores y di, 'Hemos pecado, hemos hecho maldades'; y si voltean a ti con todo su corazón y alma en la tierra de sus enemigos quien los tomo cautivos y rezan a ti...entonces del cielo el lugar de morada, escucha sus oraciones y su ruego, y apoyar su causa" (1 Reyes 8:46-49).*

El rey Salomón oro por los cautivos que hicieran tres cosas durante su tiempo de exilio; *"que tengan un cambio de corazón en la tierra donde serán cautivos..." "que se arrepintieran y que rogarían contigo en la tierra de sus conquistadores..."* y *"que regresan ti con todo su corazón y su alma en la tierra de sus enemigos..."*

Dios quiere que cambies, que te arrepientas, y que te regresas completamente a él mientras estas en la prisión. ¡Su deseo es que tú te transformes en una nueva creación, que reconozcas y que te arrepientes de tu modo de vida de antes, y que te devuelves completamente a él en forma de entregándote a su voluntad para ti y tu vida; esto significa preparándote para y paseando tu Fin Esperado! Estos son los propósitos de Dios para ti y tú tiempo y él quiere que los completes mientras que estas aquí. Toma nota que en la oración de Salomón el pidió repetidamente que estos propósitos ocurrieran en los cautivos **mientras que fueran prisioneros**. Mira la oración de nuevo.

"Si tienen un cambio de corazón en la tierra donde están siendo cautivos...arrepentirse y rogar contigo en la tierra de sus captores...y si se voltean a ti con todo su corazón y alma en la tierra de sus enemigos..."

Estas escrituras lo hacen tan obvio, que Dios quiere que tú cumples Sus propósitos mientras estas adentro todavía. ¿Por qué? ¡Porque si no, no lo cumplirás cuando salgas! O vas a terminar viviendo una vida a medias por el resto de tu vida.

Desde que yo salí, he pasado una vida lleno de abundancia. Tanto que si no supiera mejor, pensaría que tuviera buena suerte. Bueno, la suerte no tuvo nada que ver con esto. ¡Mi vida es tan buena ahora porque yo cumplí el propósito que Dios me dio mientras mi tiempo adentro! ¡Durante mi tiempo, me arrepentí y le di la espalda a mi pasado, fui eternamente cambiada! ¡Y tome posesión de mi Fin Esperado! Todas esas cosas combinadas me dieron el poder para ser victoriosa y reclamar mi derecho a mi herencia una vez que me dejaran salir. Ahora estoy viviendo en mi tierra de leche y miel porque complete los Propósitos de Dios.

Ahora déjame darte una advertencia, las escrituras dicen que si no los cumples durante su tiempo adentro, puede que te tengas que quedar más tiempo o regresar después de que salgas. Mira a lo que el profeta Jeremías dice en referencia a esto.

"[Su castigo, continuará hasta que hayan completado su propósito] porque mi gente es necia dice el Señor [replicando a Jeremías] no saben ni me entienden. Son unos hijos cabezas duras y no tienen entendimiento. Son sabios para hacer el mal, pero para hacer el bien, no tienen conocimiento [y no saber cómo]." (Jeremías 4:22 amplificado).

¡De acuerdo a este versículo, el castigo de tu cautiverio continuara hasta que cumples el propósito de Dios para tu tiempo! Esto no es broma. Lo he visto pasar a literalmente cientos de prisioneros quienes salieron pero eventualmente terminaron regresando. Ves de cualquier manera, o forma esa gente no cumplió los propósitos de Dios cuando estuvieron encerrados, y por eso no lo hicieron cuando salieron. En los próximos capítulos les mostrare exactamente por qué estos propósitos son tan importantes y como pueden asegurarse que nunca volverás al cautiverio otra vez.

¿Qué hará Dios por el prisionero que se esfuerza para completar sus propósitos? ¡La pregunta debía de ser que no haría! Dios posee poder y habilidad ilimitada para ayudarte con cualquier cosa. De hecho, nadie tiene idea de todas las cosas maravillosas que Dios está listo por hacer para Su gente en cautiverio. Más sin embargo, hay una condición a que la mano de Dios pueda mover a tu beneficio. Mira otra vez a la oración de Salomón y toma nota del orden en la cual el ora por los prisioneros.

"...si tienen un cambio de corazón en la tierra donde están siendo cautivos...y se arrepienten...y si se voltean a ti con todo su corazón y alma en la tierra de sus enemigos...entonces...escucha sus oraciones y apoya su causa."

Salomón aclaro que "si" los cautivos se esfuerzan para llenar los propósitos de Dios en su tiempo "**entonces**" Dios va a escuchar sus oraciones y apoyarles en su causa. Dios está listo y puede soltar su poder para tu beneficio pero debes de primero comprometerte a hacer su voluntad. No pienses que tienes que ser perfecto para recibir la ayuda de Dios. Solamente tienes que tener un corazón que busca obedecer a Dios. Es un hecho escritural que obediencia de nuestra parte nos trae recompensa. De modo que "**si**" tu escoges a perseguir los propósitos de Dios "**entonces**' puedes esperar ser bendecido.

Me encanta como Salomón a la final de la oración le pide a Dios que escuche el llanto de los cautivos y *"apoye su causa"*. ¿Puedes adivinar cuál era la causa mayor de Israel? ¡Bueno las mismas cosas que tú y yo; irnos a casa! ¿Sabías que unas de las definiciones de la palabra "causa" es la palabra "demanda" (webster's)? ¡Piénsalo! muchos de nosotros estamos rogando a Dios que nos apoye en nuestra causa en corte para que nos podamos ir a casa. Bueno, de acuerdo a esta escritura Dios va a contestar tu oración si trabajas en cumplir sus propósitos.

¡En el principio de mi tiempo, yo recuerdo orar fervientemente para que Dios nos trajera victoria en nuestro caso pero cada vez que íbamos a la corte perdíamos! Me di cuenta más tarde, después de conocer más el carácter de Dios que no me estaba dejando salir por una razón. Porque no estaba lista todavía. ¡No había completado sus propósitos y no la iba hacer si salía! Dios no quiere que fracases. Él quiere que pases una transformación duradera y que vives abundantemente por el resto de tus días. Completando Sus propósitos va asegurar esto.

Ahora, muy rápido, quiero hablar sobre la diferencia del tiempo del hombre y el tiempo del favor de Dios. ¿Cuál te toco a ti? Muchos prisioneros sienten que fueron sentenciados al tiempo del hombre, lo que significa que les dieron más tiempo de lo que debían. Si este es tu caso, necesitas aprender sobre el tiempo del favor de Dios. ¿Vamos a mirar que es exactamente lo que esto es, confirmando primero quien está en control de tu tiempo, Dios o el hombre? La Biblia dice, *"En tu mano están mis tiempos; Líbreme de la mano de mis enemigos y de mis perseguidores"* (Salmos 31:15).

¡El salmista reconoció esta verdad es muy importante: Dios está en control de todo tu tiempo incluyendo la cantidad de tiempo que tienes que servir! Él es soberano y como lo dice la escritura de arriba, te puede entregar de todo incluyendo el tiempo a que el hombre te ha sentenciado. Esta liberación del enemigo del tiempo tiene un nombre bíblico; es llamado "El tiempo del favor de Dios." Mira esta escritura de Isaías.

*"Esto es lo que el Señor dice: En el tiempo de mi favor yo te contestare, y en el día de salvación yo te ayudare; yo te mantendré y te hare un convenio para la gente, para restaurar la tierra y reasignar sus herencias desoladas, **para decir a los cautivos, 'salga,' y a esos en la oscuridad, 'se libres'** "* (Isaías 49; 8-9).

¡La palabra "favor" quiere decir **hacer una excepción a las reglas!** ¡Así que, aunque tú papel diga veinte años, el favor de Dios puede hacer una excepción y cambiar tu sentencia! ¿Pero bajo cuales condiciones eres elegible para recibir el tiempo de favor de Dios? Bajo las condiciones que estás tratando de cumplir los propósitos que Dios te tiene ordenado para tu tiempo. Recuerda lo que Salomón dijo, *"si"* tú estás persiguiendo los propósitos de Dios *"entonces"* él va a *"apoyar tu causa"*.

En los siguientes capítulos vamos a estudiar en detalle tres propósitos de Dios para que puedas empezar a caminarlos durante tu estadía. ¡Mientras empieces a tomar pasos hacia la rendición total a Dios, lo vas a ver venir a tu rescate y enseñarte cosas que tú nunca te has podido imaginar!

LECCIÓN SIETE

1. Salomón oró la siguiente oración para los cautivos, *Si pecaren contra ti (porque no hay hombre que no peque), y estuvieres airado contra ellos, y los entregares delante del enemigo, para que los cautive y lleve a tierra enemiga, sea lejos o cerca, y ellos volvieren en sí en la tierra donde fueren cautivos; si se convirtieren, y oraren a ti en la tierra de los que los cautivaron, y dijeren: Pecamos, hemos hecho lo malo, hemos cometido impiedad; y si se convirtieren a ti de todo su corazón y de toda su alma, en la tierra de sus enemigos que los hubieren llevado cautivos, y oraren a ti con el rostro hacia su tierra que tú diste a sus padres, y hacia la ciudad que tú elegiste y la casa que yo he edificado a tu nombre, tú oirás en los cielos, en el lugar de tu morada, su oración y su súplica, y les harás justicia.*(1 Reyes 8:46-9) Salomón oró para que los cautivos lograrían tres propósitos durante su tiempo. ¿Cuáles son esos propósitos?

2. ¿Según las escritura de arriba, dónde quiere Dios que estos propósitos se cumplen?

3. La Biblia dice: *En tu mano están mis tiempos; Líbrame de la mano de mis enemigos y de mis perseguidores.* (Salmos 31:15) ¿Según esta escritura, quien está en control de tu tiempo, incluyendo el tiempo que sirves?

4. La palabra "favor" puede significar "hacer una excepción a las reglas del juego". La gracia de Dios puede incluir haciendo una excepción a la cantidad de tiempo que tienes que servir. Dios puede mostrar el tiempo de su favor a aquellos que están completando su propósito durante su encarcelamiento. Escriba Isaías 49:8-9. Esta es la promesa de Dios de favor a los cautivos.

CAPITULO OCHO

"Si ellos...arrepentidos y ruegan contigo en la tierra de sus captores y dicen, 'hemos pecado, hemos hecho la maldad'... entonces del cielo tu lugar de morar, escucha su oración y su ruego, y apoya su causa."
1 Reyes 8; 47-49

El Primero de los Propósitos de Dios Para Su Tiempo de la Oración de Salomón

¿No sería bueno si tan solo pudieras decir que lo sientes por los crímenes que has cometido y que te dejaran ir a casa? Puede que te rías de esta idea pero hay más posibilidades que esto se realice de lo que tú piensas. Diciendo lo siento en una manera bíblica tiene tanto poder que pudiera literalmente afectar tu tiempo.

La palabra Bíblica para decir lo siento se llama ser arrepentido. Hay dos cosas que realmente mueven a Dios-pecado y arrepentimiento. En cuanto a tu pecado, Dios te trajo aquí por él pecado. Déjame repetirlo – tu pecado motivo a Dios a que moviera todo el sistema judicial: jueces, policías y todo, para traerte aquí. ¿Dándote cuenta de esta verdad, te puedes dar cuenta ahora cómo Dios responderá a tu arrepentimiento? ¡Cuando verdaderamente pidas perdón y te pares de pecar, lo motivara a Él a que moviera hasta montañas para tu beneficio!

Hay millones de gente en las prisiones por todo el mundo pidiéndole a Dios que mueva sus montañas pero muchos no reciben una respuesta. ¿Por qué? Porque están pidiendo ayuda sin primero arrepentirse de sus pecados. La Biblia dice;

"He aquí que no se ha acortado la mano de Jehová para salvar, ni se ha agravado su oído para oír; pero vuestras iniquidades han hecho división entre vosotros y vuestro Dios, y vuestros pecados han hecho ocultar de vosotros su rostro para no oír." (Isaías 59:1-2).

De acuerdo a esta escritura Dios no escucha las oraciones de aquellos que no piden perdón. Este mismo principio Bíblico es lo que el rey Salomón dijo en su oración. '*si ellos... arrepienten...**entonces** del cielo tu escucharas sus oraciones y su llanto, y apoyaras su causa.*" La Biblia lo aclara, debes pedir perdón por tus pecados en orden para que tus requerimientos sean escuchados.

Te sorprenderias de la cantidad de personas en la prision que nunca admiten sus crimenes. Mis acusadores y yo somos un ejemplo perfecto. Nos pasamos años quejándonos de los agentes federales que nos entregaron. Aunque éramos completamente culpable, negábamos nuestros cargos porque queríamos salir. Mentimos a todos incluyendo a nuestras familias. Pensábamos que podríamos mentirle a Dios también en la espera de que nos dejaría pasar por alto nuestro pecado y nos librería de nuestro cautiverio. Pero lo que mis acusadores y yo no entendíamos era esto: Dios es un Dios virtuoso que no puede pasar por alto el pecado y **no apoyara la causa de aquellos que no se arrepienten de ello.**

Ahora mismo hay un gran porcentaje de prisionero que están actuando de la misma manera que mis coacusadores y yo. Se quejan de ver sido agarrados por las cortes o claman que no lo hicieron y que alguien más lo hizo. Algunas personas han mentido por tanto tiempo sobre su caso, que se han convencido a ellos mismos de que no son culpables. Esta enfermedad de negación y falta de arrepentimiento esta fuera de control y ha alcanzado un nivel epidémico en la populación de las prisiones de hoy.

¿Sabías que los Israelitas actuaban de la misma manera cuando estaban en cautiverio? Ignoraron por completo su propio pecado, ellos seguidamente clamaban su inocencia y hasta culpaban a Asiria, Babilonia, y hasta a Dios mismo por su encarcelamiento. El hecho de que Israel ignoro su pecado y rehusaron arrepentirse mientras estaban en cautiverio, los resultados fueron catastróficos. Los que entraron al exilio en Asiria nunca vinieron a casa y la gente de Babilonia casi sufrieron el mismo resultado.

Aunque los dos grupos le rogaron a Dios que los dejara ir de su encarcelamiento, solo los exiliados Babilonios regresaron a la tierra prometida. ¿Por qué? Porque ellos eventualmente completaron los propósitos de Dios para su tiempo, incluyendo el propósito de arrepentimiento. Cuando digo eventualmente, es porque tomo a Israel casi 70 años para arrepentirse de su pasado, durante ese tiempo ellos rogaron a Dios pero él no les respondió.

Afortunadamente, un hombre llamado Daniel reconoció el pecado de Israel y tomo la iniciativa del mismo rogar a Dios en oración para el beneficio de sus compañeros cautivos. ¡En este capítulo, vamos a estudiar el poder sobrenatural de la oración de Daniel y ver como afecto dramáticamente al tiempo de cautiverio de Israel y cómo puede afectar tu tiempo también! La oración de Daniel empieza así.

"En el primer año de Dario hijo de Asuero(un mede por descendencia), quien fue hecho mandatario sobre el reino de Babilonia- en el primer año de su reinado, Yo, Daniel, entendí de las escrituras, de acuerdo a la palabra del Señor dada a Jeremías el profeta, la desolación de Israel durara setenta años." (Daniel 9; 1-2)

Daniel comienza su oración diciendo que el leyó la escritura de Jeremías 29, el cual decía que el exilio duraría *"setenta años"*. Verso 10 en capítulo 29 de Jeremías dice:

"Porque esto dice el Señor que cuando setenta años sean completados por Babilonia yo te visitare y mantendré Mi buena promesa hecha a ti causándote regresar a este lugar." (Jeremías 29:10 AMP).

Aquí, el Señor promete darle a los cautivos de Babilonia el tiempo de su favor. Pero Daniel sabía de la oración de Salomón que para que los cautivos pudieran recibir esta promesa ellos debían de perseguir los propósitos de Dios. Como los setenta años estaban por cumplirse y la mayoría de los cautivos no se habían arrepentido, Daniel se dio cuenta de que debía tomar acción inmediata. De modo que empezó a rogar a Dios en oración.

"Ore al Señor mi Dios y **confesé:** *'O Señor, el grande y maravilloso Dios, quien cumple su convenio de amor con aquellos que lo aman y obedecen sus mandamientos, hemos pecado y hecho el mal.* **Hemos sido malvados y nos hemos rebelado; nos hemos vuelto de tus mandamientos y tus leyes"** (Daniel 9:4-5).

La primera cosa que Daniel hace en su oración es cumplir el propósito de Dios de arrepentimiento. El inmediatamente comenzó a confesar sus pecados y los pecados de los exiliados. La próxima cosa que hizo es reconocer la razón por la cual se necesita arrepentirse.

"SENOR, tú eres derecho, **pero este día estamos cubiertos de vergüenza**...*en todos los países por los cual tú nos has esparcido por nuestra infidelidad hacia a ti."* (Daniel 9:7).

¡Daniel empezó su oración con arrepentimiento porque el resto de los cautivos no lo habían hecho!, ¡la cual indica que seguían cubiertos con la vergüenza de sus pecados que habían cometido 70 años atrás!

¡Esta misma vergüenza esta en miles de prisioneros hoy! Esos que todavía están en negación de sus crímenes, pero están constantemente quejándose sobre la injusticia del sistema judicial y todo lo malo que le han hecho. Mientras Daniel continua orando, él dice que los pecados de la gente son los que los trajeron al cautiverio.

"Todo Israel ha transgredido tu ley y vuelto en contra, rehusando obedecerte. De ahí a que las maldiciones y juramentos prometidos escritos en la ley de Moisés, el servidor de Dios, han sido desparramados en nosotros, porque hemos pecado contra ti" (Daniel 9:7&11).

Daniel lo dice muy claro que la maldición del cautiverio fue desparramado en Israel por sus propios pecados, no por los de alguien más. Pero los prisioneros en Babilonia fallaron en reconocer esto y afecto grandemente su relación con Dios y su habilidad de recibir favor de Él. Lo siguiente que Daniel dice confirma esto.

13 . 6

"Justo a cómo está escrito en la ley de Moisés, todo este desastre a caído sobre nosotros, y aun así, no hemos buscado el favor del Señor, volviéndonos del pecado y dar atención a la verdad. "(Daniel 9:13).

Israel había estado clamando por el favor de Dios pero no lo habían recibido porque no lo pedían de la manera correcta, **a través de su arrepentimiento**.

Por los primeros dos años que yo estaba encarcelada, ore mucho por el favor de Dios en cuanto a mí tiempo, pero nunca lo tuve. Al contrario, me sentenciaron a 13 años. Pero después de leer la oración de Daniel y Salomón, me di cuenta de que había pedido favor de una manera en que Dios no respondería. ¡Una vez que pare de mentir sobre mi caso y empecé a confesar mis pecados, Dios empezó a moverse en los requerimientos de mi oración y hasta apoyo mi causa en corte quitando siete años de mi sentencia!

Daniel pidió favor de la manera adecuada. Solo después de que confeso y arrepintió entonces rogo a Dios de llenar su promesa favorable de llevar a Israel a casa. La siguiente parte de su oración dice,

"OH Señor, en guardando con todos tus actos justo, aleja tu coraje y tu furia de Jerusalén... escucha las oraciones y peticiones de tu sirviente. ¡Por tu bien Señor, mira con favor a tu desolado santuario Oh Señor, escucha y actúa! Por tu bien, Oh mi Dios, no dilates, porque tu ciudad y tu gente portan tu nombre." (Daniel 9:16,17 & 19).

Aunque la petición de Daniel era urgente porque los 70 años estaban por llegar, todavía se tomó el tiempo de hacer sus peticiones en el orden apropiada. Daniel confeso y pidió perdón **primero** antes de atreverse a pedir a Dios que lo trajera al tiempo de su favor. ¿Cuál fue el resultado de la oración de Daniel?

*"**Mientras** que yo hablaba y oraba, **confesando mi pecado y el de mi gente de Israel** y haciendo mi petición a el Señor mi Dios por su santa colina-mientras que yo aún estaba en oración, Gabriel, el hombre que yo había visto antes en visión, vino a mí en un vuelo fugaz sobre el tiempo del sacrificio de la tarde. El me instruyo y me dijo, 'Daniel, yo he venido hoy a darte visión y entendimiento. **Tan rápido a como tú empezaste a orar, una respuesta ha sido dada**'"* (Daniel 9:20-23).

¡El momento en que Daniel empezó a confesar los pecados de los cautivos, su oración fue contestada! ¡Esto demuestra que tan poderoso es el arrepentimiento para Dios! Toma nota que Daniel menciona dos veces que *"mientras"* que el confesaba, una respuesta fue enviada. ¡Yo creo que él hizo este punto para que tú y yo podamos realmente entender el poder que tiene el arrepentimiento en que tus oraciones sean respondidas!

El arrepentimiento cambia nuestra situación. Escolares Bíblicos están de acuerdos que esta oración tan poderosa de Daniel, fue responsable por la realización del favor de Dios para Israel. Por su oración de arrepentimiento la "promesa buena" de una sentencia de 70 años (véase Jeremias29) vino a ser. La primera ola de retornos fueron a casa después de que los primeros cautivos llegaron a Babilonia.

Quiero parar aquí para hacerte una pregunta muy importante. ¿Qué tan lejos irías para evitar hacer tu tiempo? ¿Continuarías mintiendo y tratando de trabajar los huecos del sistema judicial aunque seas culpable? La Biblia dice que si tu confiesas tus pecados vas a recibir piedad (véase Proverbios 28:13) Tal vez por todo este capítulo el Espíritu Santo te hablo de decir la verdad sobre tus crímenes. No ignores su insistencia, y no temas hacer lo que te está mandando. Aunque probablemente sea una de las cosas más difíciles que hayas tenido que hacer en tu vida, **Dios garantiza que él va apoyar tu causa si le tienes confianza y Le obedeces.**

Finalmente, quiero discutir con brevedad la importancia de pedir el favor de Dios en la forma adecuada. Porque ese es la manera en que Daniel se acercó a Dios lo que hizo que su oración fuera todavía más eficiente. Vamos a regresarnos al verso 3 del capítulo 9 de Daniel.

"De modo que me volví al Señor Dios y le rogué en oración y petición, en ayuno, y en tela de saco y cenizas."

Daniel no se acercó a Dios con una oración casual de un minuto, faltándole corazón y tristeza. Las escrituras dicen que él se quitó sus túnicas y lo reemplazo con tela de saco, para mostrar su lamento sobre los pecados de los cautivos. También se sentó en cenizas para simbolizar la destrucción traída sobre la gente por su pecado. El literalmente le rogo a Dios mientras que pasaba un periodo de ayuno.

Las acciones de Daniel nos dan el ejemplo perfecto de la manera en cual debemos buscar a Dios durante confesión. La versión AMP de la Biblia de Daniel 9:13 nos da más profundidad de cómo debemos acercarnos a Dios en oración.

*"...aun así no le hemos **rogado fervorosamente por perdón implorado el favor** del Señor nuestro Dios para que nos vuelva de nuestras iniquidades..."*

El ser ferveroso quiere decir "el ser serio e intenso' y "de actuar de una manera determinada". El "implorar" quiere decir "para implorar" o literalmente "el rogar".

¿Has venido seriamente ante el Señor a confesar? ¿Estás determinado a buscar su perdón y ser lavado limpio de tus pecados? Pienso que tomamos el viejo "solo pide perdón" dicho un poco ligero. Desafortunadamente, a la mayoría de nosotros nos han enseñado que todo lo que necesitamos es murmurar unas cuantas palabras en oración para ser perdonados, y después nos da lo que queremos.

Cuando al fin entendí que necesitaba hacer mucho más que casualmente pedirle a Dios por perdón, me sentí muy extraño. Mi corazón estaba endurecida y todavía de todos mis años de mentiras y negación yo realmente no me sentía mal de mis pecados. Sin embargo, si me acercara "rogándole" a Dios por su perdón estaría fingiendo y claro Él lo sabrá. Allí es cuando el Espíritu Santo me mostro que yo solo necesitaba ser obediente y hacer lo que las escrituras instruían.

Y ore la oración de Daniel y lo hice en la misma manera que él lo hizo ayunando y pidiéndole a Dios en una manera determinada. Mientras tome esos pasos de obediencia, Dios se encargó de lo demás. Lentamente con el tiempo, empezó a mostrarme los alcances y lo feo que eran mis pecados. Entonces, seguramente comenzó a arrepentirme de verdad. Esto es cuando mis llantos fueron reales, llenos de la profundidad de mi corazón. Eventualmente, Dios me dio hasta la fuerza para tomar el siguiente paso y confesar mis mentiras a mi familia y a las autoridades. Desafortunadamente, me tomo mucho tiempo hacerlo. Yo oro que no hagas el mismo error que yo.

Hazte un favor- haz que la oración de Daniel sea tuya. Léela, medítala, y después ora a Dios. Se completamente humilde como Daniel. Te sorprenderás que tan rápido Dios te va a responder. ¡La oración de Daniel de confesión y arrepentimiento cambio el futuro de Israel y puede cambiar el tuyo también!

LECCIÓN OCHO

1. La Biblia dice: *He aquí que no se ha acortado la mano de Jehová para salvar, ni se ha agravado su oído para oír; pero vuestras iniquidades han hecho división entre vosotros y vuestro Dios, y vuestros pecados han hecho ocultar de vosotros su rostro para no oír.* (Isaías 59:1-2) ¿De acuerdo a esta Escritura, que prohibiría en que Dios te escucha y responda a tus oraciones?

2. Este es el primer objetivo Salomón oró por su tiempo. *"y ellos volvieren en sí en la tierra donde fueren cautivos; si se convirtieren, y oraren a ti en la tierra de los que los cautivaron, y dijeren: Pecamos, hemos hecho lo malo, hemos cometido impiedad; y si se convirtieren a ti de todo su corazón y de toda su alma, en la tierra de sus enemigos que los hubieren llevado cautivos, y oraren a ti con el rostro hacia su tierra que tú diste a sus padres, y hacia la ciudad que tú elegiste y la casa que yo he edificado a tu nombre, tú oirás en los cielos, en el lugar de tu morada, su oración y su súplica, y les harás justicia.* (1 Reyes 8:47-49) De acuerdo a este versículo, ¿qué puedes hacer para mover Dios a que te escuche tus oraciones y defienda su causa?

3. Después de que los antiguos Israelitas pasaron casi 70 años en cautividad sin arrepentirse de sus crímenes, Daniel intercedió por ellos en oración. En su oración, Daniel les da la razón por la cual los Israelitas no habían recibido la gracia de Dios. *Conforme está escrito en la ley de Moisés, todo este mal vino sobre nosotros; y no hemos implorado el favor de Jehová nuestro Dios, para convertirnos de nuestras maldades y entender tu verdad.* (Daniel 9:13)Según Daniel, ¿por qué no había Israel recibió el favor de Dios?

4. ¿Has confesado tus crímenes (o pecados) ante Dios y hombre?

5. ¿De qué manera el hecho de no confesar afectara tu relación con Dios? ¿Cómo afectará en que Dios escucha tus oraciones? ¿Cómo afectará su capacidad para recibir la misericordia de Dios y obtener su favor?

6. Pasa tiempo con el Señor. Vaya delante de Él buscando su perdón por tus crímenes. Pídele la gracia de arrepentimiento. ¡Creo que una vez hecho esto, usted va a escuchar más de Dios, y su mano poderosa se moverá por ti!

CAPITULO NUEVE

Forzado A Cambiar

"...si tienen un cambio de corazón en la tierra donde han sido cautivos...entonces del cielo tu lugar de morada, escucha su oración y su ruego, y apoya su causa."
1Reyes 8:47 & 49

El Segundo Propósito Para Tu Tiempo de la Oración de Salomón.

Otro propósito decretado para tu tiempo es cambiar mientras que estas aquí. Dios quiere que el viejo tu quien siempre reaccionaba con la gente y circunstancias con coraje, impaciencia, celo, inmoralidad y egoísmo sea transformado en otra persona. Uno que va operar en la fruta del Señor en el espíritu de Dios: amor, gozo, paz, paciencia, amabilidad, bondad, fidelidad, gentileza, y control propio. (Véase Gálatas 5:22) Estas son las características que Dios quiere que desarrolles mientras que estas aquí, pero en orden para que esto pase, debes tener un cambio de corazón. La Biblia dice.

"¿El corazón es traicionero sobre todas las cosas, y es excesivamente perverso y corrupto y severamente, mortalmente enfermo! quien lo sabe [perciba, entienda, encuéntrese con su propio corazón y mente]? (Jeremías 17:9 AMP).

De acuerdo a esta escritura nadie tiene una idea de la severidad del corazón enfermizo. En la Biblia el corazón representa tu mente, voluntad, y emociones entonces lo que está en tu corazón controla tu comportamiento. Esto quiere decir que cada decisión que haces, cada palabra que piensas o acción que tu tomes, sale de un corazón la Biblia dice es perverso y corrupto. ¿Es sorprendente que pasamos por tanta drama en nuestras vidas? Nuestros corazones traicioneros están dirigiendo todo lo que hacemos.

Tu corazón debe de cambiar para que tu comportamiento pueda cambiar. Cambio es uno de los propósitos de Dios para tu tiempo y como la oración de Salomón indica afecta el sí o no en que Dios escuche y responda a tus requerimientos mientras que estés en cautiverio.

Tu deseo de cambiar afectara tu habilidad para ser exitoso por el resto de tu vida. ¡Dios tiene un Fin Esperado! para ti, uno que requiere carácter de Dios. Pero el comportamiento venenoso en tu corazón ahorita va a sabotear cualquier futuro que tengas. Para que tú estés listo para tomar posesión de tu Tierra Prometida, debes de cambiar. ¿Cómo exactamente empiezas? La Biblia dice,

"Nuestras iniquidades, nuestro corazón secreto y sus pecados [los cuales nos gustaría esconder hasta de nosotros], que has puesto en la [reveladoramente] luz de tu semblante." (Salmos 90:8 AMP).

La única forma que puedes sanar tu corazón traicionero es poniéndolo en la luz reveladora del semblante de Dios, el cual se encuentra en las páginas de su palabra. La Biblia es un libro lleno de instrucciones de cómo vivir la vida al máximo de una manera en que agrade a Dios. También contiene poder sobrenatural para ayudarte a cambiar. (Hebreos 4:12 AMP).

*"**Porque la palabra de Dios es viva y eficaz**, [haciéndolo activa, operativa, energetizado, y efectivo]; y más cortante que toda espada de dos filos; y penetra hasta partir el alma y el espíritu [inmortal], [de la partes más profundas de nuestra naturaleza] **las coyunturas y los tuétanos, y discierne los pensamientos y las intenciones del corazón".***

La forma en que la Palabra trabaja es primero exponiendo los motivos equivocados de tu corazón y después aplicando su poder a las partes más profundas de tu naturaleza para cambiar esos motivos. Los resultados de este proceso es que este transformado, pasó por paso, en una nueva persona, uno lleno de carácter santo. La Palabra posee la habilidad para hacer todo esto, pero hay un anzuelo. **Debes poner atención a la Palabra para que trabaje.** Esto significa que **tienes** que leer la Biblia y hacer lo que dice. Leer solamente no es suficiente. También tienes que tomar lo que aprendiste y ponerlo en práctica. La Biblia dice,

*"**Pero sed hacedores de la palabra**, y no tan solamente oidores, engañando os a vosotros mismos."* (Santiago 1:22).

En el principio de mi camino con Dios yo leía la Biblia todo el tiempo, pero desafortunadamente falle en lo que aprendí. ¡El resultado fue que yo permanecía sin cambiar! Por eso era que seguía yendo al hoyo todas esas veces porque era una leedora no hacedora. **¡Tienes que dar tu atención a la Biblia a diario, leyéndolo, y haciéndolo, para que te cambie!**

¿Sabías que muchos de los Israelitas antiguos que estaban en Babilonia no cambiaron mientras estaban allí? Después de décadas de estar encarcelados muchos de ellos retuvieron la misma mala actitud y comportamientos qué tenían desde el principio cuando fueron a la prisión por primera vez. ¿Por qué no cambiaban? Déjame mostrarte. ¿Recuerdas lo que dijo Daniel en su oración?

*"Justo como está escrito en la ley de Moisés, todo este desastre a caído sobre nosotros, **aun así no hemos buscado el favor del Señor** nuestro Dios alejándonos de nuestros pecados y **dándole atención a tu verdad"** (Daniel 9; 13).*

Primero, Daniel dijo que Israel tardo en recibir el favor de Dios mientras que estaban en cautiverio porque no se arrepintieron de sus pecados. Pero en la misma escritura Daniel da una segunda razón porque las oraciones de los cautivos no fueron contestadas. No estaban *"dando atención"* a la *"verdad"* de Dios.

La Biblia es la verdad de Dios. Es la única cosa que verdaderamente puede cambiar el corazón de una persona. Lo que Daniel quiso decir con que los cautivos no están *"dando atención"* a la verdad de Dios era que no estaban activamente leyendo las escrituras o tratando de vivir por ellas. ¡Por eso es que no cambiaron!

Recuerdas lo que Salomón dijo en su oración, *"si"* la gente tenía un cambio de corazón mientras que estuvieran en la tierra de cautiverio *"entonces"* Dios escucharía sus oraciones y apoyaría su causa. Mientras estuve en la prisión, vi mucha gente rehusándose a cambiar. Hasta los Cristianos (a veces incluyéndome a mí misma) actuaban mal regularmente. Mi prisión era como una novela. Siempre había alguna clase de drama ocurriendo. Todos chismeaban. Siempre había peleas en el cuarto de televisión sobre quién podía ver su programa. Se metían en la línea para usar el microondas o para la comida. Había celos en el trabajo y siempre había una persona en el cuarto que les hacia la vida miserable a los otros. Habían aun una constante discusión entre la gente de la iglesia y del coro. ¿Por qué? Porque la gente no cambiaban.

Como pecadores humanas, somos naturalmente egoístas y orgullosos. Por esto es que la prisión puede ser tan difícil. Hay cientos de personas atrapados en un cerco de alambre de púas juntos, y todas peleando para que le den lo que quieren. ¿Hay duda porque no recibimos más respuestas de nuestras oraciones? Debemos aprender a cambiar.

Sin embargo, cambiar es en absoluto una de las cosas más difíciles de hacer para un ser humano. Nuestros malos comportamientos están tan arraigados en nuestros seres, que toma mucho tiempo para quitarlos. **Para la mayoría de nosotros es tan duro que si no estuviésemos en alguna situación donde estamos forzados a cambiar nunca lo haríamos.** Aquí entra tú cautiverio. Dios lo usa para forzarte a cambiar. La Biblia dice,

"Antes de que fuera yo afligido, descarriado andaba; mas ahora guardo tu palabra" (Salmo 119:67).

De acuerdo al diccionario de "Websters", "afligir" quiere decir: "lanzar hacia abajo, golpear, ser humilde, problema o daño." Antes de que el salmista fue afligido fue desobediente, **pero cuando los problemas llegaron su camino él empezó a obedecer la palabra de Dios.** Lo que esto prueba es que la **aflicción produjo cambio.** La realidad es que la mayoría de la gente necesita ser afligida antes de que puedan finalmente obedecer. Por eso es que Dios usa lo que está a tu alrededor en la prisión para forzarte a cambiar. La aflicción que tu cautiverio provee es diseñado para darte problemas al punto donde quieras empezar a obedecer la palabra de Dios para sentir alivio de tu sufrimiento. Déjame mostrarte cómo trabaja. La Biblia dice;

"En ese día [la gente de Judá va a ser despojados de sus pertenencias] El Señor va a rasurar con el rastrillo que es contratado de las partes más allá del rio [Éufrates] aun con el rey de Asiria [el rastrillo va a rasurar] la cabeza y el cabello de las piernas, y también consumirá la barba" (Isaías 7:20 AMP).

En esta escritura, Dios dijo que El usaría a Asiria para rasurar a su gente cautiva. Él se asegura de quitarles todo lo que tenían. En el viejo testamento el ser rasurado a la fuerza era estar en conflicto, golpeado, y humillado. Estas son las definiciones de la palabra afligido.

Para forzarte a cambiar, el Señor te rasurara por medio de las manos del Asiria de hoy en día. Él les permite que te quitan todo. Tu familia, tus posesiones materiales, y hasta más frustrantes el control que una vez tuviste en tu vida.

Atrás de las barras, no puedes escoger cuando te despiertas, cuando te vas a dormir, cuando y que vas a comer, o dónde vas a trabajar. Diariamente te paras en línea para tomar tu medicamento, comida, lavandería, y hasta un baño. Ahora, tú no tienes de donde escoger tienes que vivir en una celda de 6x10 con otros que tal vez te gusten tal vez no. Diariamente, sufres aflicción cuando tienes que tratar con todas clases de gente y circunstancias. Dios dejo a Asiria que te rasurara y te quitara todo porque la aflicción produce cambio. **La serie de problemas que enfrentaras en cautiverio son usados por Dios para guiarte hacia Su Palabra para que el poder de la Palabra te pueda transformarte.**

Como estas manejando tus situaciones problemáticas? ¿Estás enfurecido, siendo grosero e insistiendo de tu modo? ¿O te estás humillando? Cada segundo de cada día tu cautiverio te va a proveer la oportunidad de ser paciente o no, de perdonar o no, de decir lo siento o no, o de chismear o no. Para que puedas cambiar tienes que, paso por paso, decidir responder de la manera correcta en cada circunstancia. La manera en que esto se hace es viendo lo que dice la Biblia en esas circunstancias, y después **HAGA LO.**

¿Quiere decir que tienes que aguantarte todas las cosas indeseables o personas mientras que estas aquí? No, Dios se moverá a tu beneficio y cambiara tu situación pero solo cuando el este seguro de que estas cumpliendo su propósito de cambiar. Recuerda lo que Salomón dijo, *"Si"* tienes un cambio de corazón mientras que estés en la tierra de exilio *"entonces"* Dios va a escuchar tus ruegos.

¡De hecho, Dios hará cosas maravillosas por la gente que se esfuerza para cumplir Su propósito de cambio! Si estas constantemente tratando de cambiar la Biblia te llama *"intransigentemente honrado."* ¡Vamos a ver rápidamente algunas de las increíbles bendiciones que hay en la Biblia para ti!

"Porque tú, Oh Jehová, bendecirás al justo; [aquel el cual es derecho y está en bien parar contigo] Como un escudo lo rodearas de tu favor.... (Placer y favor)"(Salmos 5:12 AMP).

Si decides cambiar, Dios promete de *"rodearte"* con buenos deseos, *"placer y favor"*. ¡Un pequeño favor con tu abogado, un oficial, tu familia o hasta un completo extraño puede ayudarte, así que imagínate lo que pasa si estas rodeado de esto!!! ¡Tendrás favor en el trabajo, favor en tu cuarto, favor en las cortes y hasta tiempo de favor con Dios!

Otra bendición que te trae el cambio es un aumento en la habilidad de escuchar al Señor. Cuando estas tratando de caminar en las instrucciones de la Biblia todos los días, Dios te dará guía extraordinariamente sobrenatural. Proverbios 3:32 dice en la amplificación,

"Porque lo perverso es abominable [extremadamente repugnante y detestable] a el Señor; pero su comunión confidencial y consejo secreto están con él [intransigentemente] honrado (aquellos quienes son justos y que están en bien parar con él)."

Dios no comparte Su comunión confidencial con todos. De acuerdo a las Escrituras, las personas que están tratando de caminar derecho reciben su consejo secreto. Piensa en los increíbles beneficios de poder escuchar los secretos de Dios. ¡Una palabra de él puede cambiar tu vida entera! ¡Yo sé esto por experiencia, porque fue Dios que me dijo que apelara mi caso y cuñado lo hice gane! ¡Fue también Dios quien me dio mi fecha de salida 6 meses antes de mi victoria en corte!!! Estos son solo unos pequeños ejemplos de cosas milagrosas ¡Que pueden pasar a esos quienes desean cambiar!

Cuando estaba en la prisión había veces que lo echaba todo a perder porque trataba mal a alguien. Aun así, Dios me hablaba sus maravillosos misterios. ¿Por qué? Porque aunque él sabía que no era perfecta, él sabía que en mi corazón yo realmente quería cambiar.

La Biblia dice que la gente que quiere cambiar va a recibir los deseos de su corazón.

"Lo que el impío teme, eso le vendrá; Pero a los justos les será dado lo que desean" (Proverbios 10:24 AMP).

¿Qué deseos tienes tú? Dios te los concede si encaminas Su propósito de cambio. ¿Tus oraciones están siendo contestadas? Si no, chequea tu actitud. ¿Cómo vas en el camino de tu cambio? Hazte estas Preguntas. ¿Cómo reaccionas cuando conflicto se levanta en tu cuarto? ¿En el cuarto de televisión cuando no puedes mirar tú programa? ¿En la línea de comida o en la línea del microondas cuando se meten en frente de ti? ¿En el cuarto de ejercicios cuando hay desacuerdo? ¿En tu grupo cuando son bullosos o cuando la gente está hablando "mierda" de ti o en tu cara? Examina como estas respondiendo a cada situación. Haga un esfuerzo de ser honesto contigo sobre tus errores, aunque te hagan ver mal (especialmente cuando te veas mal). Deja que la Palabra de Dios te guía tu comportamiento en cada circunstancia. Mientras caminas las Escrituras, veras que su poder transformar tu vida.

¡Imagínate cómo serían las prisiones si todos tuvieran la misma misión, de ser cambiados! Recuerda que los episodios de drama que ocurren a diario es lo que Dios usa para rasurarte y demostrar el comportamiento de tu corazón. Alegrase en cada situación difícil que tengas que pasar, porque es otra oportunidad para ti, de ser bendecido. Créelo o no, Dios está dejando que seas afligido para ayudarte a cambiar y que estés listo para tu futuro. ¡Agradece que perdiste todo porque ahora lo tendrás todo!!!

1. De acuerdo a la oración de Salomón en 1 Reyes,'....*si tu pueblo recapacita en el país de su cautiverio.... escucha desde los cielos, donde habitas sus oraciones, y lamentos, y hazles justicia.* ¿Qué te pide esta Escritura?

2. Según la Escritura, la única cosa que realmente puede cambiar su corazón es la Palabra de Dios. Escriba Hebreos 4:12 en el siguiente espacio.

3. La Biblia dice: *Pero sed hacedores de la palabra, y no tan solamente oidores, engañándoos a vosotros mismos.* (Santiago 1:22)Según la Escritura, ¿qué dos cosas debes hacer paraqué la Palabra toma efecto en ti?

4. El salmista dice: *Entonces no sería yo avergonzado, Cuando atendiese a todos tus mandamientos.* (Salmos 119:6)3) ¿Lista todas las maneras diferentes en que su cautiverio le ha afectado? ¿Cómo te han traído más cercano a Dios?

5. Lista todos los diferentes comportamientos y procesos de pensamiento, que usted sabe que tiene que cambiar.

CAPITULO DIEZ

Esta Cosa de Dios Realmente Funciona

"También, busca la paz y la prosperidad de la ciudad a la cual te he cargado en tu exilio. Ora al Señor por ella porque si prospera tú también prosperaras." Jeremías 29:7

¡Increíble, estaba en el hoyo otra vez! Esta vez sí lo eché a perder todo. Empuje a un oficial de correcciones. Cuando mire hacia arriba de la puerta vi la cara del Mariscal de Campo, quien era el líder de la disciplina, se apareció en la ventana de mi celda. Escuche el cerrojo magnético soltarse y dio paso adentro con dos oficiales directamente atrás de él. Con un gran suspiro, puso sus manos en su cadera y me miro fijo hasta que me hizo sentir tan incómoda que vire la mirada. Después de lo que pareció una eternidad dijo,

"Señorita Caple, usted ha demostrado varias veces esta clase de comportamiento, al extremo de que no tenemos otra alternativa más que ponerla en segregación administrativa por 90 días. Durante este tiempo, te mantendrás aquí y tienes que ver a una siquiatra quien la evaluara cada siete días. Al final de este periodo de tres meses, vamos a revisar tus evaluaciones. Si en ese entonces sentimos que esta lista, la devolveremos a la populación general. Si no, su estadía aquí será prolongada..."

Cuando termino su sobrio anuncio, se voltio para irse pero cuando alcanzo la puerta paro, y se dio la vuelta otra vez. "Francamente, Katie," él dijo, "Yo pienso que nunca vas a estar lista para estar con la populación general otra vez." Con eso y una mirada final de disgusto, sacudió su cabeza y se fue.

"¿Noventa días? ¡Esta vez sí que me freguё!" pensé. Yo podría hacer esa cantidad de tiempo en una celda regular, pero 90 días en una celda de admisiones seria duro, aun para mí. Mientras la realidad de mi predicamento me penetro la mente, me regañe a yo misma. ¿Cómo había dejado que esto pasara otra vez? Estaba haciendo tan bien, actualmente cambiando a otra persona diferente: pero uno de las guardias no paraban de molestarme, y me sacó de quicio.

Aunque había echado todo a perder uno de los tenientes, quien había reconocido mi transformación, dejo que me llevara mi Biblia conmigo al hoyo. De modo que, armada con la palabra de Dios, sentada arropada en una cobija de lana en un colchón de plástico tirado en el piso, repasando las páginas para estar confortable.

Desafortunadamente, estar en segregacion no era mi unico problema. Ya había hecho más de un año y ya había ido a juicio y perdido. Ahora, solo estaba esperando ser sentenciada y estaba enfrentando más de 15 años en una prisión federal. Mico-demandado y yo estábamos peleando por un nuevo juicio y coincidentemente nuestra moción iría ante de las cortes el siguiente día.

Ahora, era casi media noche. Sabiendo que la dirección de mi vida podría cambiar drásticamente de una manera u otra en unas cuantas horas, hizo que se me subiera la tensión. Por esto es que me pase los últimos tres días y noches en el encierro orando, cantando y leyendo la Palabra. Buscaba alguna clase de ayuda sobrenatural de Dios. La parte chistosa eran las policías. Cuando pasaban por mi ventana me miraban como si yo fuera una loca. No me habían visto así. Estaba pasando mi tiempo en la hoya de diferente manera, porque yo era diferente.

Desafortunadamente, las cosas afuera de mi celda estaban igual. Admisiones estaba lleno de diferentes clases de personas, como adictos a la heroína enfermos porque no tenían la droga, y hasta gente común y corriente con órdenes de arresto por infracciones de tráfico. Todos ellos estaban congelados y sucios y sin donde acostarse por varios días, más que en el cemento frígido. Cansados de esperar, todos estaban gritando y rogando por medio de las puertas a las policías que los procesaran. Sentada ahí orando, rogando un poco por mí también.

"Señor, necesito tu ayuda" empecé, y por un segundo dudando si realmente hablaba con Dios o era conmigo misma.

"¿Dime que va a pasar conmigo?" Continúe, ignorando mis pensamientos previos. "¿Voy a ir a prisión por el resto de mi vida o qué?"

Con esta pregunta cerré mis ojos y pause. Entonces abrí mi Biblia y mire abajo. El Señor me llevo a Jeremías 29. ¡Mientras leí el título del capítulo *"Una carta a los exiliados,"* mi corazón dio un salto!

"Oye, yo soy un exiliado." Yo pensé, ahora de seguro Dios me daría un mensaje. Rápidamente traje la Biblia más cerca a mis ojos y empecé a leer verso numero 4.

"Esto es lo que el todopoderoso Señor, el Dios de Israel, dice a todos a los que acarreé dentro del exilio de Jerusalén a Babilonia: 'Construye casas y establécete; planta jardines y come lo que producen..."

"Waw" dije, mi emoción se volvió a pánico de repente. *"Construye casas y siente cabeza."* Al solo pensarlo lo que esto pudiera implicar me hizo sentir enferma.

"¿Señor, esto quiere decir que me tengo que sentir en casa porque voy a estar un buen rato?"

Tome una pausa para ver si me respondía, pero cuando nada vino más que silencio, decidí seguir buscando por otra respuesta diferente. Y leí más en verso 7,

"También, busca la paz y prosperidad de la ciudad a la cual te he llevado a exilio. Ruega al Señor por ella porque si prospera, tú también prosperaras."

¿Qué quiere decir todo esto? Me pregunte, mientras pare por un segundo, pero comencé a buscar de nuevo. Afortunadamente los versos 10-14 eran exactamente lo que estaba buscando.

"... 'Cuando setenta años se hayan completado por Babilonia, yo vendré y llenare mi graciosa promesa de traerlos de vuelta este lugar. Por qué yo se los planes que yo tengo para ustedes,' declaro el Señor, 'Planes para prosperarte y no para dañarte, planes de darte una esperanza y un futuro. Entonces tú me llamaras y vendrás a orarme y yo te escuchare. Tú me buscaras y me encontraras cuando me busques con todo tu corazón. Yo seré encontrado por ti,' declara el Señor, y te traeré del cautiverio" (vs. 10-14).

Las últimas palabras causaron que mi corazón corriera. ¿Era esta mi respuesta? En mi mente una pequeña guerra de tira y afloja comenzó mientras que yo trataba de racionar lo que acababa de tomar lugar. Era coincidencia, lo que abrió mi Biblia en esas páginas o era Dios. ¿Quién me había llevado ahí? ¿Si era Dios, porque me dijo que me sintiera como en casa si realmente iba a sacarme? ¿Sentí que las dos Escrituras eran para mí pero como podría esto ser si se veían totalmente opuestas?

Agobiada, me senté clavada inquisitivamente mirando a la sangre desparramada en la pared tratando de separar todo. Finalmente, llena de frustración se me salió, "¿Bueno, cual es, Señor? ¿Me vas a sacar de aquí o debo de ponerme cómoda porque me voy a quedar un rato?

En eso pare, una vez más para escuchar una posible respuesta pero esta vez no escuche silencio, en vez, escuche otra vez una extraña vocecita tratando de decirme que estaba hablando sola.

"¿y qué hay de esto?" dije, escogiendo una segunda vez de ignorarlo mientras punteaba al versículo en la Biblia.

"...busca la paz y la prosperidad de la ciudad a la cual te lleve al exilio. Órale al Señor por ello, porque si prospera, tú también prosperaras."

"¿Si, qué hay de eso?" yo misma dudaba. ¿Qué era exactamente lo que quería decir? Después de todo era confuso el concepto de orar por los mismos oficiales que les pagaron para aterrorizarnos. Me reí de tan solo pensarlo, pero rápidamente fui silenciada y devuelta a la realidad.

Al fondo del pasillo escuche una sola voz llorando por medio de todo este ruido. Era una mujer pidiendo ayuda.

"¡Por favor alguien que traiga un doctor, oficial llame por ayuda, necesito medico!"

Sus llantos continuos, sonaban desesperados. Después de unos minutos hasta algunos de los otros prisioneros empezaron a llamar por ella. Pronto media docena de reclusos estaban pateando las puertas de metal, gritando a los guardianes que vinieran, sin respuesta. Después de todo el ruido que se creó, el resto de los reclusos empezaron a gritar para que se callaran. Finalmente, después de que todos hicieron un borlote los guardianes si se presentaron pero no para ayudar.

En vez de hacer algo, lo tomaron como deporte. Mientras que la mujer continuaba llorando por atención médica, uno de los oficiales respondió mofándose de sus ruegos.

"¿Qué te pasa? ¿Necesitas un doctor? Chillo imitando a un bebe llorón. "¿Te vas a morir?" preguntó tanteándola.

En esto, todos los guardianes se comenzaron a reír. Los podía escuchar avanzando por el fondo del pasillo pateando puertas y amenazando cuando pasaban. Pero, en vez de intimidar a los reclusos para calmarlos, solamente les provoco que clamaran más porque estaban felices de que habían recibido alguna clase de respuesta después de ser ignorados por tanto tiempo.

El ruido y confusión estaba creciendo en intensidad y el llanto de la mujer se transformó en gritos. Todo era demasiado. Mientras que escuchaba, trate de ahogar el coraje que sentía subiéndose dentro de mí. ¡Embargada por la locura, grite en frustración, "Haz algo Señor, tiene que haber algo que puedas hacer para parar todo este caos!" pero otra vez no escuche respuesta. Agarrando la Biblia todavía en mis brazos, mis ojos cayeron otra vez en el mismo verso que había leído unos minutos atrás.

"...busca la paz y la prosperidad de la ciudad a la cual te he llevado al exilio. Ora al Señor por ella, porque si prospera, tu prosperaras."

¿Cuándo lo leía otra vez, sentí una revolución dentro de mí como si algo me estuviera empujando, pero qué? *"ora por ella"* decía. ¿Estaba Dios hablándome? Mire abajo y una sola palabra parecía llenar la página. ***"¡Ora"!***

De repente, la realización me golpeo como un rayo y salte como electrificada. "esta bien Señor" dije furiosamente paseando por mi pequeña celda. "Yo no sé si me voy o me quedo pero mientras que estoy aquí voy hacer todo lo que dices". Ahí mismo empecé a orar por esa gente fuera de mi celda. Rogué a Dios que les tuviera piedad. Pidiéndole que removiera las drogas de su sistema, calma su dolor e inúndalos con paz. Después ore por los guardianes, rechazando el espíritu de arrogancia, mofaría y odio y que los llenara del espíritu de compasión. Le pedí también al padre, que les diera a esos oficiales el corazón de Jesús para que quieran ayudar a los reclusos y no acosarlos. Ore por toda la prisión con fervencia que nunca antes había sentido y cuando finalmente pare, me di cuenta que estaba todo quieto.

La calma se sentía en todo el pasillo. Mientras escuchaba, pensé, "¿wow, todos se han ido a dormir?"Obviamente, yo no sabía el poder de la oración. De hecho, ni siquiera había conectado mi oración con lo que estaba sucediendo hasta que unos pocos minutos más tarde cuando los guardianes regresaron por el pasillo rompiendo el bendito silencio.

Mientras caminaban hacia mi ventana, me saludaron con la mirada de los oficiales yendo de celda en celda distribuyendo cobijas y colchones. "Ya era tiempo." Pensé mientras miraba a los reclusos recibirlos. Después note a un hombre que se miraba medio inocente aborde de uno de los oficiales.

"Tengo un dolor en el cuello", lo escuche decir. "¿piensa usted que puedo tener otra cobija para usar como almohada?

Cuando escuche esto, me reí por dentro. "Lo dudo mucho" pensé, esperando que el guardián cerrara la puerta en su cara. Pero para mi sorpresa total, el oficial dijo que si con su cabeza y le dijo, "Claro," mientras que le daba la preciosa provisión al hombre.

¿Estaba anonadada- una cobija extra? Esto no había sido escuchado nunca en este lugar. Todavía sorprendida, mire a los oficiales regresar a cada celda para asegurarse de que no había faltado nadie. Era realmente sorprendente pero era solo el principio.

Treinta minutos más tarde, los guardianes regresaron. Esta vez con sacos de lonche, que sobraron del medio día. Estos normalmente los tiraban o lo comían los guardianes pero nunca se los daban a los reclusos. Ahora era medianoche y galletas y emparedados estaban siendo repartidos entre las celdas.

Después dos minutos más tarde lo imposible pasó. La mayoría de los prisioneros estaban esperando por una llamada por algún tiempo pero como es usual sus derechos son delatados indefinidamente. Ahora uno de los guardias más malos, quien de pronto estaba actuando muy amigable, abrió una celda y dijo,

"Yo no puedo sacar a nadie ahorita a hacer llamadas de modo que traje el teléfono inalámbrico, anden úsenlo."

Escuche me trago. Esto ya era demasiado. Una mujer en una celda en frente a la mía me estaba viendo todo lo que pasaba. Me miro a través del vidrio con los ojos anchos maravillados y sacudió su cabeza como diciendo, "no lo puedo creer" sentí lo mismo. Cuando finalmente me fui a dormir, los únicos sonidos que escuche fue las voces de felicidad charlando en el teléfono.

Me di cuenta la siguiente mañana que todos en la celda hablaron en el teléfono hasta que acabaron con la batería. Varios de las personas pudieron hablar con su familia, amigos o los afianzadores y los dejaron salir. Nunca supe si la mujer que necesitaba atención medica la tuvo o no pero no la escuche llorar más. Toda la cosa era tan increíble que daba miedo.

Dos días más tarde escuche la llave magnética soltarse en la puerta de mi celda. Mire hacia arriba y el jefe de los oficiales disciplinarios entro. "Bueno, Señorita Caple, tengo buenas noticias y malas noticias. "¿Qué quieres escuchar primero?"

"Las malas." Dije secamente.

"Bueno," replico. "Va a tomar un par de horas para procesarla fuera de aquí pero va de regreso a la populación general."

Mi quijada debe haberse caído porque no pude contestar por un momento. Entonces incrédula dije,

"Un par de horas no son malas noticias, Señor. Gracias"

Menos de media hora más tarde, yo me paseaba por el pasillo de regreso a mi unidad. Mi segregación de 90 días había sido tirada por el inodoro (baño). ¡¡ ¡Era un milagro!!! ¿Qué decía la escritura de Jeremías? ¡Si oraba por mi lugar de exilio y prosperaba, yo prosperaría también!!! ¡Sentía ganas de correr por el pasillo gritando, "esta cosa de Dios realmente trabaja!!!" Estaba temblando. Podía sentir el amor de Dios y su poder. El me mostro algo increíble y era solo una probada de lo que estaba por venir.

LECCIÓN DIEZ

1. Describa una situación en que, durante su cautiverio, sentiste a Dios dándote una respuesta directa a sus oraciones. Anote todos los detalles que pueda recordar sobre el evento. Además, describe las revelaciones espirituales que recibió durante el mismo. Incluya cualquier Escritura el Señor le dio y cualquier palabra personal que Dios le habló en su Espíritu.

CAPITULO ONCE

¡Preparación para Tu Fin Esperado!

"Y si se vuelven a ti con todo su corazón y alma en la tierra de sus enemigos quienes los tomaron cautivos... entonces escucha sus oraciones y su ruego y apoya su causa."
1 Reyes 8:48-49

El Tercero de los Propósitos de Dios Para Tu Tiempo de la Oración de Salomón

"Estas son las palabras de la carta que el profeta Jeremías envió de Jerusalén a los ancianos que habían quedado de los que fueron transportados, y a los sacerdotes y profetas y a todo el pueblo que Nabucodo-Nos llevó cautivo de Jerusalén a Babilonia. Así ha dicho Jehová de los ejércitos, Dios de Israel, a todos los de la cautividad que hice transportar de Jerusalén a Babilonia: Edificad casas, y habitadlas; y planta huertos, y comed del fruto de ellos. Casaos, y engendrad hijos e hijas; dad mujeres a vuestros hijos, y dad maridos a vuestras hijas, para que tengan hijos e hijas; y multiplicaos ahí, y no os disminuyáis. Y procurad la paz de la ciudad a la cual os hice transportar, y rogad por ella a Jehová; porque en su paz tendréis vosotros paz..." (Jeremías 29: 1 & 4-7)

"Porque yo se los pensamientos que tengo acerca de vosotros, dice Jehová, pensamientos de paz, y no de mal, para daros el fin que esperáis" (Jeremías 29:11 VKJ).

La primera escritura arriba es de la oración de Salomón. Es la tercera y ultimo propósito que Dios quiere para tu tiempo. La siguiente escritura es de una carta mandada a los antiguos exiliados que fueron aprisionados en Babilonia. El motivo por la cual puse estas escrituras juntas es porque su contenido va en esa misma orden para tu propósito final.

Hay muchos libros en la Biblia que comenzaron como una carta. Los cuatro evangelios de Marcos, Mateo, Lucas y Juan, tanto como las epístolas del nuevo testamento de Pablo son buenos ejemplos. Las cartas de Pablo, fueron escritas por él mientras era cautivo en una prisión Romana.

La segunda escritura que puse es del capítulo 29 de Jeremías titulado *"Una carta para los exiliados."* Esta carta es única porque **es la única en la Biblia que Dios mando adentro de la prisión.** Escrita por el profeta Jeremías por el año 597 a. de JC., la carta fue mandada por una bolsa diplomática a los cautivos que estaban en Babilonia. En ella, bajo la inspiración y dirección del Espíritu Santo, Jeremías escribió una lista de instrucciones para los cautivos para que seguirán mientras estaban en exilio. A la final de la lista, estaba la promesa de un futuro plan que Dios les había preparado para cada uno de ellos. Las instrucciones en la carta fueron diseñados para preparar a los prisioneros para su futuro.

¡Dios tiene un plan para ti también! Un propósito único que exaltara a Su Reino en la tierra y bendecirá tú vida muchísimo. ¡Este plan se llama tú *"Fin Esperado!"*. Las instrucciones en la carta de Jeremías son específicamente diseñados para prepararte durante tu cautiverio. Mira la oración de Salomón. El tercer propósito que el oro para tu tiempo era esto,

"Y si se vuelven a ti con todo su corazón y alma en la tierra de sus enemigos quienes los tomaron cautivos... entonces escucha su oración y su ruego y apoya su causa" (1 Reyes 8:48-49).

¿Cómo harías para lograr este propósito? ¿Qué va a tomar en que te devuelves a Dios con todo tu corazón y tu alma? **Tienes que comprometer tu vida entera a Él y ser la persona que El creo.** ¡Lo cual indica que debes prepararte para tomar posesión de tu Fin Esperado!

Mientras estás aquí, Dios quiere moldear te en un instrumento perfectamente formado en que Él pueda usar para edificar Su Reino. Dios tiene una misión de salvar al mundo. Su plan es que tú también vayas en esa misión con El. Ahora es el tiempo para prepararte y juntarte con Dios en Su misión. Esta es el propósito final que Dios quiere durante tu tiempo en la cárcel. Es la mayor razón porque Él te trajo a la cautividad. ¡Para prepararte para tu tarea en el futuro!

Esta es la base de la carta de Jeremías - preparación. El motivo Dios mando la carta a Su gente en Babilonia era para que ellos pudieran usar su tiempo adentro para prepararse para los propósitos de Su Reino. La Biblia contiene muchos ejemplos donde Dios usa el cautiverio de una persona como un vehículo para entrenarlos para su tarea.

¡José paso 13 años en la prisión preparándose para ser segundo en mando sobre todo Egipto y para salvar el mundo de la hambría! ¡El apóstol Pablo escribió sus cartas mientras estaba en la prisión, las que hoy llegan a millones de personas en el mundo! ¡También habían seis otros prisioneros en la Biblia, todos del exilio Babilonio, quienes tomaron posesión de su Fin Esperado! por medio del vehículo del cautiverio.

¡Durante su exilio, Daniel recibió el entrenamiento que necesitaba para ser el tercer mandatario más alto de Babilonia y el profeta más importante de la llegada de Cristo en los últimos días!

¡Mientras era prisionera en el palacio del rey, Ester paso un año entero de preparación para ser reina! Cuando ella tomo el trono, la matanza salvaje de todos los Israelitas que permanecía, paro de una.

¡Zerubabel y Jesús estaban aún en Babilonia cuando recibieron su orden de ir a Jerusalén y reconstruir el templo quemado de Salomón!

¡Esdras fielmente estudio las Escrituras durante su cautiverio! ¡Cuando lo dejaran ir a casa, él estaba preparado para enseñar la Palabra a los exiliados que regresaron!

¡Nehemías era el escanciador del rey en la tierra del cautiverio cuando recibió su tarea de ir a Jerusalén y reconstruir las paredes quebradas!

¡Para un grupo de ex convictos es una buena lista de acontecimientos! ¿Cómo lo hicieron? Estos seis cautivos se relacionaban en una forma muy específica. ¡Todos fueron producto del exilio de Babilonia de modo que todos leyeron la carta de Jeremías, la cual los ayudo a tomar posesión de su Fin Esperado!!

Las instrucciones en la carta de Jeremías fueron diseñadas para prepararte para tu tarea. ¡Durante todos los años de mi encarcelamiento, yo viví estas instrucciones! ¡Y ahora soy la fundadora del Ministerio del Fin Esperado! ¡Cuando los sigues, estas guías trabajan! Por esto es que vamos a pasar los próximos siguientes capítulos pasando por la carta. Voy a enseñarte como aplicar directamente las instrucciones a tu cautiverio, para que puedas prepararte para poseer tu futura misión.

¡Ahora, quiero poner énfasis a un punto importante! Tomar posesión de tu Fin Esperado es uno de los propósitos de Dios para tu tiempo, así que debes tenerlo para que el castigo de tu cautiverio termine. ¿Recuerdas la advertencia que Jeremías dijo en referente a esto? *"[Su castigo va a continuar hasta que haya completado su propósito]..."* (Jeremías 4:22).

Dios quiere que ciertos propósitos se cumplen durante tu tiempo. ¡El último propósito es de prepararte para que posees tu Fin Esperado! ¿Porque el castigo de tu cautiverio seguirá si tú no llenas este propósito? Porque tu Fin Esperado-Es lo único que te permitirá a ser libre estés fuera o dentro. Teniendo posesión de él, te causara que estés lleno de esperanza y gozo sobrenatural. Te ayudara a aguantar cualquier situación y superar cualquier tentación. Te dará poder, para que hagas tu tiempo con propósito y asegurar tu éxito cuando salgas.

¡Los beneficios de poseer tu Fin Esperado! son infinitos y **poderosos**. Son suficientemente poderoso para cambiar tu vida radicalmente mientras que estas aquí y **asegurarte de que no regreses a cautiverio una vez que salgas**. ¡Por esto es que debes tomar posesión de tu Fin Esperado! ahora. ¡Es la única cosa que puede traer el círculo de tu cautiverio a un final!

¡Cuando estaba en la prisión, yo me prepare y tome posesión de mi Fin Esperado! Teniendo mi propósito por la cual fui creada cambio por completo la manera en que termine mi tiempo. Estaba constantemente llena de entusiasmo por el futuro maravillosa que Dios estaba preparando para mí. El gozo sobrenatural que recibí al poner en acción mi tarea, hizo que mis días volaran. De hecho, habían varias veces que ni siquiera sentía estar en una prisión.

¡Una vez que salí, continúe persiguiendo mi misión, los beneficios de poseer mi Fin Esperado! fueron hechas aún más aparentes para mí. Impulsada por mi propósito, nunca fui tentada a hacer drogas o regresar a mis formas anteriores. El tener mi misión me puso una llama de fuego dentro de mí, la cual me ayudo superar cualquier obstáculo. Encima de eso, estaba rodeada de poderes sobrenaturales a mi favor dondequiera que iba. Bendiciones innumerables me llegaron porque yo estaba persiguiendo mi propósito para la que fui creada.

Pero otros convictos que yo conocía no les estaba yendo tan bien. Ya estaban luchando a diario con su existencia. Varios violaron probación y los devolvieron a la prisión. **¡Hasta os Cristianos que estaban siguiendo a Dios estaban regresando!** ¿Por qué? No paseaban la única cosa que podría prevenirlos a fracasar y asegurarles su éxito. ¡Su Fin Esperado!!

Por esto es que Dios insiste en que agarres tu Final Esperado mientras que estas aquí. ¡Es lo **ÚNICO** que puede traer satisfacción total a tu vida, previniéndote de volver a los pasos de antes, y **asegurarte la vida con la cual siempre soñaste!** Dios quiere que vivas tu vida abundantemente. ¡Poseer tu tarea asegurara que lo hagas!

Tienes que usar tu tiempo aquí para estar listo para tu tarea. Los siguientes tres capítulos de este estudio son de sumamente importancia para tu futuro de modo que no solamente los leas pero también pon lo que aprendiste en práctica. Si no, nunca entraras a la herencia que Dios tiene para ti; tu tierra emanante de leche y miel.

LECCIÓN ONCE

1. Esta es la tercera y última propósito de Salomón para su tiempo, *"y si se convirtieren a ti de todo su corazón y de toda su alma, en la tierra de sus enemigos que los hubieren llevado cautivos.........tú oirás en los cielos, en el lugar de tu morada, su oración y su súplica, y les harás justicia."* (1 Reyes 8:48-49)¿Cómo haría usted para cumplir este propósito?

2. Escriba Jeremías 29:11.

3. El resto de su cautividad debería estar dedicados a la preparación para su Fin Esperado. Es de sumamente importancia que usted se equipa para tu Fin Esperado creado por Dios ahora, mientras aún está en cautiverio. Al hacerlo, determinará si usted tendrá una vida de plenitud o volverás al cautiverio de nuevo. Nombra tres antiguos Israelitas cautivos que fueron entrenados para su Fin Esperado durante su cautiverio. Haga una lista de lo que lograron.

4. ¿Cree usted que esas personas podrían hab̶e̶ preparado durante su cautiv̶e̶r̶i̶o̶?

CAPITULO DOCE

Edifica y Planta

"Esto es lo que el Señor todopoderoso, el Dios de Israel, dice a todos esos que lleve al exilio de Jerusalén a Babilonia: 'Edifica casas establécete; planta jardines y come lo que produzcan Jeremías 29:4,5

"Porque yo se los pensamientos que yo pienso hacia ti." ¡Dijo el Señor, pensamientos de paz y no de maldad, de darte un Fin Esperado!" Jeremías 29:11

¡La primera instrucción de la carta de Jeremías atada a la promesa de tu Fin Esperado! es este, *"Edifica casas y establécete"* ¡Debes de empezar a prepararte para poseer tu Fin Esperado! edificando tu casa. ¿Cómo empiezas? La carta misma te lo dice. La única forma correcta de 'edificar casas' es de "sentar cabeza" en una clase de vida centrada en Cristo. ¿Qué quiere decir esto?

Vivir una vida centrada en Cristo depende completamente en Dios. Saber que necesitas Su sabiduría y presencia para guiarte por cada día. La forma de reconocer esto es regularmente buscar a Dios por medio del estudio de la Biblia, oración, y meditación. Asentándote en esta clase de vida centrada en Cristo es como edificas tu casa. **Pasando tiempo personal con Dios todos los días es la primera disciplina que necesitas desarrollar en orden para ser exitoso por el resto de tu vida.** Por esto es la primera instrucción de la carta de Jeremías.

Escogiendo asentarte en una vida centrada en Cristo significa tener que hacer las decisiones de cómo pasaras tu tiempo mientras que estas adentro. ¿Te envolverás en las cosas de Dios o en las del mundo? Las Escrituras dicen:

"...Pero cada uno debe tener cuidado en cómo edifica. Por qué ni uno puede echar ni una fundación que la que ya está echada, la cual es Jesucristo. Si algún hombre edifica en esta fundación usando oro, plata, piedras costosas, madera, pasto o sácate, su trabajo será enseñado por lo que es, porque el día lo va a traer a la luz. Sera revelado con fuego, y el fuego probara la calidad del trabajo de cada hombre. Si lo que el edifico sobrevive, el recibirá su recompensa" (1 Corintios 3:10-14).

Ahora estas edificando para tu futuro. Cristo es la fundación en que se base la casa de tus sueños. Esto significa que tienes que construir el resto de tu casa con materiales de Él. Cuando usas la fundación correcta, como la oración y el estudio de la Palabra, tu casa se mantendrá firme por medio de cada prueba. Si escoges edificar con las cosas que te ofrecen el mundo, tu casa será destruida.

Durante mi tiempo adentro, yo hice el compromiso de poner a Dios como mi prioridad número uno. Cuando tenía que escoger entre leer mi Biblia y orar o jugar baraja y mirar tv, yo puse a Dios primero al elegir leer y orar. No me malinterpreten. Hubieron momentos en que me di el gusto en otras clases de actividades, pero siempre me asegure de que la mayoría de mi tiempo lo pase persiguiendo a Dios.

Como resultado, ahora estoy dirigiendo una ministra muy exitosa, pero déjame decirte que mi éxito no vino fácil. Vino después de años de vivir una vida centrada en Cristo. ¿Tú crees que puedes edificar tu vida jugando espadas y mirando novelas todo el día? No, a lo contrario, tu futuro éxito dependerá mayormente en tu compromiso de estudiar la palabra de Dios y de pasar tiempo con El. Hay muchas otras actividades disponibles en la prisión para distraerte de tu vida centrada en Cristo. ¿La pregunta es: vas a dejar todas esas distracciones robarte de tus futuros sueños? No me lo tomes a mal; Dios no quiere que elimines toda la recreación de tu vida. Él quiere que te diviertas mucho. Pero, también quiere que uses tu tiempo sabiamente, estudiando y preparándote para tu llamado. Esto significa eliminando cualquier cosa que te atrase en tu crecimiento.

Desafortunadamente, la mayoría de las personas consideran que las actividades involucradas con Dios son aburridas. ¿Después de todo, que emoción puedes tener cuando oras o lees la Biblia? ¡Bueno, si te sientes de esa manera es porque verdaderamente no has probado la vida con Dios porque si lo haces, te prendes! Mi vida es tan emocionante desde que vivo una existencia centrada en Cristo! Tener una relación profunda y personal con mi Dios es como tener una gran aventura. ¡Constantemente el me sorprenda! ¡Siempre tengo anticipación por saber qué es lo siguiente que va hacer!

Una de las cosas más grandiosas que hace vivir una vida centrada en Cristo es que te ayuda a desarrollar tu oído para escuchar a Dios y tu corazón para obedecerlo. Mientras te sientes en la presencia del Señor a través de oración, estudio de la Biblia, adoración, o meditación él te dará conocimiento sobrenatural, y guía que cuando es usada, traerá su milagroso poder en tu vida. Déjame darte un pequeño ejemplo.

Recuerdo en una ocasión, cuando estaba en una junta de oración, me pidieron que orara por la madre de una reclusa. Después de que fue examinada por los doctores, esta mujer tenía una cita para cirugía del corazón porque tenía numerosos coágulos de sangre bloqueando sus arterias. Empecé mi oración pidiéndole al Señor que guiara las manos del cirujano durante la operación. Pero Dios me rebelo que yo estaba orando una oración equivocada. Él dijo que no orara por el cirujano pero que <u>orara específicamente para que los coágulos de sangre se disolvieran.</u> De modo que lo hice. El día siguiente, el grupo recibió el reporte de que la cirugía había sido cancelada porque durante el chequeo pre-cirugico los doctores descubrieron que los coágulos no estaban más ahí. ¡Habían desaparecido completamente!

Jesús oro para que el reino de Dios viniera y que su voluntad se hiciera en la tierra al igual que en el cielo. (Véase Mateo 6:10) ¿Cómo piensas que Dios va en lograr su voluntad en la tierra? ¡Lo hace por medio de nosotros! ¡Tener la habilidad de escuchar de Dios es muy importante porque nos da la habilidad de que es especificadamente su voluntad! Déjame decirte lo que hubiera pasado si yo hubiera continuado orando por esa mujer en mi propia sabiduría. ¡Nada!

Son tantas las razones por las que amo el poder de escuchar de Dios. Él es mi amigo quien me dirá cuando estoy pecando en contra de él o lastimando otras personas y a mí misma. El me guía cuando yo tengo que hacer una decisión critica. El me guía fuera del peligro y hacia mi destino. Cuando llevo una vida centrada en Cristo, Dios dirige el camino de mi vida hacia su gloria y mi ventaja.

Hay muchas personas que dicen que son Cristianos, pero, porque no están viviendo una existencia centrada en Cristo, y no tienen el poder de Dios acompañando su reclamo. Ves, entre más tiempo pases con Dios en su palabra y por medio de la oración, lo más que él te cambiara y te dará más poder. Hubo un tiempo que oraba en tres grupos diferentes al día más mi propio tiempo de meditación. ¡Eso es mucha oración! El resultado fue que me acerque más a Dios. Y El me aumento mi ungimiento para poder orar con más efectivamente.

Una noche una hermana me dijo que era escéptica en las cosas de naturaleza sobrenaturales, me dijo que estaba perplejada sobre un fenómeno que trato. Sucedía que cada vez que el grupo se juntaba y yo me paraba de casualidad junto a ella, algo raro pasaba. Cuando yo oraba, a ella se le erizaba la piel pero solo en un lado de su cuerpo. El lado donde yo estaba agarrando su mano. De hecho, la diferencia que ella sentía de un lado de su cuerpo y la otra era tan distinto que parecía que había una línea dividiendo por la mitad a lo largo de su cuerpo. En el lado que yo le tomaba de la mano sentía escalofríos y nada en la otra. Este fenómeno duraba solo mientras que yo oraba y cuando terminaba paraba.

No te estoy diciendo esto para alardear si no para hacer un punto. ¡Esto no pasaba porque yo era más espiritual que los demás, sino porque yo estaba pasando mucho tiempo con Dios en oración y Él se aseguraba de que yo poseyera el poder para que esas oraciones fueran contestadas! Dios te da poder cuando vives una vida centrada en Cristo. ¿Quieres llevar a cabo efectivamente el trabajo de Dios? Si es así, debes engancharte a él diariamente en comunión con él y buscando Sus Escrituras.

Aun cuando salí de prisión, yo continúe en mi disciplina diaria de leer y orar. ¡Y cuando todos estaban siendo devueltos a la prisión o luchando a diario en su día, mi esposo y yo estábamos siendo bendecidos inmensamente en cada área de nuestras vidas! ¿Cuál es la diferencia entre nosotros y los otros ex-convictos que no lo estaban haciendo? ¡Dos cosas: nosotros practicamos diariamente vivir centrados en Cristo y poseemos nuestro Fin Esperado!!

Necesito parar aquí y hacer un punto muy importante. ¡El enfoque mayor de este libro es el de prepararte a que poseas tu Fin Esperado! **¡Pero viviendo una vida centrado en Cristo es más importante que tu tarea y debe venir primero!** Por eso es la primera instrucción de la carta de Jeremías. ¡Es la fundación fundamental necesaria para que tú poseas tu tarea! Sin una relación cercana al Señor no podrás escuchar su dirección en referente a tu misión. Sin el estudio diario y oración no tienes las herramientas que necesitas para ministrar efectivamente mientras que encaminas tu tarea. ¡Sin una dependencia diaria a Dios, vas a fracasar en tu misión porque vas a estar caminando bajo tu propia fuerza limitada en vez de su poder ilimitado!

Como un año y medio después de que había salido, momentáneamente caí en un hábito de no leer y orar todos los días. Yo estaba ocupada escribiendo este estudio, trabajando tiempo completo, siendo esposa, pasando tiempo con mi familia, y manteniendo mi nueva casa en orden. Más sin embargo, continuaba trabajando en la *Series Cautiverio* a diario, y justifique que no necesitaba estudiar. Después de todo estaba haciendo una cosa de "Dios."   ¡Bueno, unos meses más tarde el Señor me dejo saber que no consideraba el trabajo en mi Fin Esperado! un substituto por mi tiempo personal con él. Él también lo hizo claro de que si no volvía a mi hábito de mi vida centrado en Cristo, mi habilidad para completar mi tarea empezaría a sufrir.

Debemos de ser cuidadosos sobre qué cosas empezamos a substituir por nuestra relación personal con Dios. Novelas Cristianas no son malas, tampoco televisión Cristiana o las actividades. Pero cualquiera de estas cosas pueden ser peligrosas cuando las dejamos remplazar nuestro tiempo diario uno-a- uno con Dios.

Aquí hay un punto final para los que ya están viviendo una vida centrado en Cristo. Tienes que poner atención a este capítulo porque es fácil de sentirse presumido cuando ya has desarrollado una disciplina diaria de oración y estudio. Créeme cuando te digo que aunque estés haciendo muy bien ahora, cada nuevo día se te presentara la oportunidad de resbalar en tu práctica. Especialmente cuando salgas. Vas a estar tan ocupado, que pensaras que no tienes tiempo para orar o leer. Como sea cuando esto pase, recuerda de hacer tiempo porque tu vida, tu sobrevivencia, y tu futuro dependen de ello.

Esfuérzate a pasar tu tiempo sabiamente. Considera tu encarcelamiento como colegio de Biblia, un tiempo para estudiar y crecer. Dios te instruyo a *"Edificar casas y sentar cabeza"* porque es la única manera para asegurar éxito duradero por el resto de tu vida.

Regresemos y veamos otra vez al primer verso de la carta de Jeremías. *"Edifica casas y establécete, planta jardines y come lo que produzcan....."* La segunda mitad de este verso contiene instrucción conectada a una promesa. La instrucción dice *'planta jardines'* mientras que estas en exilio porque si lo haces podrás *"comer lo que producen"*

¿Cómo plantas un jardín mientras que estas en prisión? Bueno, si miras el verso completo otra vez veras que el edificar tu casa y plantar tu jardín van juntos. La instrucción de plantar es directamente conectada con asentarte en una vida centrada en Cristo. Cada vez que tu escoges hacer las cosas de Dios tu estas plantando semillas en tu jardín.

Tu vez, cada vez que tú hablas una de las Escrituras a tu familia, tú plantas una semilla en sus vidas. Cada vez que oras por tu futura tarea, estas plantando una semilla en tu futuro. Cualquier tiempo que le sirves a alguien tu estas plantando una semilla. Cualquier vez que leas la palabra estas plantando una semilla. Y la lista sigue y sigue. ¡Cada vez que haces algo para llevar una vida centrada en Cristo, tú estás plantando semillas en tu jardín, lo cual un día van a producir una cosecha, la escritura promete que podrás comer de ella un día!

Vamos a mirar cómo trabaja este proceso estudiando la ley de sembrar y cosechar. Dios ha establecido leyes por las cuales el universo marcha. La ley de gravedad es una de ellas. Gravedad es constante. Nunca flotaras fuera en el espacio porque la gravedad siempre te detendrá en la tierra. Así es la ley de sembrar y cosechar. Es constante. Nunca cambia y siempre trabaja. Investigaremos como esta ley opera empezando con la primera parte- sembrando.

"No seas engañado: Dios no puede ser burlado. Un hombre cosecha lo que sembró" (Gálatas 6:7).

La ley de sembrar garantiza que lo que plantes es lo que vas a cosechar. Ejemplo: Si tu fueses a sembrar un grano de maíz no vas a agarrar sandias, cosecharías maíz. La ley de Dios de sembrar trabaja así cada vez con todo, incluyendo las cosas del espíritu.

¡La segunda parte de la ley de sembrar y cosechar es de que cosecharas más de lo que plantaste! Déjame explicarte. Si tu pones un grano de maíz en la tierra, te daría una rama con más o menos sí es orejas de elote, cada una con 100 o más granos. Esos **600** granos de maíz cosechados de una semilla plantada. Que tan increíble crecimiento y porque Dios lo ha hecho una ley **el crecimiento es garantizado**. Por esto es que Dios te instruyo a que plantearas *"jardines"* mientras que estas en exilio porque su ley de sembrar y cosechar garantiza una cosecha abundante si lo haces.

Sabías que una de las definiciones de la palabra *"jardín"* es "una región muy bien cultivada; área fértil, de tierra desarrollada."(Webster) eso quiere decir que Dios en su gracia y su piedad se aseguró que la tierra de tu cautiverio es bien cultivada y fértil. ¿Por qué? Para que esos que escojan plantar mientras que están en exilio serán recompensados con una cosecha extraordinaria. Mira a lo que el Salmo 126 dice sobre de esto.

"Cuando el Señor hiciere volver la cautividad de Sion, seremos como los que sueñan. Entonces nuestras bocas se llenaran de risa, Y nuestra lengua de alabanza; entonces dirán entre las naciones: Grandes cosas ha hecho Jehová con estos. Grandes cosas ha hecho Jehová con nosotros; Estaremos alegres. Los que sembraron con lágrimas, con regocijo segaran. Ira andando y llorando el que lleva la preciosa semilla; Mas volverá a venir con regocijo, trayendo sus gavillas" (vs. 1-3, 5-6).

Los antiguos cautivos de Babilonia escribieron este Salmo cuando ellos regresaron a Jerusalén después de sus años en el exilio. En él, ellos comparten que tan irreal se sentían estar en casa. Como Dios hizo cosas tan maravillosos por ellos en su cautiverio que hasta las otras naciones reconocieron que estaban bendecidos. En este verso, los exiliados nos dicen el secreto de cómo fue que ellos recibieron todas esas bendiciones.

"Ira andando y llorando el que lleva la preciosa semilla; Mas volverá a venir con regocijo, trayendo sus gavillas." ¡Mientras que en cautiverio la gente obedeció a Jeremías en las instrucciones de plantar jardines y de ahí que estaban cosechando lo que esos jardines estaban produciendo! ¡De hecho, la cosecha de Israel fue tan grande **que ya tenían bultos de ello antes de que llegaran a la tierra de leche y miel!**

Mientras estuve en la prisión, yo plante semillas en todas partes. Yo ore por mi familia. Yo hable escrituras sobre mi futuro. ¡Y desde que salí, he recibido tantas cosechas grandes, todos alrededor de mi continúan maravillándose de lo que Dios está haciendo en mi vida! ¡Como la antigua Israel, he sido bendecida en más formas de las que puedo contar y estoy literalmente dándome una fiesta de lo que mi jardín produce!

Dios quiere que tu cosecha sea abundante también pero para que esto pase tienes que plantar la semilla. Semilla en oración para tu futuro, semilla la palabra, semilla servicio a Dios. ¡Recuerda que su ley de sembrar y cosechar es **garantizada,** lo que quiere decir es que su potencial es ilimitado! Lo único que le puede poner límites eres tú. Piénsalo cuidadosamente- la medida de tu cosechas depende de ti y de la cantidad de semilla que plantes. Entre más semillas, más grande la cosecha.

Pero déjame advertirte sobre lo que vas a pasar cuando decidas seguir las instrucciones de edificar y plantar. Tu enemigo, Satanás, conoce está promesa tan dolorosa para él, de la cosecha garantizada en la carta de Jeremías. La última cosa que él quiere es que tú obedezcas sus instrucciones. ¡Ten cuidado! El tratara cada truco sucio que hay para que pierdes la oportunidad de plantear semillas en tu vida. Toda clase de problemas sutiles y también ataques directos te van a pasar mientras trates de vivir una vida centrada en Cristo. De repente te sientes con sueno cuando lees la Biblia. El diablo usara a otra persona para distraerte de tu camino. Hasta provocara un desacuerdo entre tú y otro Cristiano para que no sigas yendo a oración, servicio y canto. Estos ataques son del enemigo que crea situaciones para hacerte parar de sembrar. ¡No caigas en eso! Cuando paras de continuar haciendo las cosas de Dios por otra gente o circunstancias, has caído en una de los trucos más viejos de Satanás y él va a tener éxito en haberte robado tu cosecha.

Ahora, ten cuidado de lo que plantas. Recuerda cualquier semilla que uses, buena o mala, es lo que vas a cosechar en abundancia. Si tus estas plantando las cosas de Dios, vas a ser bendecido pero si plantas las cosas del mundo, cosecharas miseria y fruta agria. La Biblia dice;

"No seas engañado: Dios no puede ser burlado. Un hombre cosecha lo que sembró. El que siembra para agradar a su naturaleza pecadora, de esa naturaleza va a cosechar destrucción; el que siembra para agradar a su espíritu, del espíritu cosechara vida eterna" (Gálatas 6:7-8).

Cuando siembras en el espíritu, tú cosecharas las bendiciones que Dios tiene guardadas en el reino espiritual. Más sin embargo, cuando siembra cosas de tu ser humana pecadora, como orgullo, avaricia, chisme, criticismo, coraje o pereza, tú vas a cosechar la fruta que esos comportamientos traen. De modo que asegúrate que tu semilla es buena o tu cosecha va a ser abundantemente mala.

Por último, necesitas saber que siempre hay un tiempo de espera entre el tiempo que plantas y el tiempo que cosechas. Piénsalo. ¿Si pusieras una semilla en la tierra ahora, te pararías y esperarías que la planta brotara inmediatamente? No, eso sería ridículo. No seas muy impaciente de ver tu cosecha, porque cada semilla toma tiempo para germinar. Siempre habrá un tiempo de espera. Desafortunadamente, la mayoría de la gente se dan por vencidas durante este tiempo y dejen de hacer las cosas de Dios porque no están teniendo ningún resultado. Gálatas 6:9 dice,

"No nos dejes cansar en hacer el bien, porque al tiempo apropiado levantaremos una cosecha si no nos damos por vencidos"

Desde el principio de mi encarcelación, yo plante semilla en todas partes pero al principio nada paso. ¡A veces, yo sentía ganas de darme por vencida pero porque continúe haciendo las cosas de Dios, mi cosecha llego y no ha parado! De hecho, en mi mejor día, nunca hubiera soñado tener las bendiciones que he recibido. ¡Así que mantente en Dios! ¡No te des por vencido! Edifica y planta mientras que estas aquí y prepárate a recibir tu cosecha.

LECCIÓN DOCE

1. Las instrucciones contenidas en la carta de Jeremías son para prepararte para tu Fin Esperada. La primera instrucción: *"Así ha dicho Jehová de los ejércitos, Dios de Israel, a todos los de la cautividad que hice transportar de Jerusalén a Babilonia: ⁵ Edificad casas, y habitadlas; y plantad huertos, y comed del fruto de ellos."(Jeremías 29:4-5)" Porque yo sé los pensamientos que tengo acerca de vosotros, dice Jehová, pensamientos de paz, y no de mal, para daros el fin que esperáis."(Jeremías 29:11)*¿Cómo comienzas la construcción de tu casa mientras estás en cautiverio?

2. Apunta varias cosas que usted puede hacer para convertir tú manera de vivir a una vida centrado en Cristo, mientras usted está adentro.

3. Apunta varias maneras en que puedes *"plantar jardines"* mientras te encuentras en cautiverio.

4. Si decides ser obediente a las instrucción de Jeremías de *"plantear jardines"* mientras esta en cautiverio la escritura dice que serás capaz de'_____ *lo que producen"*. (Llene el espacios en blanco) ¿Qué significa esto para usted?

5. Explica la ley de sembrar y cosechar. ¿De qué manera esta ley beneficiará aquellos que prefieren obedecer las instrucciones de Jeremías de *"plantear jardines* "mientras estas en cautiverio?

CAPITULO TRECE

Prosperando en la familia

"Casaos, y engendrad hijos e hijas; dad mujeres a vuestros hijos, y dad maridos a vuestras hijas, para que tengan hijos e hijas; y multiplicaos ahí, y no os disminuyáis.
Jeremías 29:6

"Porque yo se los pensamientos que tengo acerca de vosotros, dice Jehová, pensamientos de paz, y no de mal, para daros el fin que esperáis."
Jeremías 29: 11

¡La segunda instrucción de la carta de Jeremías está atada a la promesa de tu Fin Esperado!, te dirige a construir una familia mientras que estas en exilio. ¿Qué es *familia*? El diccionario de "Websters" define en esta manera *"fraternidad"*, un grupo de gente unida por ciertas convicciones (como de religión o filosofía)."

Familia es "fraternidad, el cuerpo de Cristo juntándose, estudiando las escrituras, adorando a Dios, y sirviéndole a él y otra gente. ¡Dios quiere que seas parte de esto mientras estas adentro, porque tu involucración en el cuerpo te ayuda a preparar para tu Fin Esperado! Por eso es que la instrucción de construir la familia es seguido por la promesa de tu futuro.

"Casaos, y engendrad hijos e hijas; dad mujeres a vuestros hijos, y dad maridos a vuestras hijas, para que tengan hijos e hijas; y multiplicaos ahí, y no os disminuyáis, declara el Señor planes para darte esperanza y un futuro... ¡para daros el Fin Esperado!"

El mandato de construir familias y la promesa de un ¡Fin Esperado! están directamente relacionados porque son atados. Es durante tu envolvimiento en la fraternidad que vas a recibir el entrenamiento que necesitas tener para calificar para tu futura misión. Solo en el cuerpo puedes aprender oficios y lecciones importantes necesitadas para encaminarte hacia el propósito para el que fuiste creado.

José es el ejemplo perfecto bíblico de alguien que recibió entrenamiento para su ¡Fin Esperado! mientras estuvo activo dentro de un grupo de gente en la prisión. La Biblia dice que durante su cautiverio, *"Y el jefe de la cárcel" entrego en manos de José el cuidado de todos los presos que había en aquella prisión... "* (Génesis 39:22)

El trabajo de José en cautiverio lo envolvía directamente con sus compañeros de la prisión. Por 13 años el manejo, distribuyo y superviso todas las necesidades de los otros prisioneros. ¿Que hizo la participación de José en esta familia por él? Pulió y perfecciono sus habilidades. ¡Las mismas habilidades que más tarde usaría para manejar, distribuir, y supervisar las tiendas de grano, las cuales salvaron las vidas del entero país del hambre! José fue puesto segundo en mando sobre todo Egipto porque **era calificado para el trabajo**. Por eso tienes que ser activo en la fraternidad en tu prisión porque tu participación te calificara para tu futura tarea.

Mirando atrás, yo puedo ver como Dios uso mi actividad en la fraternidad de la prisión para entrenarme en este ministerio. Todo comenzó en la cárcel del condado, donde empecé estudios de la Biblia con dos personas. Rápidamente el grupo creció a diez, demasiados para mi celda, así que tuve que mover el estudio afuera en el "pod". Ahí empecé a instruir y a orar con todas las mujeres, llevando a los nuevos convertidos a Cristo, y destacando a todos en adoración.

Mientras, nuestra pequeña "familia "creció y yo funcionaba como el líder sobre el cuerpo, mi sabiduría y mi oficio aumentaron permitiéndome tomar más responsabilidad. Eventualmente, el capellán de la prisión me pidió que hiciera estudios de la Biblia al otro lado, lo que significaba que pude ensenar a todos los grupos de mujeres no solo la mía.

El próximo paso de mi entrenamiento llego cuando fui trasladada a la prisión federal. En menos de nueve meses después de que llegue, Dios llevo a cuatro otras hermanas y a mí a empezar un ministerio. Una vez más, empecé a enseñar estudios de Biblia y llevar a cabo adoración pero de un nivel más grande. Porque tuve que estudiar e ir constantemente ante el Señor para tener guía para manejar un ministerio más grande, mis habilidades fueron aumentadas. Eventualmente mis habilidades fueron sintonizadas hasta al punto de que ya estaba lista para el paso final; ¡este ministerio de hoy! Ves, que como a José, Dios uso mi actividad en el cuerpo para prepararme para mi ¡Fin Esperado!

A través del plan de Dios, no solo yo pero también otras mujeres se beneficiaron de su envolvimiento en el mismo ministerio. Cuando primerito llegue a la prisión habían solo algunos grupos de Cristianos serios desparramados. Aunque cada uno de ellos estaban viviendo una vida centrada en Cristo, edificando casas y plantando jardines, lo estaban haciéndolo separados de un cuerpo de creyentes.

Una noche el Señor corrigió esta situación dándonos la misma idea de empezar una fraternidad Cristiana, a 5 de nosotras que ni nos conocíamos. ¡Cuatro días más tarde nos juntamos para lo que vendría a ser nuestra fiesta fraternal mensual y cincuenta mujeres atendieron! Inmediatamente, Dios tomo a lo que una vez habían sido un grupo desparramado de Cristianos y nos transformó en un cuerpo de creyentes.

Mientras el ministerio continuo creciendo, añadimos más actividades como un estudio de Biblia adicional, un sistema de diezmos para ayudar a los recién llegados, un equipo corporal de oración para orar por la prisión. Tener estos sub-ministerios proveyó bastantes oportunidades para las mujeres que se envolvieran directamente en su fraternidad y agarrar el entrenamiento que necesitan para su futura tarea. ¡Algunas mujeres que escogieron ser activas están ahora en la calle usando su experiencia para llegar a obtener sus sueños!

Desafortunadamente, mucha gente de hoy son negligentes para involucrarse en la fraternidad de la prisión. De hecho, hay un nivel epidémico de división y aislamiento en la populación de reclusos, aun entre los Cristianos. Bueno, déjame advertirte, esta división es más peligrosa que un virus mortal y si te infecta, te puede literalmente robar de tu futuro.

Una de ellas dijo "yo tengo mi propia relación con Dios" esta declaración implica una falta de conocimiento de la importancia que Dios pone en la fraternización. ¡Reclusos que no entiendan el principio de estar involucrado en el cuerpo se van a perder el entrenamiento que necesitan para prepararse para su Fin Esperado! Imagina que hubiera pasado si José decidiera hacer su tiempo solo y no ser activo entre sus compañeros prisioneros. ¡Cuando la oportunidad vino para que el aplicar para la posición de cabeza sobre Egipto, a él nunca le hubieran dado ese trabajo porque no hubiera calificado!

Esos que creen que necesitan hacer su tiempo con Dios y con el solamente se pierden todas las maneras emocionantes en que Dios quiere usarlos adentro de la fraternidad. Recuerdo un tiempo cuando estaba con un grupo de mujeres hispanas orando y había una petición de alguien que necesitaba sanación. Diez minutos después de que empezamos a orar, escuche al Señor hablarme. Me dijo que alcanzara y pusiera mi mano sobre de ella, y eso hice. Cuando la toque algo como electricidad empezó a dispararse de un lado a otro en mi costilla. Esto duro un poco menos de un minuto durante la cual no dije nada. Solamente mantuve mi mano sobre ella hasta que la "electricidad" paro, y lo quite. Ella estaba curada ¡De hecho, una mujer quien estaba parada junto a ella fue sanada de un dolor de espalda crónico al mismo tiempo porque inadvertidamente toco a la misma mujer cuando el poder sanador de Dios se emitió!

Déjame decirte porque esto pasó. Primero, porque yo paso tanto tiempo con el Señor yo reconocí su voz cuando el hablo. **Segundo, paso porque yo era activa en el cuerpo.** Tan solo mi presencia le dio la oportunidad para que Dios me usara para activar Su poder de sanación. Créeme cuando te digo que si eres constantemente fiel en tu participación en la fraternidad, Dios te usara solo porque estás ahí.

La segunda excusa más frecuente que escucho de los prisionero que no fraternizan es esta: "yo no voy a la iglesia por todos los hipócritas que hay ahí. "Desafortunadamente, gente que no atiende la fraternización por los "hipócritas" en realidad tienen un problema con ellos mismos. Más que nada, estos son los que son los más difíciles. Esta es otra razón por la cual debes de ser activo en el cuerpo, para que puedas reconocer tus debilidades en tu comportamiento hacia los demás.

Conflictos y división entre el cuerpo es el enemigo más grande. Estos son causados usualmente por fallas en el carácter de nosotros mismos, no de las otras personas. Cuando te aíslas de otros, las fallas de tu carácter también se mantienen escondidas, envenenándote y saboteando tu futuro. Pero cuando empieces a funcionar con la familia empezaras a descubrir que te gusta juzgar a los demás, que tan pronto eres para chismear, o que tan orgulloso puedes actuar. Mientras más activa seas en el cuerpo, más situaciones se presentaran para exponerte esta clase de comportamientos.

La autora Elizabeth Elliot hace un comentario duro y provocador sobre esto en su libro, *"Una Lenta y Cierta Luz"*. Ella escribe; *"Dios aísla al hombre para que se revele a El mismo. Allí es cuando un hombre puede reconocer claramente quien es Dios.* **Pero es en relaciones con sus compañeros que él viene a conocerse a sí mismo. Buscando la voluntad de Dios como si no tuviera nada que ver con los demás te lleva a la distorsión."**

La Señora Elliots menciona dos verdades muy poderosas. Primero, toma involucrarse con la gente para que tú sepas lo que está pasando dentro de ti. Segunda, la voluntad de Dios para tu vida siempre involucrara otra gente. Por esto es que debes aprender a tratarlos de una manera santa.

¡Cualquiera que sea tu Fin Esperado! involucrara a la gente. Dios está en el negocio de salvar a la gente. De hecho, el mando su único hijo a morir por nosotros de modo que obviamente la gente es su prioridad número uno. Habrá muchas veces en tu vida y durante tu tarea en la cual te verás requerido a tratar con alguien que tiene un comportamiento lejos de Dios.

Pero piénsalo. Si fueran perfectos, no necesitarían tu ayuda. Como lo dijo Jesús, son los enfermos los que necesitan a un doctor no los que están sanos. (Vea Mateo 9:12)Necesitas atender la fraternidad aunque este alguien que no te gusta. **¡Después necesitas cambiar tu actitud sobre esta persona y empezar a amarlos como Dios nos ama a nosotros, con o sin errores!** Es fácil amar la gente que son amorosos. Tu desafío y tu crecimiento vendrá cuando aprendas a abrazar a alguien que es difícil, pesado y odioso. Recuerda, que en el trabajo de tus sueños siempre tendrás que trabajar con gente que no son perfectas.

Hasta ahora, hemos visto razones muy importantes del porque el involucrarse en el cuerpo es esencial. Sería negligente si no te mostraría un último principio en referente a la "familia". Esta verdad bíblica es sumamente importante porque afectara dramáticamente tu estabilidad financiera futura.

Tú sabes muy bien como yo, que la falta de dinero es lo que nos hizo a muchos de nosotros escoger el crimen como parte de nuestras vidas. Como sea tratamos de adquirir libertad financiera por medio de nuestras actividades criminales, terminamos en cautiverio. ¿Quieres que esto te pase otra vez?

Imagínate estar conforme y tener todas tus necesidades ya arregladas y hasta ser prosperado. ¿Cómo esto puede pasar? Bueno, para comenzar Jesús lo prometió. (Véase Mateos 6:24-34) También, las Escrituras dicen que **por medio de tu actividad en el cuerpo tú prosperaras.**

Déjame mostrarte prueba de esto en el libro de Salmos.

"Dios pone la soledad en familias y da a los desolados un hogar en el cual morar; el lleva a los prisioneros fuera para prosperar; pero los rebeldes a morar en tierra abrasada" (Salmos 68:6 ampliada).

Dios quiere poner a los Cristianos que se sienten "solos" dentro Su familia porque es ahí en fraternidad que *"El lleva al prisionero a la prosperidad."* ¿Cómo trabaja esto? Un famoso pastor llamado Mike Murdoc dijo una vez, "¡Tu prosperidad está en tu tarea!"!¡Por esto él quiso decir que mientras que persigas tú Fin Esperado!, Dios se asegurara que tú puedas llenar todas tus obligaciones personales y las del Reino. ¿Por qué haría esto Dios? Porque cuando eres libre de la preocupación financiera, te puedes concentrar en hacer el trabajo que El te asigno.

Piénsalo. ¿Crees que pudieras poner toda tu atención en perseguir tu misión si estas constantemente preocupado de tener que pagar tu renta? ¡Dios les provee a la gente que está persiguiendo su Fin Esperado! para que sean libres para completar su trabajo. Pero esta es el anzuelo: ¡**Para ser calificada para poseer tu tarea tienes que ser entrenado dentro del cuerpo!** Por esto es que el salmista dijo que Dios te prosperara **por medio de tu lugar en la familia.**

Mientras que estuve en la prisión, fui entrenada para esta misión por medio de mi posición en la fraternidad. ¡Cuando salí de la prisión, yo continúe trabajando en mi Fin Esperado! y no hubo ni un solo día que mi esposo y yo no pudiéramos llenar nuestras obligaciones finánciales. De hecho, aunque por el primer año y medio de nuestra salida trabajamos en trabajos de pago mediocre, estábamos tres meses adelante en nuestros pagos, manejamos carros nuevos, dueños de nuestra propia casa, y viviendo muy conforme. ¿Cómo paso todo esto? ¡Dios nos prosperó sobrenaturalmente porque estábamos persiguiendo nuestro propósito!

Cinco meses después de que nos mudamos a nuestra casa, el Señor dirigió a que mi esposo empezara su propio negocio. Nunca olvidare la noche en que Dios le hablo a Bobby sobre su nueva compañia. Mi esposo llego a la sala todavía mojada del agua del baño, mirándome con los ojos muy anchos y me repitió las palabras que el Señor le dijo: **"¡Yo aumentare tu negocio para que ella atienda mi negocio!"**

¡Cuando mi esposo dijo esto, yo me sentí tan electrificada como que había sido golpeada por un rayo! Dios estaba comprobando su promesa escritural de proveer a esos quienes perseguirían sus tareas. ¡Él iba a aumentar los negocios de mi esposo para que me liberara para seguir Su negocio: Mi Fin Esperado!!

Inmediatamente, la compañia de Bobby despego, trayendo tres veces más dinero en un solo día que en lo que había hecho en una semana previa. Esto eventualmente me permitió renunciar mi trabajo de tiempo completo y agarrar el "¡ministerio del Fin Esperado!"¡A tiempo completo! Créeme cuando te digo que Dios siempre financiara la gente que está haciendo sus proyectos. ¡Pero recuerda eso que **la única razón de que yo califique fue para mi tarea fue por el entrenamiento que recibí en el cuerpo de creyentes mientras que estaba en prisión!**

¡Tú prosperidad futura queda en tu Fin Esperado! Debes prepararte para tu tarea, involucrándote en el cuerpo. La escritura de Salmos dice que tu prosperaras por tu lugar en la familia, pero el mismo verso también da una advertencia a aquellos que so se involucran: *"pero los rebeldes vivirán en una tierra seca"* esta tierra seca es el lugar sin provisiones, espiritual o de ninguna otra manera y es lo que te espera si no eres activa en el cuerpo hoy.

¡Involucrarse es fácil! Solamente únete y ofrece los regalos que Dios te dé. ¿Has desarrollado tus habilidades de oración? Ahora ve y ora por alguien. ¿Posees habilidades administrativas o de ayuda en general? Ofrécele al cuerpo ayuda para organizar. ¿Has estado estudiando la palabra de Dios? Enseña un estudio de la Biblia. ¿No hay una fraternidad ahora mismo? Empieza una. Las oportunidades son sin fin, pero debes de perseguirlas. ¡Cuando lo hagas, encontraras que la familia es el lugar donde te prepararas para tus sueños!

LECCIÓN TRECE

1. Las instrucciones de la carta de Jeremías tienen el propósito de prepararte para tu Fin Esperada. La segunda instrucción: *Casaos, y engendrad hijos e hijas; dad mujeres a vuestros hijos, y dad maridos a vuestras hijas, para que tengan hijos e hijas; y multiplicaos ahí, y no os disminuyáis. (Jeremías 29:6 Reina-Valera 1960) Porque yo sé los pensamientos que tengo acerca de vosotros, dice Jehová, pensamientos de paz, y no de mal, para daros el fin que esperáis. (Jeremías 29:11 (Reina-Valera 1960)* Dios quiere que usted se involucre en la construcción de la familia de Dios, mientras que están en cautiverio. ¿Por qué es tan importante que participe con otros cristianos?

2. ¿Qué persona en la Biblia fue entrenado para su Fin Esperado dentro de un grupo de presos? ¿Qué término haciendo esa persona?

3. ¿De qué manera su participación en el cuerpo de Dios, te ayudara a preparar para tu Fin Esperado? Haga una lista de posibles razones.

4. En tu caso, haga una lista de razones por las cuales pudieras haber dudado en involucrarte en el cuerpo de Dios.

5. ¡Mike Murdock dijo una vez: "Su prosperidad se encuentra en su tarea!" Quiere decir que el tiempo que demoras en la búsqueda de tu Fin Esperado, Dios proveerá todas tus necesidades y obligaciones. ¿Eres capaz de encontrar aliento en todo esto? Si es así, ¿de qué manera?

CAPITULO CATORCE

Ora y Prospera

"También, busca la paz y prosperidad de la ciudad a la cual te he llevado en exilio. Ora a el Señor por ello, porque si prospera, tú también prosperaras."
Jeremías 29:7

"¡Por qué yo se los pensamientos que yo pienso acerca de ti, dijo el Señor, pensamientos de paz y no de mal, para darte un Fin Esperado!"
Jeremías 29:11

¡Este es el último mandamiento en la carta de Jeremías relacionado a la promesa de tu Fin Esperado! La instrucción te dirige a orar por el lugar de tu cautiverio porque si prospera tú prosperaras también. Para los antiguos Israelitas cautivos, esto era una idea sin precedente. Nunca antes les habían dicho que oraran por sus enemigos, mucho menos por los que los tenían cautivos. ¿Y aquí estaba el sorprendente mandamiento de Dios de que lo hagan- porque?

La oración cambia las cosas. Te ofrece provisiones almacenadas en el cielo, y hacen que se vengan a la tierra. La oración hace que se mueva la mano de Dios en tu situación. Imagínese poder cambiar toda el sistema de la prisión. ¡Bueno, no tienes que imaginártelo porque lo puedes hacer, a través de la oración!

Nunca me olvidare la última vez que estuve en segregación y Dios me rebelo el poder que el daría para aquellos quienes oraran por su prisión. Tampoco voy a olvidar el milagro de ser sido absuelta de servir 90 días en el hoyo porque obedecí las instrucciones de Jeremías. Lo que me paso en admisiones puede pasarte a ti y a tu prisión. ¡Es así de simple! Cuando Dios dice que Él te traerá paz y prosperidad a los dos a ti y tu prisión Él lo dice de verdad, pero debes orar para que así sea.

Desafortunadamente, muy pocos prisioneros han realizado esta verdad. De hecho, la mayoría se quejan más de su prisión que orar por ella. ¡Yo creo que si pasamos la misma cantidad de tiempo en nuestras rodillas orando que quejándonos, nos sorprenderíamos de los resultados! ¡Nuestra prisión recibió una cantidad de bendiciones de Dios, como nunca se habían visto antes!

En este capítulo, te mostrare prueba en el libro de Daniel que orar por tu prisión causara que tú y tu prisión prosperan. El libro entero de Daniel tomo lugar en Babilonia. En 605 a. de JC Daniel fue llevado a Babilonia en la primera deportación de los cautivos de Jerusalén. ¿Puedes imaginarte cuando tuvo que caminar casi 1,000 millas en cadenas a la prisión? Daniel era solo un joven y su mundo había sido cambiado totalmente. En ese tiempo, nunca se imaginaba la cosa maravillosa que Dios haría por él a través de su exilio. ¡De hecho, Daniel prospero tanto mientras que estuvo en Babilonia que si no lo supiéramos dirías que no era un prisionero!

En el principio cuando Daniel llego a Babilonia, fue tomado al palacio para ser entrenado en el servicio del rey Nabucodonosor. Inmediatamente, Dios bendijo a Daniel con todas clases de sabiduría y conocimientos y empezó a darle favor con los oficiales del palacio. ¡Pronto, Daniel fue promovido a gobernador de la provincia de Babilonia y gobernador mayoral de los sabios!

Después de los años mientras las habilidades de Daniel continuaron crecieron, así aumento se estatus. Que se prodigaba con todos los honores, regalos, y el respeto como fue promovido a posiciones más altas dentro de Babilonia. Su segunda promoción vino cuando el sucesor de Nabucodonosor, Belshazzar hizo a Daniel el tercer mandatario más alto en el reino. ¡Después el sucesor de Baltasar, Darías eventualmente lo puso sobre la realeza entera! Imagínate eso, Daniel a cargo de la misma tierra en la cual estaba siendo cautivo. ¡No tan mal para un prisionero!

Aun en los tiempos de persecución y peligro extremamente mortal, las Escrituras dicen que Daniel salió sin un rasguño. ¿Cuál era su secreto? ¿Cómo fue que Daniel prospero tanto en la prisión? La respuesta es oración. Daniel 6:10 lo dice. *"... tres veces al día él se puso en sus rodillas y oro dando gracias a su Dios, igualito como lo había hecho antes."*

¿Daniel era un hombre comprometido a orar, pero de que oraba? En capitulo ocho de este estudio aprendimos que Daniel oro para que Dios perdonara a su gente cautiva y que los soltara de su cautiverio. ¿Pero de que más oraba? De acuerdo a lo que podemos deducir de las Escrituras, Daniel estaba orando por Babilonia. El lugar donde estaban detenidos al exilio. Capitulo nueve verso dos en el libro de Daniel 9:2 dice: *"Yo, Daniel, entiendo las Escrituras, de acuerdo a la palabra del Señor dada a Jeremías el profeta que la desolación de Jerusalén duraría setenta años."*

Esta información sobre los setenta años vienen directamente de Jeremías de la carta a los exiliados donde dice. *"...cuando los setenta años sean completados por Babilonia, yo vendré a ti y cumpliré mi graciosa promesa de traerte de regreso a este lugar."* (Jeremías 29:10)

Lo que esto prueba es que Daniel leyó la carta de Jeremías. La misma que tú y yo estamos estudiando. Y como Daniel era un verdadero hombre de Dios, podemos asumir de seguro de que no solamente leyó la carta pero también obedeció sus instrucciones. Incluyendo la instrucción de orar por su lugar de exilio. Las Escrituras dicen: *"tres veces al día él se puso en sus rodillas y oro"* y por eso Babilonia floreció y el también.

Vamos a mirar a qué altura de prosperidad pasó por Babilonia durante el cautiverio de Israel. La historia nos dice que en el imperio Neo-Babilonio llevaron a cabo un programa de edificación masivo que produjo una de las más grandes y ricas ciudades en el mundo antiguo. Babilonia cubrió 500 acres de tierra. Fue rodeada de una pared protectora tan gruesa que un hasta un carril de cuatro caballos se podía dar la vuelta en él. La pared contenía 100 puertas y entradas, muchas alineadas con estatuas colosales de oro, leones decorativos, y dragones. Babilonia se jacto de más de 1,000 templos incluyendo un estado zigurat de 300 pies. ¡La ciudad también contenía los famosos jardines colgantes, los cuales son llamados uno de las siete maravillas del mundo antiguo!

La prosperidad fenomenal de Babilonia no era por suerte. Era Dios prosperando la ciudad porque su gente cautiva estaban orando por ella. Eran guerreros de la oración como Daniel que dio paso a la riqueza de Babilonia. De hecho, cuando Nabucodonosor, rey de Babilonia, trato de tomar crédito para la prosperidad de Babilonia, Dios lo puso en su lugar. La escritura dice,

"... ¿Mientras el rey estaba caminando en el techo del palacio real de Babilonia, él dijo, 'no es esta la gran Babilonia que he edificado como la residencia real, por mi gran poder y por la gloria de mi majestad?' las palabras aún estaban en sus labios cuando una voz vino del cielo, 'esto es lo que he decretado para ti, rey Nabucodonosor: tu autoridad real ha sido tomada de ti. Vas a ser sacado de entre la gente y vivirás con los animales salvajes; comerás zacate como el ganado. Siete veces pasara por ti hasta que reconozcas que el más alto, es soberano sobre los reinos del hombre y les da lo que el desee.' Inmediatamente lo que había sido dicho sobre Nabucodonosor fue hecho realidad..." (Daniel 4:29-33).

Nabucodonosor estaba bajo la errónea suposición de que era responsable por la prosperidad de Babilonia, cuando en realidad era Dios respondiéndole a las oraciones de los cautivos. ¡Imagina que tu prisión sea prosperada como Babilonia! Nuevos dormitorios, aulas, y capillas serian construidos. El comedor pudiera proveer comida más nutritiva y saludable. ¡La prisión ofrecería mejores trabajos con mejores salarios! Educación dará más alto nivel de programación. Necesidades médicos podrían cumplirse de inmediato y con exactitud. Recreación podría conseguir nuevas aparatos de gimnasia.

Basta pensar, esos son solo los bienes materiales. Si tú orarías, la prisión será prosperado **espiritualmente** también. Te voy a ensenar lo que sucedió al rey Nabucodonosor después de que fue expulsado de su trono. Siete años después de haber atribuido responsabilidad por el aumento de Babilonia, el paso por un despertar espiritual.

"al fin de ese tiempo, yo, Nabucodonosor, levante mis ojos al cielo, y mi sanidad fue restaurado. Entonces alabe al más alto; honre y glorifique al que vive por siempre

al mismo tiempo que mi sanidad fue restaurado, mi honor y esplendor fueron retornados a mí para la gloria de mi reino. Mis consejeros y nobles me buscaron, y fui restaurada a mi trono y vine a ser más grande que antes. Ahora yo, Nabucodonosor, alabo y exalto y glorifico el rey del cielo, porque todo lo que hace está bien y todos sus formas son justas..." (Daniel 4:34,36-37).

El despertar espiritual de Nabucodonosor lo dejo alabando, honrando y glorificando a Dios. ¿Puede usted imaginarse lo que pasaría si los funcionarios en su prisión experimentaran lo mismo? ¡Todo el sistema cambiaria!

Este no es solo un sueñoo descabellado, pero también es una posibilidad muy real. Piénsalo. ¡Si las oraciones de los cautivos Israelitas podría cambiar uno de los reyes más despiadados del mundo antiguo, sus oraciones pueden hacer lo mismo por los funcionarios en sus prisiones!

Ahora, ¿qué pasa con la prosperidad de los presos que estaban haciendo la oración? Echemos un vistazo a la promesa dada a los mismos.

"también, busca la paz y prosperidad de la ciudad en la cual te he llevado a exilio. Ora a el Señor por ella, porque si prospera, tú también prosperaras." (Jeremías 29:7)

La Biblia dice que si rezas para que su lugar de exilio prospera, tú también prosperaras. ¡No solo en el aquí y ahora, sino también hacia su futuro, ya que, al igual que las otras instrucciones en la carta de Jeremías, **éste** está conectada a su Fin Esperado! Mira de nuevo, *"también, busca la paz y prosperidad de la ciudad en la cual te he llevado a exilio"* *"ora a el Señor por ella, porque si prospera, tú también prosperaras."*

"¡Porque yo se los pensamientos que yo pienso sobre de ti, dijo el Señor, pensamientos de paz, y no del mal, para darte tu Fin Esperado!" (Jeremías 29:11).

¡Cuando usted ora, Dios te hará bien, por lo que le permite ser equipado para su Fin Esperado! Veamos algunos ejemplos de cómo Daniel y sus compañeros de cautiverio prospero hacia sus trabajos, ya que oro por su lugar de exilio.

Prosperando en la Sabiduría

¡Sabiduría- lo que sea necesario para navegar durante todo el día, u para tener éxito en tu Fin Esperado! Dios le da dos tipos de sabiduría; *sabiduría práctica*, para ayudarle en lo cotidiano y la *sabiduría espiritual*, que le ayuda con las cosas del espíritu. Daniel y sus compañeros de cautiverio estaban orando por su prisión, por lo tanto, Dios los prospero en las dos especies. La Biblia dice:

"A esos cuatro jóvenes Dios les dio conocimiento y entendimiento de todas clases de literatura y aprendizaje. Y Daniel pudo entender visiones y sueños de toda clase"(Daniel 1:17).

En primer lugar, vamos a hablar de la sabiduría práctica. Es el tipo de conocimiento que Dios te da en todo, desde la literatura a los temas cotidianos. Tener la sabiduría práctica de Dios le permitirá tomar las decisiones correctas, para tener el tiempo adecuado y de tener éxito donde otros fracasan. De hecho, cuando Dios te prospera con la sabiduría práctica, se obtiene una gran ventaja sobre el resto del mundo. ¡La Escritura dice que la sabiduría que Dios le dio a Daniel y a sus compañeros de cautiverio que hizo diez veces más inteligente que todos los sabios de Babilonia!

"En cada cosa de sabiduría y entendimiento sobre lo cual el rey les preguntaba, el los encontró diez veces mejor que todos sus magos y encantadores en su reino entero" (Daniel 1:20).

Cuando usted ora por su prisión, Dios te hará bien, en una mayor sabiduría, que se puso y prosperara en aumentada sabiduría práctica, lo cual pondrá sus cabezas arriba de la competencia del mundo. **¡Esta misma sabiduría práctica te ayudara a completar tu Fin Esperado!!** Dejame darte un ejemplo de mi propia vida.

Yo era un analfabeto que apenas sabia escribir a maquina. Durante años escribí " La Serie Cautiverio" con la mano luego lo envié por correo a mi amiga, Teresa quien las pasaba a máquina. Un día, Teresa ya no podía trabajar más en el manuscrito. Esta situación podría haber dejado a que la misión parara. Afortunadamente, sin embargo, Dios me ayudo. Unas semanas antes de que esto sucediera, me desperté una manaña con una clara sensación de que el Señor me ha dado algún tipo de aumento de la sabiduría sobrenatural durante la noche. ¡La misma tarde me senté y empecé a escribir el libro por mi cuenta! ¿Qué paso? ¡Dios me ha prospero en la sabiduría práctica para que me permite terminar el trabajo él me asigno hacer!

Ahora, ¿qué de la sabiduría sobre las cosas del Espíritu? La Escritura dice, "... *y Daniel pudo entender visiones y sueños de toda clase.*" (Daniel 1:17) Poseer la capacidad de entender cosas del Espíritu, es crucial. ¡Cuando usted tiene la sabiduría espiritual que no se limitan a la esfera natural, pero tienen acceso a la información sobrenatural! ¡El tipo de información que tendrá que ser colocado en y tener éxito en su viaje a su Fin Esperado!

¡Si usted lee la Biblia, cada vez que Daniel fue promovido a su Fin Esperado! Que era a causa de la sabiduría sobrenatural que poseía. La primera vez que sucedió, Daniel interpreto el sueño del rey Nabucodonosor. La Biblia dice que el resultado de la sabiduría espiritual de Daniel fue, "*entonces el rey hizo a Daniel grande y le dio muchos grandes regalos, y lo hizo mandatario sobre la provincia entera de Babilonia y jefe gobernante sobre todos los sabios de Babilonia"* (Daniel 2:48 AMP).

La segunda promoción de Daniel se produjo cuando el rey Baltasar tenía una fiesta con mil de sus príncipes. Durante el banquete, apareció una mano desde el reino de lo sobrenatural para escribir un mensaje en la pared. Sacudido, Baltasar pidió a sus sabios para interpretar el mensaje, pero ninguno pudo. Sin embargo, cuando Daniel fue convocado, fue capaz de dar una interpretación correcta a causa de la sabiduría espiritual que poseía. La Escrituras dicen, *"...Daniel fue vestido con purpura y una cadena de oro fue puesta en su cuello, y una proclamación fue hecha concerniente a él, que debía ser tercero en mando en el reinado"* (Daniel 5:29 ampliada).

¡Daniel fue promovido de nuevo! ¡De hecho, durante su tiempo de prisión, Daniel fue promovido en repetidas ocasiones hacia su Fin Esperado! a causa de la sabiduría espiritual que poseía. ¿De dónde Daniel había obtenido toda su sabiduría? Las Escrituras demuestra que leer y obedecer las instrucciones de Jeremías a orar por Babilonia. A cambio, Dios cumplió su promesa a él le prospero.

¡José es otro ejemplo de cómo Dios puede usar la sabiduría espiritual en la promoción a su Fin Esperado! José pasó anos de entrenamiento en prisión por su misión, y Dios uso la sabiduría espiritual para abrir la puerta para su promoción. ¡José podía interpretar sueños y porque precisamente interpreto los sueños del Faraón, fue colocado como el segundo al mando de todo Egipto!

Una y otra vez, leemos en la Escritura como la sabiduría espiritual desempeño un papel importante en la colocación de un prisionero en su asignación. ¡Al orar por su prisión, Dios te hará bien, con la sabiduría espiritual, que le permitirá colocar su Fin Esperado!

Prosperando en Favor

¿Te acuerdas de lo que significa la palabra el "favor"? Quiere decir "hacer" una excepción a las reglas. ¿Alguna vez has necesitado una llamada de teléfono de su consejero, la atención médica de inmediato, una autorización de la correspondencia, o incluso un movimiento de cama? Como usted sabe, estas cosas aparentemente simples pueden ser muy difíciles en la cárcel, a menos que, por supuesto, usted tiene el favor de un funcionario. **¿Sabía usted que en seis ocasiones en la Escritura donde se menciona a favor, es en referencia directa a un funcionario de dársela a un preso?** Mira a José: *"...Pero mientras José estaba ahí en prisión, el Señor estaba con él; le mostro ternura y le **concedió favor en los ojos del encargado de la prisión"*** (Génesis 39:20-21).

La Biblia también habla de Daniel recibir a favor de un funcionario de Babilonia. *"Ahora Dios había **causado a el oficial que le mostrara favor y** simpatía por Daniel"(Daniel 1:9).*

Ester recibió el del rey cuando estaba cautiva en su harem. *"Ahora el rey fue atraído a Ester más que ninguna otra mujer, y **ella gano su favor y** aprobación"* *(Ester 2:17).*

Esdras, el escriba, también recibió el favor de sus funcionarios en Babilonia. *"Este Esdras vino de arriba de Babilonia alabo al Señor, el Dios de nuestros padres **quien ha extendido su buen favor hacia mi ante el rey y sus consejeros y todos los oficiales del rey poderosos"** (Esdras 7:6, 27-28).*

Nehemías mientras que en cautiverio, recibió el favor del rey. *"...si agrada al rey y si tu sirviente ha encontrado favor en su vista, déjelo mandarme a la ciudad de Judá donde mis padres han sido enterrados para que yo pueda reconstruirla'... agrado a el rey de mandarme..."* *(Nehemías 2:5-6).*

Todos estos prisioneros, excepto a José fueron los productos del exilio Babilónico. ¡Todos leen la carta de Jeremías y estaban orando por su lugar de cautiverio, razón por la cual se prosperaron con el favor!

Ahora, quiero que vuelvan a examinar las Escrituras por encima de lo que puedo mostrar algo muy importante. ¡En cada caso, cuando los presos recibieron favor, que estaba en relación directa con su Fin Esperado!

Para José, el director le mostro el favor de ponerlo a cargo de la prisión. Esto permitió que el favor de José para recibir la formación que necesitaba para ser calificado para su Fin Esperado.

Mientras que Daniel era entrenado para entrar al servicio del rey, Dios hizo que su oficial le mostrara favor. ¡Ese favor hizo posible que Daniel pudiera ascender a su Fin Esperado! ¡Como cabeza sobre Babilonia y para también ser el profeta mayor quien predijo de la venida de Cristo en el fin de los tiempos!

¡Para Ester, el favor con que ella antes de que el rey abrió el camino para su Fin Esperado! ¡Ella se convierto en reina y salvo la vida de todos los Judíos que aún permanecían en la tierra de su cautiverio!

Esdras pasó su tiempo en cautiverio, estudiando las Escrituras. ¡El recibió el favor del rey que le permitió ir a su casa de la misión de restablecer el servicio en el templo en Jerusalén y ensenar a los exiliados que regresaron la Palabra de Dios!

¡Nehemías recibió el favor que necesitaba para seguir su misión, para reconstruir los muros averiados de Jerusalén! ¡Cuando llego a completar sus tareas, todos estos prisioneros recibió el favor! Fueron prosperado con este favor, ya que estaban orando por su lugar de exilio. Si obedecen las instrucciones de la carta de Jeremías, Dios hará lo mismo para usted. ¡Él te dará la gracia que necesitas para completar tu Fin Esperado!

Cuando todavía estaba en la cárcel del condado, yo estaba tratando de obtener el permiso para ensenar a los estudios de la Biblia a todas las unidades en mí cuadra. Se me negó en repetidas ocasiones hasta que la planta contrato a un nuevo pastor. ¡Dentro de una semana, el y su esposa me pidieron que yo dirigiera el estudio a pesar de que no me conocía! Ves, yo estaba orando por mi lugar de exilio y Dios me dio favor de estas personas. ¡A su vez, este favor que me permitió llegar más lejos de entrenamiento para mi Fin Esperado!!

Prosperando en la Persecución

El capítulo 6 del libro de Daniel es la historia de su persecución y ser arrojado al foso de los leones. En ese momento, Daniel fue prosperado constantemente en su posición dentro de Babilonia, que, desgraciadamente despertó muchos celos de otros funcionarios de otra resolución en el reino. Para empeorar las cosas, el rey Darío planeaba hacer gobernador Daniel sobre todo el reino. Cuando los demás funcionarios, oyendo esto, conspiraron para detener la promoción.

Sabiendo que Daniel era un hombre serio de la oración, los funcionarios engañaron al rey Darío en la emisión de un decreto por el que nadie podía orar a otro dios más que el rey durante 30 días. Si alguien violaba la ley, uno seria arrojado al foso de los leones. Cuando Daniel oyó el decreto, el no renuncio su compromiso de orar. En cambio, él se fue a casa y, delante de una ventana abierta para que todos lo vean *"él se puso en sus rodillas y oro, dándole gracias a su Dios, justo como lo había hecho antes." (Daniel 6:10)*

Cuando los oficiales vieron a Daniel orando, se apresuraron a decir al rey que Daniel violo la ley. Cuando el rey oyó esto, él estaba muy angustiado porque sabía que su proclamación no puede ser derogado y que Daniel tuvo que ser arrojado a los leones.

Por lo tanto, el rey dio la orden. Arrojaron a Daniel en el foso de los leones, y luego una piedra fue colocada en la entrada de para sellarlo. Toda la noche, el rey Darío se negó a comer o divertirse, sino que mantuvo despierto hasta la mañana cuando se apresuró a la cueva para ver a Daniel.

¡Cuando el rey llego, llamo a Daniel y, por supuesto, él todavía estaba vivo! De hecho, la Escritura dice que cuando Daniel fue sacado del foso, *"...ninguna herida fue encontrada en el...' (Daniel 6:23)* ¿Cómo sobrevivió Daniel? ¡Él estaba orando para que su prisión y Dios protegió su vida!

Recuerdo una situación que ocurrió cuando estaba en la cárcel. Yo estaba trabajando en la cocina como el jefe de la tripulación de suelo. Un día, una chica nueva, que acaba de llegar de la prisión estatal, vino a mí buscando trabajo. Tratando de ayudar, le convencí a mi supervisora que la pusiera en el grupo nuestro, pero poco después me di cuenta de que cometí un gran error.

De inmediato comenzó a buscar la posición mía. Incluso ataco a mi cristianismo e hizo declaraciones falsas sobre mí para hacerme desacreditado. ¡Finalmente, logro convertir una de mis supervisoras en mi contra, que luego hizo que mi vida en el trabajo fuera un infierno! Hubo momentos en que quería volver a mi viejo yo, y solo tirarme en el suelo con ella, pero sabía que Dios no honrara eso. Por lo tanto, yo seguía rezando y creyendo que Dios me prosperara a través de la persecución.

¡Justo cuando parecía que no podía ser peor, me ofrecieron un trabajo mucho mejor, haciendo los pisos en el cuarto de visitas! Entonces, como mi enemiga miraba, me pidieron que hiciera todo tipo de trabajos secundarios, que pagan los bonos como las bolsas de bingo, llena de golosinas. ¡Finalmente, el director de la oficina hizo una petición personal para que haga sus pisos! Me dijeron que mi perseguidor estaba muy descontenta con esto.

Pero, ¿qué tiene prosperando q través de la persecución que ver con el Fin Esperado? Veamos de nuevo lo que sucedió con Daniel. En el comienzo de la historia, estaba a punto de ser ascendido a gobernador de todo el reino de Babilonia. *"Ahora Daniel se distinguió sobre los administradores y los sátrapas por sus cualidades excepcionales que el rey planeo de ponerlo sobre el reino entero"* (Daniel 6:3)

Daniel estaba a punto de ser puesto en su posición más alta y sus enemigos lo atacaron por eso. Satanás es tu enemigo. ¡Él está muy consciente de que Dios está llevando a cabo un plan para promover tu Fin Esperado! Por lo tanto, no se detendrá ante nada para evitar lo que suceda. ¿Por qué? **¡Debido a que no hay arma más poderosa contra el reino de la obscuridad de que cuando una persona está llevando a cabo su propósito por el que fue creado!**

¡Al tomar posesión de su Fin Esperado!, eres como una flecha pulida en las manos de Dios; ¡listo y en posición para destrozar por completo al enemigo! Satanás quiere *"matar, robar y destruir"* sus sueños y su esperanza en el futuro. ¡(Véase Juan 10:10) Su objetivo es detener a todos los cristianos de alcanzar su Fin Esperado! Usted ve, siempre y cuando no tomamos posesión de nuestros proyectos, no podemos hacerle daño. Satanás usa al hombre para atacar a Daniel porque quería que Daniel se detuviera antes de que pudiera destruir el reino de la obscuridad. ¡Afortunadamente, el enemigo no tuvo éxito! ¡Daniel se convirtió en uno de los profetas que anunciaron la caída del reino de la obscuridad y la venida de Cristo en los últimos tiempos!

Hay una última cosa que quiero señalar sobre la persecución que paso Daniel. ¿Qué hizo Daniel cuando fue atacado? ¡Él estaba orando! Cuando usted decide obedecer las instrucciones de Jeremías a orar por su prisión, vas a enfrentar adversidad para ello. ¡Recuerda que la oración que prospera hacia su Fin Esperado!, lo que significa que la oración es letal para el enemigo. Satanás estaba tan decidido a detener a Daniel de poseer su misión, que hizo los enemigos de Daniel emitir una ley en contra de la oración. Me encanta como respondió Daniel. A pesar de que sabía que su vida estaba en peligro, el oraba de todos modos porque se dio cuenta que el peligro real vendría si no lo hizo.

¡Haz lo que Daniel hizo! ¡Ora! La Biblia dice "...*Daniel prospero durante el reino de Dario y Ciro el Persa.*" (Daniel 6:28). ¡Si usted sigue el ejemplo de Daniel, tú también serás prosperado en su Fin Esperado!

1. Las instrucciones de la Carta de Jeremías fueron escritas para prepararte para tu Fin Esperada. La tercera instrucción: *"Y procurad la paz de la ciudad a la cual os hice transportar, y rogad por ella a Jehová; porque en su paz tendréis vosotros paz."* Jeremías 29:7 *"Porque yo sé los pensamientos que tengo acerca de vosotros, dice Jehová, pensamientos de paz, y no de mal, para daros el fin que esperáis."* Jeremías 29:11. De acuerdo a estas Escrituras, Dios quiere que tu _____ para tu sitio de exilio porque si prosperas, _____ prosperara también. (Llene los espacios en blanco)

2. Nombre algunas maneras en que Babilonia prospero a causa de las oraciones de los prisioneros.

3. Nombre algunas maneras en que tu prisión pueda prosperar a través de tus oraciones.

4. ¿De acuerdo a tus estudios, cuáles son las tres maneras en que tú prosperaras cuando oras para tu prisión? Acuérdate que cada uno te ayudara en tu camino hacia tu Fin Esperada...

5. ¿Cuál es uno de las armas más poderosas él en universo en contra del reino de Satanás? ¿Por qué?

6. Satanás no quiere que tú tomas las riendas de tu Fin Esperado. Como las oraciones te hacen prosperar más hacia tú propósito, el tratara todo lo que pueda para hacerte parar. ¿Hay algo en este momento parándote para que no puedas orar? Explicar.

CAPITULO QUINCE
Mi Revelación

"Por si guardas silencio en este tiempo, relevo y entrega para los judíos se levantara de otro lugar, pero tú y la familia de tu padre perecerán. "¿Y quién sabe más que tú que has venido a una posición real para un tiempo como este?"
Ester 4:14

¿Alguna vez se preguntó qué pasaría si Dios le hablo a usted, pero usted se perdió lo que digo? ¡Eso me paso a mí en un momento crucial en mi prisión: Dios me estaba dando la revelación de mi Fin Esperado!, ¡pero casi lo hizo volar! El Señor comenzó una obra milagrosa en mi cárcel cuando llevo cuatro hermanas y yo para comenzar un ministerio dentro de la prisión. Siguiendo las instrucciones en la carta de Jeremías a *"casarse y tener hijos e hijas"* nuestra pequeña iglesia creció durante la noche. ¡Como resultado de nuestro crecimiento, más y más mujeres se involucraron en el ministerio y recibieron el entrenamiento que necesitaban para calificar para su Fin Esperado!

Estaba entrenando en mi lugar también, la enseñanza de estudios de la Biblia, y dirigiendo la adoración. Sin embargo, de lo que se estaba preparando, yo todavía no lo sabía. A pesar de que pase prácticamente cada minuto del día en el servicio a Dios a través del ministerio, algo faltaba. ¿Cuál era mi futuro puesto de trabajo de Dios? ¿Cuáles eran los planes que Dios tenía reservado para mí? Me encantaba ensenar y me encanto la música, pero yo no tenía ni idea de cómo Dios quiere usar esos dones para Su gloria.

Seis meses después de la formación del ministerio, comenzó a ensenar un estudio, llamado *"La Serie Cautiverio"*. Durante dos tercios de escribir la *Serie*, comencé a mostrar mi clase de cómo reconocer cuando Dios les estaba enviando una revelación de su Fin Esperado. Para ilustrar mi punto, he utilizado la historia de una mujer en la Biblia llamada Ester. Ella fue el ejemplo perfecto para mis alumnos, porque ella también estaba preparando para su asignación a través del vehículo de su cautiverio. Sin embargo, cuando llego el momento de Dios para revelar a Ester su misión, casi declino la oferta y perdió su oportunidad.

La llamada tan cerca de Ester fue la mayor razón por la que decidí compartir su historia con mi clase. El Señor puso en mi corazón la urgencia de que lo que le paso también está ocurriendo a su pueblo en la cárcel ahora. Que estaban siendo preparados para su misión, pero cuando llego el momento de recibir la revelación de su Fin Esperado, lo estaban perdiendo.

El estudio de la Biblia una noche en particular estaba lleno. La unción de Dios estaba presente. Al mirar a mi clase, vi a las mujeres con los ojos abiertos, mientras escuchaban el mensaje. He oído "amen" y "aleluyas" venir de todas las esquinas. En el momento en que terminara la noche, pude ver a todo el mundo que estaban lleno de la anticipación de no solo escuchar de Dios, sino también responder a la oportunidad cuando llegara.

Mientras miraba a las damas de prisa fuera de las aulas con el rostro iluminado, yo sabía que era un mensaje muy necesario. ¡Sin embargo, poco me di cuenta de que, si debería haber estado predicando a mí misma, porque al día siguiente el Señor empezó a hacer exactamente lo que hable- revelar mi Fin Esperado! Desafortunadamente, a pesar de que había ensenado la importancia de no perder la oportunidad, yo no actué inmediatamente en la mía.

En los siguientes días, el Espíritu del Señor empezó a poner los pensamientos en mi mente de convertir *La Serie Cautiverio* en un libro. En el trabajo, en la cola para comida, sola, básicamente, en todo momento, mi mente estaba ocupado pensando en esta "loca" idea. Me dicen loca porque mis inseguridades estaban también ocupados, y me estaba diciendo que no era posible.

En primer lugar, yo no era una escritora. De hecho, la mayoría de las veces ni siquiera podía escribir correctamente. En segundo lugar, yo era un preso, así que ¿cómo iba publicar un libro? Nadie me tomaba en serio. En tercer lugar, me di cuenta que escribir un libro era una cantidad enorme de trabajo. Aunque no quiero admitirlo, tal vez yo era demasiada perezoso para hacerlo.

De todos modos, con todos los puntos negativos y más bombardeando mi mente, yo tenía la esperanza de que Dios en realidad no quisiera que lo haga. Sin embargo, mi mente, siendo dirigida por el Espíritu Santo, no deje de tener pensamientos acerca de escribir la serie. Como los días, y luego pasaban las semanas, empecé a sentir como si estuviera en medio de un gran tirón de la guerra del concurso. ¡Hazlo!, ¡no lo hagas!, de ida y vuelta mor mi mente. Finalmente, puse fin al conflicto, trate de usar mi propio razonamiento para argumentar con Dios.

"Esto no puede ser de ti Señor", le dije, está seguro de que había buenas razones para decirlo. "Soy un orador, no un escritor, y además, "continúe," no hay demasiado trabajo para escribir un libro. Yo ni si quiera sabía por dónde empezar.

Desafortunadamente, esos argumentos no termino el asunto, sino más bien, el combate de lucha libre dentro de mi cabeza continuaba, creciendo en intensidad. Entonces, si esto no fuera suficiente, Satanás, que comprendió antes que yo, que estaba al borde de un descubrimiento que podría paralizar para siempre su reino, trato de detenerme con sus mentiras.

"¿Que te hace pensar que las revelaciones que ha recibido son lo suficientemente especial como para estar en un libro?" Le oí susurrar. Como yo estaba encogido en sus palabras menospreciados, el miedo me deslizado. Entonces vio una oportunidad para pinchar me.

"¿Quién te crees que eres?," dijo desafiante. Entonces me da muy poco tiempo para recuperarse, repitió, "¡Usted no es nada!" una y otra vez en mi mente.

Lleno de sentimientos de inseguridad, además de una paliza de la lucha, finalmente se rompió y estuvo de acuerdo con el engañador "No puedo hacer esto," pensé, "Sería muy duro para mí." Con esto como excusa, abandone la idea y seguí mi camino. O por lo menos creo que lo hice.

Por desgracia, ya no era feliz. Me tire de nuevo en lo que siempre hice: la enseñanza, el estudio, la adoración y la oración, pero no había alegría en ella como antes. De repente, me sentí como si estuviera constantemente molestaba, pero no sabía por qué. Yo estaba haciendo las cosas que siempre me había traído la paz, pero en cambio, estaba impaciente e inquieta, incluso ofensiva hacia mis amigas. Me sentí muy mal.

"¿Qué hay de malo en mí, Señor?" Yo lloraba, pero el solo me respondió poniendo más pensamientos en mi cabeza acerca de la escritura del libro.

Por último, no podía llevar la lucha más, así que cedí. Decidí hablar con una hermana cristiana acerca de un libro que había estado trabajando. Hermana de Dana estaba escribiendo una historia sobre su vida. Sensación de que podía arrojar alguna luz sobre mi problema, me dirigí hacia el campo de la reconstrucción a buscarla. Mientras caminaba por el recinto, que comenzó a hablar en silencio con mi Señor.

Si usted quiere que yo haga esto Padre, "le dije en mi mente," me da una clara confirmación a través de Dana.

Cuando entre en el granero, la recreación, vi a Dana estaba terminando su entrenamiento y estaba empacando su maleta de gimnasio. Por lo tanto, rápidamente me acerca a ella, me saludo, y luego fue directo al punto

"No quiero parecer como un imitador, pero creo que el Señor puede ser que me dice que a su vez de *La Serie Cautiverio* en un libro.

Cuando lo dije, ella inmediatamente dejo lo que estaba haciendo para mirarme con una mirada de asombro. A continuación, haciendo un gesto amplio con los brazos, le espeto "¡No puedo creer que hayas dicho eso!" Mi corazón dio un vuelco casi antes de que ella continuo: "¡Dios ha estado poniendo en mi corazón para hablar con usted acerca de escribir la *Serie*!"

La confirmación de que había rezaba acababa de dar al instante. Me dejo un poco aturdida, pero Dana no parece darse cuenta de mi conducta, porque ella seguía pasando, lo que parecía estar bajo el control del Espíritu Santo.

"Los estudios Bíblicos en los cautiverios son increíbles," continuo con mucho entusiasmo. "¡Nunca he oído una enseñanza como esa antes!" En esto, el Señor repite en mi mente las palabras exactas que había oído lo contrario de Satanás solo unos días antes. De hecho, yo estaba mintiendo, pero esta comprensión no impidió que mis temores se levante de nuevo.

"¡Pero no soy una escritor, soy un orador!" Proteste con ella. "Así que no sabría ni por dónde empezar."

"Solo tienes que escribir como si fuera una clase," respondió Dana con la confianza que yo no tenía. "Comience por hacer un bosquejo de todo el libro, "empezó, levantando uno de los dedos como si contar los pasos. "A continuación, seleccione el número de páginas sus capítulos y mantente dentro de su rango de páginas", agrego, levantando un dedo. "¡Entonces todo lo que tiene que hacer a partir de ahí se empieza a escribir de su contorno!" En este, su tercer dedo salió, y luego hizo un gesto amplio con las dos manos para enfatizar su punto final.

Sin embargo, Dana no estaba ni cerca de haber terminado. De hecho, ella apenas se estaba calentando. Al darse cuenta de que el patio se cerrara pronto, ella siguió hablando mientras que agarrara el resto de sus cosas. A continuación, con pausas para tomar un respiro y ponerse sus gafas, empezó de nuevo mientras se giró para salirse del edificio.

Dana sistemáticamente empujaba mis inseguridades con declaraciones con palabras determinadas de la importancia de la *Serie de Cautiverio*. Mientras la veía desollar las manos, no podía dejar de pensar que, con sus gafas, que se parecía un maestro de escuela. Sin embargo, a medida que continuaba a escucharla, me di cuenta que estaba ganando valor con cada palabra. Cuanto más hablaba, más sabía que tenía que bajar mi trasero y empezar.

Finalmente, llegamos al lugar en el recinto donde nos separamos. Es entonces cuando Dana se volvió de repente y me dijo algo que me preocupo: "Si usted decide que no va a hacerlo, Katie, me gustaría escribir por ti."

Cuando le oí decir, me di cuenta de que, aunque Dios me puso en el mariscal de campo principal de este juego, hay otros jugadores esperando ansiosamente en el banco en case de que mi brazo se cansara. Esto significaba que, si yo no le acepte su oferta de pronto, podría muy bien perder mi oportunidad. Este proyecto se va a hacer si elijo participar o no.

Esa noche en mi celda el Señor empezó a llenar mi cabeza con ideas de cómo empezar. De hecho, el comenzó a darme mucha información que no podía dormir. Finalmente, decidí renunciar a su presencia abrumadora, y asustar a mis compañeras de celda, Salí corriendo de pie en la cama y me dije en voz alta:

"¡Muy bien, ya Señor, por favor más despacio!" Luego de llegar a un papel y lápiz, empecé a tomar notas. Al día siguiente, después del trabajo me fui a mi celda para empezar. Después de unas horas de escribir, me detuve a leer lo que escribí. "¡No está mal!"Dije, hablando conmigo mismo.

Luego me levante para ir a una de mis reuniones de oración y, de la nada, de repente se echó a llorar. Pare para releer lo que había escrito y después pensé para mí, "No está mal" pero cuando me levante para ir a uno de mis juntas de oraciones, de la nada, de repente me eche a llorar. Aferrándome al borde de la pileta de apoyo, llore incontrolablemente. De hecho, el torrente que siguió fue tan fuerte que puse un pedazo de papel en la ventana de mi celda para que la gente, que ahora curiosamente me estaban mirando, no podía ver.

Cuando mis lágrimas por fin cedió, me preguntaba de dónde venían. ¡Sin embargo, curiosamente, a pesar de que solo lloraba a moco tendido, me llena de un sentimiento de agradecimiento total a Dios! ¡Yo no lo entendía entonces, pero poco después, el Señor me mostro la respuesta! Mi respuesta inusual vino de mi obediencia a tomar una decisión sobre la revelación de mi Fin Esperado.

¡Desde ese día, yo estaba lleno de una especie sobrenatural de gozo! A diferencia de la felicidad común, que dura un momento, experimente un intenso sentimiento de emoción y satisfacción burbujeando dentro de mí, para los meses e incluso anos. A medida que continuaba trabajando en el libro, me di cuenta de que estaba recibiendo esta alegría celestial porque yo estaba siguiendo mi ¡Fin Esperado!: ¡El propósito para la que fui creada!

Hoy en día, cada vez que miro atrás y veo como luche con mi revelación, estoy agradecida por el estudio de la Biblia que lo empezó todo. Saber que Ester casi dejo pasar su tarea me da esperanza. Desafortunadamente, hay miles y miles de prisioneros en cautiverio en este momento que están en peligro de perder la revelación de su futuro. Debido a que yo lo pase, se lo fácil que puede suceder. Esta es la razón por la cual quiero estar segura de que tú no pierdes el tuyo.

1. Describe en detalle, tus actividades actuales en el cuerpo de Cristo.

2. ¿Has tenido algunas ideas o pensamientos repetidos en tu mente? Descríbalos.

3. ¿Has tomado acción en referente a esos pensamientos o los estás ignorando? Si has estado ignorándolos, anote las razones porque.

4. ¿Cómo te has sentido últimamente? Usa palabras como, alegre, deprimido, energético, o confuso.

5. Ahora vuelve a leer la lista de sentimientos y asócialos directamente con si has tomado acción con los pensamientos repetidos en su mente. *Ejemplo: No he tomado acción sobre esos pensamientos y me he estado sintiendo agitado.*

CAPITULO DIECISEIS

Agárralo Antes De Que Te Vayas

"Ahora había en el cita del de Susa un judío de la tribu de Benjamín, nombrado Mardoqueo hijo de Jair, hijo de Simei, el hijo de Cis, quien había sido llevado a exilio de Jerusalén por Nabucodonosor rey de Babilonia...Mardoqueo tenía un primo Hadasa... también conocida como Ester..." Ester 2:5-7

La genealogía anterior se encuentra en el libro de Ester. Se remonta a los descendientes de un hombre llamado Kish, uno de los primeros prisioneros llevados a Babilonia, a un hombre llamado Mardoqueo y su prima Ester. Estas dos personas, descendientes de los primeros cautivos de Babilonios, será nuestro objetivo para los próximos capítulos. ¡De su ejemplo, voy a mostrar cómo reconocer, y luego actuar sobre la revelación de tu Fin Esperado!

Su historia tiene lugar en Susa después de que los Persas conquistaron Babilonia. En este momento, a pesar de que miles de Judíos fueron liberados para regresar a casa en Jerusalén, muchos más se quedaron en la tierra de su cautiverio. El libro de Ester detalle de la cuenta verdadera de como Dios, a través de Ester y Mardoqueo, impidió la aniquilación total de esas personas.

Este evento heroico tuvo lugar alrededor de 486 a. de JC en Susa, la capital del Imperio Persa. El rey que estaba en el poder es ese momento era un hombre llamado Asuero. Después de tener una pelea con su esposa, la reina Vasti, Asuero la saco del trono y comenzó la búsqueda de una virgen joven y hermosa para que la sustituya. El rey nombro a los funcionarios en todas las provincias de Persia a recoger doncellas calificadas a su harén.

Ahora el primo Mordecai, Ester, era muy hermosa por lo que se ha tenido en la custodia del rey. Mardoqueo, temiendo por su seguridad, le advirtieron que no hablara con nadie de su herencia judía. Él estaba tan preocupado por ella que se pasaba el día caminando ante el tribunal del harén para saber qué sería de su prima.

En el interior del palacio, Ester fue puesto bajo el cuidado de Hegai, el guardián del harén del rey. Inmediatamente, Ester gano el favor de Hegai. Que le proporciono siete de las criadas del propio palacio, y luego la traslado a la mejor parte del harén. Para los próximos 12 meses, Ester, y todas las otras vírgenes, recibieron los tratamientos de belleza establecida que se necesitan para su noche con el rey Asuero. Cuando llego el tiempo, cada niña fue enviada por separado al rey, teniendo un regalo de su propia elección. Despues de pasar la noche, fue devuelta al harén. Ninguna de las doncellas vienen a Asuero de nuevo a menos que el estaba tan encantado con ella que el la llama por su nombre.

Cuando llego el momento de Ester para ir a ver al rey, se opto por tomar con ella solo lo que Hegai, eunuco del rey, sugirio. Ahora, Asuero se sintio atraido mas a Ester que cualquier otra mujer. Porque ella gano su favor, el rey opto por establecer una corona real sobre su cabeza, haciendola su reina.

En la corte del rey había un agagueo, llamado Aman, a quien el rey puso por encima de todos los otros oficiales reales. Cada día Aman pasaría a través de la puerta del rey y toda la gente se inclinaba y rinden homenaje a él. Todo el mundo, es decir, excepto Mardoqueo, quien se negó a hacerlo. Que continuo día tras día, enfureciendo a Aman. Luego, cuando se enteró de que Mardoqueo era un Judío, trato de destruir no solo a Mardoqueo, pero los otros Judíos también.

Llevado a ver a su plan a través de Aman se presentó ante Asuero y afirmo falsamente que los Israelitas, que estaban dispersos por todo el reino, no obedecían a las leyes del rey por lo que deben ser aniquilados. El rey todavía no sabía la descendencia de Ester, de acuerdo con Aman, le dio permiso para hacer lo que quisiera. Por lo tanto, un edicto fue emitido en nombre de Asuero para todos los Israelitas en todo el reino para ser destruidas y sus pertenencias incautadas como botín. Copia del edicto se enviaron a todas las provincias. Entonces, un gran duelo comenzó entre los exiliados. Cuando Mardoqueo se enteró, rasgo sus vestidos, se vistieron de cilicio y ceniza, y se puso a llorar delante de la puerta del rey.

Mientras tanto, en el interior del palacio, la reina Ester era totalmente inconsciente de la sentencia mortal. Cuando se enteró de la conducta de Mardoqueo en la puerta, ella envió a uno de sus doncellas para averiguar lo que estaba mal. Sin embargo, Mardoqueo se negó a hablar con ella, por lo que la reina envió a uno de los eunucos del rey en su lugar. Esta vez, Mardoqueo le explico lo que sucedió. Él le dio al eunuco una copia del decreto para llevar a Ester, junto con un mensaje instando a que comparezca ante el rey Asuero para pedir la vida de sus pueblos."

Cuando Ester oyó lo que Mardoqueo le pidió que hiciera, le dio mucho miedo. Ves, en Persia había una ley que establece que nadie podía ver el rey a menos que se convocó en primer lugar. Quien rompía esta ley se someterá a la muerte, a menos que el rey les mostro la gracia mediante la ampliación de su cetro de oro. Para empeorar las cosas, parecía como si el rey no quería ver a Ester, porque no había llamado para ella en un mes. Temiendo por su vida, Ester envió un mensaje a Mordoqueo diciendo que no quería hacer lo que le pedía. Cuando Mordoqueo recibió la respuesta de la reina, ella respondió con un mensaje grave. Él dijo:

"…no pienses porque tu estas en la casa del rey tu sola de todos los judíos vas a escapar. Por qué si tú guardas silencio esta vez, relevo y entrega para los judíos va a levantarse de otro lugar, pero tú y la familia de tu padre perecerán. "¿Y quién sabe

pero porque tu viniste a una posición real para un tiempo como este?" (Ester 4:13-14).

Ester ante la decisión de su vida. ¿Debe permanecer en silencio y, posiblemente pierda o riesgo de muerte por ir delante del rey? ¿Fue ella, como Mardoqueo dijo, colocada en su posición real como la reina en un momento como este?

Basado en la respuesta de Mardoqueo, Ester decidió a tomar medidas. Ella envió un mensaje de vuelta, dándole instrucciones para recoger los Judíos y hacer que ayunaran durante tres días, mientras ella y sus doncellas hicieran lo mismo. Al final del mensaje que ella escribió, *"...Cuando esto sea hecho, yo iré a donde el rey, aunque sea contra la ley, y si perezco o no"* (Ester 4:16).

Tres días después, el ayuno termino y llego la hora. Ester se puso sus vestiduras reales. A continuación, entro en el patio interno del rey, aunque no fue convocado. Cuando Asuero miro a su reina, ella obtuvo gracia ante sus ojos. Extendió a su cetro de oro, y luego anuncio que le concediera lo que pidiese, incluso hasta la mitad de su reino. Por lo tanto, Ester pidió que el rey asistirá a un banquete que se preparó, y que llevara a Aman como su invitado. La aceptación del rey y Aman fue convocado a la vez para poder hacer la oferta de Ester.

La noche de la fiesta, el rey volvió a pedir a Ester que cual era su petición, pero sabiamente se quedó callada. En su lugar, opto por cultivar más el favor del rey, pidiéndole que asistiera a otro banquete, que es cuando se expondría a la conspiración de Aman. La primera fiesta se acabó, sin que nadie supiera las intenciones verdaderas de Ester.

Esa noche, mientras Aman se fue a casa a través de la puerta de la ciudad, vio a Mordoqueo quien se negó a someterse a él. Enfurecido, Aman fue y le dijo a su familia. Sugirieron a que Aman construyera una horca de 75 pies de altura en la que pudieran colgar a Mardoqueo. La idea le encanto a Aman e inmediatamente ordeno que se haga.

Mientras tanto, en el palacio, el rey estaba teniendo dificultades para dormir por lo que pidió a su asistente que le leyeran el libro de las Crónicas. Cuando la operadora comenzó a ir a través de los diversos eventos, que tuvo lugar en el reino, se encontró con una historia acerca de Mardoqueo la exposición de un complot para asesinar al rey. Cuando Asuero pregunto a su asistente que honor y reconocimiento recibió Mardoqueo por su obra, la respuesta fue nada.

¡En ese momento, Aman entro en la corte para hablar con el rey sobre lo que quería hacerle a Mardoqueo en la horca! Sin embargo, antes de que Aman pudiera hablar, Asuero le pregunto lo que pensaba que se debe hacer por el hombre que el rey deseaba honrar. Aman creyendo que el rey lo quería honrar, dijo Asuero el hombre debe ser vestido con un manto real luego montado en un caballo y conducido alrededor de uno de los príncipes más nobles del rey, que debe proclamar: "¡Esto es lo que se hace con el hombre que honra el rey!"¡al escuchar este consejo, el rey ordeno a Aman para ir inmediatamente a hacer lo que el sugiere para Mordoqueo, el Judío!

Por lo tanto, Aman obtuvo el vestido y el caballo, vistió a Mardoqueo, a continuación, lo llevaron por las calles anunciando a todos que se sentía honrado por el rey. Después, Aman fue humillado por lo que corrió a su casa para decirle a su esposa, pero apenas pudo decirle, los eunucos del rey llegaron a toda prisa y lo apresuraron a llevarlo al banquete de Ester.

Durante el segundo fiesta, el rey volvió a pedir a Ester que le dijera su petición. Asegurándole que, fuese lo que fuese, se le daría a ella, incluso hasta la mitad del reino. Fue entonces cuando Ester decidió actuar. Comenzó su solicitud por escrito con el rey de que no le quitara su vida, junto con la vida de su pueblo, ya que ambos se habían vendido en la aniquilación total. ¡Cuando el rey pregunto a Ester quien se atrevió a hacer tal cosa, respondió diciendo que el adversario y el enemigo era el vil Aman! Enfurecido, el rey salió de su vino y se fue a los jardines del palacio.

¡Aman estaba aterrorizado totalmente! Dándose cuenta de que Asuero ya había decidido su destino, se quedó en el palacio para pedirle a la reina por su vida. Justo cuando cayó en la banca donde Ester estaba reclinada, el rey volvió y en un ataque aún más enfurecido lo acuso de tratar de molestar a la reina. Mientras las palabras salieron de le boca del rey, los eunucos de palacio tomo a Aman. Iba a ser colgado en la horca que el construyo para Mordoqueo.

Ese mismo día el rey llamo a Mardoqueo en su presencia, y a Ester se le dio todo el estado de Aman. Desafortunadamente, a pesar de que aunque el complot de Aman fue descubierto, el tiempo se les estaba acabando a los judíos. La orden de su aniquilación quedaban solo meses de que se ejecutada. Por lo tanto, Ester rogo al el rey para permitir una segunda orden que se emitió para anular la primera. Asuero respondió al mando de un decreto que da permiso por escrito que los Israelitas pudieran proteger sus vidas y sus bienes. Por lo tanto, Mordoqueo convoco a los secretarios reales y que este nuevo decreto enviado por correos a caballo real a las 127 provincias que se extiende desde la India hasta Cush.

El en día trece del mes duodécimo, el mes de Adar, el nuevo decreto fue ejecutado. Ese día, los enemigos de los Judíos que esperaba dominar a Israel se les voltio la suerte. ¡Los Judíos se reunieron y nadie pudo oponerse a ellos! Mataron a más de 75,000 de sus oponentes. El miedo de los Judíos se hizo tan grande que mucha gente opto por convertirse ellos mismos Judíos. Fue un tiempo gozoso, que se conocía como la fiesta judía, Purim.

¡Las vidas de un incontable número de Israelitas que viven en la tierra de su cautiverio fueron salvados por una mujer que eligió actuar en la revelación de su Fin Esperado! Ester, sin embargo casi rechazo su oportunidad cuando fue presentada con su Fin Esperado por primera vez.

Lo que casi paso a Ester es exactamente lo que está pasando a un gran número de prisioneros en la actualidad. Ellos no están actuando, cuando la revelación de su misión llega. ¡Pocas personas llegan a experimentar la plenitud del futuro que Dios tiene para ellos, ya que simplemente te lo pierdes! En este capítulo y el siguiente, vamos a discutir la forma de evitar que esto le ocurra a usted. Antes de empezar, quiero aclarar algunos puntos rápidos acerca de la importancia de recibir la revelación de tu Fin Esperado.

Plan de Dios frente a su Plan

"Muchos planes están en la mente del hombre, pero es el propósito del Señor el que va a perseverar" (Proverbios 19:21 AMP)

Los seres humanos son planificadores por naturaleza. Nos gusta pensar y hablar sobre todas las cosas que están planeando hacer. Sin embargo, la Biblia dice que toda nuestra planificación no sirve para nada, porque solo los propósitos de Dios para nuestras vidas se mantendrá. Es por eso que debe saber lo que los propósitos de Dios son para usted en particular.

Solo el Creador sabe lo que fueron creados para ser. Usted no puede saber lo que es menos que Él os diga. Autor Rick Warren habla de esto en su libro famoso, "The Purpose Driven Life" (Una vida con propósito).

"Si yo le entrego un invento que nunca había visto antes, no vas a saber su propósito, y la invención en sí misma no sería capaz de decir lo que fuera. Solo el creador o el manual de usuario podría revelar su propósito."

Dios es tu Creador, por lo que solo Él sabe exactamente para que fueron creados. Es por eso que le debe consultar para saber su Fin Esperado. Desafortunadamente, muchas personas nunca se molestan en pedir al Padre por su futuro. Por el contrario, acaba de llegar con sus brillantes ideas propias. Sin embargo, la Biblia dice que cuando usted decide perseguir sus propios planes y no los de Dios, fracasara.

"Él señor hace nulo el consejo de las naciones, Y frustra las maquinaciones de los pueblos. El consejo del señor permanecerá para siempre; Los pensamientos de su corazón por todas las generaciones." (Salmos 33:10-11)

Esta escritura es muy clara: Si usted decide perseguir sus propios planes en vez de los de Dios, El en realidad le impide tener éxito en cualquier cosa que hagas. ¿Porque

Dios te hará fracasar? No para castigarlo, sino para conseguir que renuncian a sus ideas propias sin poder unirnos a Él en Su obra eterna.

Usted ve, los planes de Dios son perfectos. Tienen de largo alcance los propósitos del Reino. Una asignación de Él puede dejar más impacto en el mundo de un millón de su propio "buenas" ideas. En el próximo capítulo, voy a decirte como reconocer cuando Dios está revelando Su plan para usted.

¡El conocimiento de su Fin Esperado! Va a cambiar la forma de hacer el resto de su tiempo.

No hay nada peor que hacer tiempo en la cárcel, día tras día, año tras año, sin alegría. ¿Alguna vez has tenido un día cuando se despertó en su celda pensando que no podía soportarlo más? ¡Dios no quiere que usted se sienta de esta manera! ¡Él quiere que usted sea capaz de hacer su tiempo con alegría! Poseer el conocimiento de su Fin Esperado será administrado por la alegría.

Déjame comprobártelo. Veamos de nuevo lo que Dios dijo a los cautivos de Babilonia en la carta de Jeremías: *"Porque yo sé los planes que tengo para ti... planes para darle esperanza... el fin que esperáis."*

Una de las razones por las que Dios revela su Fin Esperado es para darle esperanza. La esperanza Bíblica no es un sueño sin consistencia, sino más bien una certeza de las cosas por venir. Al tener posesión de su asignación significa que tiene un futuro esperanzador y **garantizado.** Esta garantía le dará esperanza. Si están llenos de esperanza, usted tendrá la capacidad de hacer frente, no importa cuál sea su situación.

Las Escrituras dice: *"... el gozo de Jehová es vuestra fuerza"* (Nehemías 8:10). La Esperanza te da alegría. La alegría le dará la fuerza para soportar. ¿Sabe usted cómo Jesús soportó el dolor extremo de la cruz? ¡A través de la alegría que recibió de conocer su Fin Esperado, ser El Salvador y Redentor del mundo entero! Hebreos 12:2 dice: *"Fijemos la mirada en Jesús, el autor y consumador de nuestra fe, quien por el gozo puesto delante de él sufrió la cruz..."*

¡La alegría que Jesús recibió de saber cuál lo que su misión en la tierra lograría lo capacitó para soportar ser azotado, golpeado y crucificado, incluso! La alegría le permitirá soportar la cruz de su encarcelamiento. El conocimiento de su Fin Esperado le traerá esta alegría.

Innumerables prisioneros, incluso los cristianos, se encuentran en una existencia sin esperanza. No tienen la alegría y nada de que ansiar porque no saben cuál es su futuro que les espera. ¡Tan pronto como recibí la revelación de mi Fin Esperado, los meses parecían volar! ¡Estaba llena de mucha emoción al pensar en mi futuro, hay días

114

en que ni siquiera parecía como si estuviera en la cárcel! Cuando finalmente actuará en la revelación de su esperanza de futuro, el resto de sus días en el interior será llena de propósito. Este objetivo va a cambiar la forma de hacer su tiempo.

Dios quiere revelar su Fin Esperado, mientras que usted está en el interior, para que puede hacerlo en el exterior

¿Te acuerdas, en la oración de Salomón, el tercer propósito de Dios para su tiempo?

"Y si vuelven la espalda a usted con todo su corazón y alma en la tierra de sus enemigos, que los tomaron cautivos... *entonces... escucha su oración y su súplica, y defender su causa"* (1 Reyes 8:48-49).

La forma de cumplir con el propósito de Dios es por la entrega total a su voluntad para tu vida mientras están en la tierra de su cautiverio. **¡Esto significa tomar posesión de su Fin Esperado mientras siguen encarcelados!** ¿Por qué es tan importante para que usted consiga una revelación de su futuro en el interior de la cárcel?

La tasa de reincidencia de los ex convictos es de un 70%. ¡Esto significa que siete de cada 10 personas que salen de la prisión regresaran! ¿Por qué son los números tan altos? ¡Porque **cuando la gente salga, persiguen sus propios planes en vez de los de Dios, por lo que fallan**! Recuerda lo que dice la Biblia, si no están llevando a cabo los propósitos que Dios tiene planeado para su vida, usted no tendrá éxito en cualquier cosa que haga. ¡Incluso si usted está haciendo una cosa "buena"! ¿Qué sucede cuando una persona sale y todos los planes que hacen no resulta? Vuelven a lo que saben para poder sobrevivir, lo que generalmente significa drogas, el crimen, y luego de vuelta a la cárcel.

¿Te acuerdas de la advertencia que Jeremías dio a los Israelitas? Dijo que el castigo de su cautiverio continuaría hasta que lograran su propósito. (Jeremías 4:22 AMP). ¡El castigo de su cautiverio continuará si no tienes el plan de Dios cuando salgas! ¡Sin Su plan va a fracasar y volverás a la cárcel! Dios quiere que usted siga siendo libre y que vivas una vida abundante. La mejor manera de asegurar esto es para agarrarse de sus planes para su futuro ahora, mientras usted todavía está aquí.

Dios quiere darle su asignación mientras usted está en el interior. Te voy a enseñar a prueba. Eche una mirada a la carta de Jeremías a los exiliados. Observe el orden en que fue escrita.

Lo **primero** que aparece en la carta son las instrucciones para prepararse para el Fin Esperado.

"Construye...y... ... la planta aumento en número... orar..."

La **segunda** lista es la promesa de su Fin Esperado

"Porque yo sé los pensamientos que tengo acerca de vosotros... para darle el fin que esperáis".

La **tercera,** y última, es la promesa de que los cautivos se irá a casa.

. ... *"Le llevará de vuelta al lugar desde el que te lleva al exilio".*

"Ahora mira a la orden cuidadosamente. ¡La revelación de la final esperada viene antes de la salida para ir a casa! ¡Esto demuestra que Dios quiere darte la revelación, antes de salir! Me encanta la forma en la versión King James de Jeremías 29:11 dice. Dice que Dios conoce los pensamientos del futuro Él piensa "hacia usted." Esto significa que, mientras esté aquí, Dios enviará los detalles de sus planes de su Espíritu "hacia" su mente para que pueda recibir el conocimiento de su Fin Esperado (1 Corintios 2:9-16).

Cada cautivo importante en la Biblia recibió una revelación acerca de su Fin Esperado, mientras estaban en cautiverio. José, Daniel, Esther, Zorobabel, Josué, Esdras y Nehemías se les dio todas sus tareas mientras aún estaban en el interior. Cada uno de ellos, sea que se quedaron en el exilio o fueron liberados antes de volver a casa, terminaron su tarea y probó la plenitud de la vida que Dios planeó para ellos.

¡Dios quiere que todos sus cautivos reciban la revelación de su Fin Esperado, mientras que están en el interior por lo que estarán armados con su plan indestructible cuando salgan! Recibí mi tarea de escribir este estudio, mientras yo todavía estaba en prisión. De hecho, escribí más de la mitad de este libro de detrás de las paredes. Una vez que me dejaron ir libre, he experimentado el poder que la posesión de mi Fin Esperado. Me permitió luchar contra la tentación y permanecer fuera de prisión. Es la facultad que necesitaba para ser exitosa en el que de otro modo hubiera fracasado. ¡Me lleno de alegría y me hizo vivir una vida abundante, llena de propósito de vida!

Es muy importante para descubrir y actuar sobre la revelación de su Fin Esperado, mientras que están en cautiverio. En el próximo capítulo vamos a explorar por qué la mayoría de los prisioneros pierden su revelación. Usted también va a aprender cómo evitar que esto le ocurra a usted.

1. ¿Ve usted algo de ti o tu situación en la historia de Ester? Si es así, ¿de qué manera?

2. ¿Qué significa el siguiente versículo para usted? *"El Señor frustra los planes de las naciones, frustra los propósitos de los pueblos. Pero los planes de la empresa Jehová permanecerá para siempre, los designios de su corazón por todas las generaciones"* (Salmo 33:10-11).

3. De acuerdo con el versículo anterior, si usted sigue sus propios planes en vez de las del Señor, va a fracasar. ¿Por lo tanto, cuyo plan le traerá éxito total? ¿Suya o de Dios? ¿Por qué?

4. Tener el conocimiento dé su Fin Esperado, mientras que usted está en el interior va a cambiarla forma de hacer el resto de su tiempo. Tener posesión de su asignación significa que tiene un futuro garantizado por que mirar hacia adelante y está **garantizado** darle esperanza. Si están llenos de esperanza, usted tendrá la capacidad enfrentar todo, no importa cuál sea su situación. Jeremías 29:11dice: *"Porque yo sé los planes que tengo para ti...planes para **darle esperanza**...un Fin Esperado."*Escriba este versículo en el espacio de abajo y subraya las palabras*" a fin de darles esperanza"*.

5. Dios quiere revelar su Fin Esperado, mientras que usted está en el interior para que serás capaz de hacer bien cuando salgas. ¿Te acuerdas del tercer propósito de Dios para el tiempo mencionado en la oración de Salomón? *"Y si vuelven la espalda a usted con todo su corazón y alma en la tierra de sus enemigos, que los tomaron cautivos... entonces...escucha su oración y su súplica, y defender su causa"*(1 Reyes 8:48-49). Según este versículo, ¿de **dónde** Dios quiera que usted tome posesión de su Fin Esperado?

CAPITULO DIECISIETE

Porque Te Lo Perdiste

"¿........y quien sabe pero que hayas venido a una posición real para un tiempo como este?"
Ester 4:14

"Por un momento como esta "es un sueño perdido por tantos. ¿Por qué es la promesa de un Fin Esperado tan difícil de alcanzar? Deben haber un ejército de prisioneros en el interior y una masa de ex-delincuentes en el exterior, agarrando el territorio para el Reino de Dios, pero no lo hay. En este capítulo vamos a explorar algunas de las razones por las cuales un gran porcentaje de los presos pierden la revelación de su Fin Esperado.

La razón por la que se contó la historia de Esther y Mardoqueo en el último capítulo fue para que yo pudiera usar su ejemplo en este capítulo para ayudarle a reconocer y actuar sobre su asignación. Ahora, yo te voy a enseñar las claves para recibir la revelación. Por lo tanto, vamos a empezar.

¿Te acuerdas de lo que Mardoqueo hizo después que se enteró de la conspiración de Amán para destruir a los Judíos? Envió un mensaje a Esther, le pidió que fuera ante el rey Asuero para pedir por la vida de su pueblo. Sin embargo, cuando Ester escuchó lo que Mardoqueo quería que hiciera, tenía miedo y no quería ir. Bueno, cuando Mardoqueo recibió su respuesta, le envió un segundo mensaje tan profundo que se va a utilizar como herramienta de estudio que le guiará a su Fin Esperado. Vamos a mirar la respuesta de Mardoqueo a Ester de nuevo en 4:13-14.

"...No creas que porque estás en la casa del rey, que usted se va a escapar entre todos los Judíos. Porque si permaneces callada en este tiempo, alivio y liberación de los Judíos surgirán de otro lugar, pero tú y la familia de tu padre perecerán. ¿Y quién sabe si no has llegado a la posición real de un momento como este?"

¿Cómo puede asegurarse de que no se pierda su Fin Esperado que Dios tiene para usted? Echemos un vistazo a cada parte de la respuesta de Mardoqueo para descubrir las maneras poderosas en que puede ayudarle a llegar a su objetivo. Vamos a comenzar con la última parte de su declaración.

*"¿Y quién sabe si no has llegado a la **posición** real de un momento como este?"*

La razón porque muchos de los reclusos no reciben la revelación de su Fin Esperado es porque no están en la posición correcta para recibirlo. En el capítulo doce de este estudio, se examinó el principio de la participación en la familia de Dios. Las razones que Dios quiere que usted se involucre con el cuerpo son por dos motivos...En primer lugar, usted debe estar activo en la comunión para ser entrenados para su Fin Esperado. En segundo lugar, es necesario estar en su posición en el cuerpo con el fin de recibir la revelación de su asignación.

Permítanme explicar. Note que Dios le reveló a Esther su misión después de que ella estaba en su *"posición real"*, como reina. ¿Qué hubiera pasado si Esther se les pidió que detuviera la masacre de los Judíos antes de que ella fuera la reina? ¡Nada! ¡Ella no habría sabido qué hacer con el problema y no hubiera poseído ningún poder o la capacidad de cambiarlo! Como reina, sin embargo, Esther sabía exactamente cómo funcionaba la corte real. Sabía cuáles son los procedimientos necesarios para llegar al rey. Como reina, también poseía la capacidad y condiciones de presentarse ante el rey para pedir por la vida de su pueblo.

¡Tienes que estar en la *"posición real"* antes de poder recibir su revelación! Sólo después de haber servido en su lugar en el cuerpo vas a ser capaz de entender y actuar en su asignación. Yo ya estaba en mi posición en la comunión cuando el Señor me dijo que escribiera *La Serie Cautiverio*. ¡De hecho, yo estaba enseñando este mismo estudio, cuando recibí mi revelación, por lo que he entendido, y podría actuar en lo que Dios me estaba diciendo que haga!

Dios te quiere en su *"posición real"* para que puedes estar listo para recibir el conocimiento de su Fin Esperado. Si usted no ha recibido una Revelación Divina acerca de su futuro, puede ser porque no estás en tu lugar en el cuerpo. Si siente que el Señor le está convenciendo unirse ahora, no lo dudes. Participa y esté listo para recibir.

La segunda razón porque la gente pierde la revelación de su Fin Esperado es porque no se dan cuenta cuando Dios les está hablando. ¿Cómo se puede saber con seguridad cuando usted está oyendo la voz de Dios y no sólo sus propios pensamientos?

La manera en que Dios habla es por medio del Espíritu Santo. El Espíritu de Dios planta Sus pensamientos en su espíritu mientras el envíe la misma idea a su mente. En otras palabras, cuando usted recibe la dirección de Dios, usted "sabe" en su interior que tiene que hacer algo. Este conocimiento será acompañado por un pensamiento paralelo.

Déjeme darle un ejemplo. Vamos a decir, que mientras usted estaba leyendo acerca de cómo estar en su posición real, usted *"sabía"* que se debe de involucrar en la fraternidad. Si te paras a pensar en ese momento, te darás cuenta de que también recibió un pensamiento correspondiente. Puede haber parecido algo así como: "¡tengo que participar!"

Sin embargo, a veces no somos capaces de distinguir si era de Dios o de nosotros mismos. ¿Por qué? Porque muchas veces tenemos la dirección de Dios en primera persona, en la forma de "Yo". "¡Yo necesito unirme" y también lo oímos en **nuestra propia voz**! Que puede sonar como su propia conciencia hablando con usted. Entonces, ¿cómo puedes saber la diferencia?

Cuando Dios comenzó a hablarme de escribir *La Serie Cautiverio*, tenia pensamientos como, "yo debería escribir un libro" o, "yo tengo que empezar." Lamentablemente, por diversas razones, no respondido inmediato a actuar en esos pensamientos. De hecho, finalmente dije que no. Y cuando lo hice, empecé a ponerme muy tenso. Cuanto más tiempo pasaba sin hacer caso a mis pensamientos, más agitada me convirtiera. Finalmente, llegué al punto en que fui completamente miserable, pero aún no reconocía porque.

Este sentimiento de agitación era mi signo revelador de que estaba escuchando de Dios, pero no le obedecía. Mi falta de paz fue mi indicador de que me estaba perdiendo la voz de Dios. ¿Te acuerdas de lo que Mardoqueo dijo a Ester cuando se negó a tomar una decisión sobre la revelación de su Fin Esperado? Él dijo: "*Porque si* **permaneces callada** *en este tiempo...usted se morirá.*" Una vez que Dios habla a su plan en su espíritu, y permaneces en silencio, no actúas sobre él, su espíritu y el Espíritu de Dios comenzará a contender uno con el otro. Esta pelea furiosa continuará aumentando en intensidad, el tiempo que permaneces desobediente.

Cuando Dios habla, y no actúas, se sentirá como si usted está literalmente muriendo! Esto es en última instancia, el motivo por qué Mardoqueo le dijo a Ester que ella moriría si permanecía en silencio. Él sabía que iba a pasar un dolor extremo al luchar con Dios en lo que la desobediencia trae.

La falta de paz significa que están fuera de la voluntad de Dios. Este es un indicador seguro de cómo se puede discernir si Dios te está hablando. ¿Se siente angustiado, confuso o difícil, pero no sabe por qué? ¿Hay una idea recurrente en tu mente que estás ignorando? Es probablemente una idea del Padre. Como permaneces en silencio, te sientes como si te estás muriendo.

Si Dios le está hablando y no estás respondiendo, puedes estar perdiendo la revelación de tu *"por un momento como este."* Revise sus signos vitales para ver si se está muriendo. Si es así, no se demore, actúa sobre el pensamiento que Dios te está enviando. Cuando te estás muriendo sus sentimientos cambian a la paz, usted sabrá que usted está escuchando y obedeciendo a Dios.

Una tercera razón un gran número de presos pierden posesión de su Fin Esperado es el miedo. Vamos a ver cómo Esther respondió a Mardoqueo cuando él le pidió que fuera ante el rey para pedir por la vida de su pueblo. Ella dijo: "*... cualquier hombre o mujer que se acerca el rey en el patio interior sin ser convocado el rey tiene una sola* *ley: la muerte... treinta días han pasado desde que fue llamado a presentarse ante el rey"* (Ester 4:11).

La reacción de Esther a la revelación de su misión era el miedo. Miedo a la muerte y el miedo de la insuficiencia. A Esther le dio miedo de ir ante el rey porque, literalmente, podría perder su vida, pero también se sentía inadecuada porque el rey no la había llamado en 30 días.

Miedo a la muerte y el miedo a la insuficiencia son dos cosas que pueden hacer que una persona pierda su Fin Esperado. Echemos un vistazo a cada uno de estos miedos para que pueda reconocer cuando te atacan. En primer lugar, el miedo a la muerte.

Cuando usted tiene una buena idea en su mente, su primera reacción es emocionarse. Usted comienza a pensar en ello todo el tiempo. Usted puede incluso ir por ahí diciendo a la gente sobre esto. Entonces sucede algo; te das cuenta de que, para que su idea se convierte en una realidad, tienes que tomar las medidas - ¡o ser como los demás y hablar sobre él idea el resto de tu vida!

Aquí es donde el miedo de la muerte viene a separar a los ratones de los hombres, por decir. Inconscientemente, nos da miedo aceptar asignaciones de Dios, porque eso significará la muerte de nuestro estilo de vida, nuestras zonas de conforte, y nuestras agendas personales. Siguiendo el plan de Dios significa el cambio y el sacrificio. Habrá muchas veces cuando se tiene que trabajar en su asignación cuando preferiría estar haciendo otra cosa. Por esto es qué tantas personas pierden sus sueños. Ellos no quieren renunciar a su propio ocio o tomar un riesgo y ejercerlo ellos mismos.

Como seres humanos, naturalmente rechazan el cambio al querer preservar nuestro bienestar y a nosotros mismos. Piense acerca de Esther. Cuando se enteró en la solicitud de Mardoqueo, estoy segura que al principio había muchos pensamientos egoístas. Sí, ella no quería morir, pero probablemente también no quiera perder su nueva posición y estilo de vida. Después de todo, nadie en el palacio sabía que era judío así que, si se quedaba con la boca cerrada, podía seguir viviendo su vida maravillosa como reina. Sin embargo, Mardoqueo se apresuró a recordarla que aun cuando ella trató de tomar el camino más fácil, que moriría de todos modos.

Esto es lo que la gente no entiende. Cuando usted elige su propia vida y conforte ante el plan de Dios, vas a morir de todos modos. Su silencio y la falta de voluntad para actuar hará que se pierda. ¡Sin embargo, cuando usted decide salir de su zona de conforte, tomar riesgos, y renunciar a ciertas cosas, su vida será mejor de lo que te puedas imaginar! Mira Esther. ¡Cuando finalmente se decidió a exponer su vida para continuar su misión, fue recompensada! Ella se quedó la reina, paso el privilegio de salvar la vida de su pueblo, ¡y también recibió el regalo de la gran propiedad de Amán!

Recuerdo que cuando Dios me dijo que deja mi trabajo para ir al ministerio a tiempo completo. Al principio, dudé porque no quería que mi estilo de vida cambiara. Me gustó el nivel de vida que mi sueldo me daba. Fue tan bonito tener dinero, ser capaz de obtener una peluquería y comprar ropa nueva. Eventualmente, sin embargo, me di cuenta de que tenía que morir a mis agendas egoístas. Ahora, al igual que Esther, estoy experimentando el privilegio de salvar la vida de las personas que están en cautiverio en la actualidad. ¡Sin falta decirlo, esto me da una alegría indescriptible y me llena de gratitud! Además de eso, Dios ha provisto para mí, un centenar de veces para el sacrificio que hice (Marcos 10:29-30).

El segundo temor que impide a las personas tomar posesión de su Fin Esperado es el miedo a la insuficiencia. Esther se sentía incapaz, porque el rey no la llamó a su presencia durante un mes. Estoy seguro de que muchos tenemos pensamientos de temor invadiendo su mente. ¿Sera que el rey ya no la deseaba, o tal vez pensó que no era lo suficientemente buena para él? Los pensamientos de insuficiencia pueden ser muy poderosos. Pueden paralizar emocionalmente hasta la persona más segura. Mira Esther. La Biblia dice que era muy hermosa, pero aún así, todavía que el miedo de la insuficiencia la hizo creer que el rey no la quería.

Te voy a dar una advertencia. El enemigo, Satanás, y su propia mente van a tratar de convencerte de que no eres lo suficientemente preparado para asumir el trabajo escogido por Dios. Me acuerdo de Satanás, diciéndome que yo no era nadie. Dijo que mis revelaciones no fueron lo suficientemente importantes como para estar en un libro. ¡Estos pensamientos, junto con el temor de que no estaba calificado para escribir este estudio, casi me impidió tomar medidas en mi tarea!

Quiero demostrar la prueba en la Biblia que Dios nunca te dará una misión que no puedes manejar. Vamos a ver en el libro de Mateo en la parábola de los talentos.

*"Una vez más, le compararé a un hombre que yéndose lejos, llamó a sus siervos y sus bienes a su cargo. A uno le dio cinco talentos, de dinero, a otros dos talentos, y al otro un talento, **cada uno según su capacidad.** Luego continuó su viaje. "*

El hombre que había recibido cinco talentos fue y negoció con ellos y ganó otros cinco. Así también, el de los dos, ganó otros dos. Pero el hombre que había recibido un talento fue, cavó un hoyo en la tierra y escondió el dinero de su señor.

"Después de mucho tiempo el señor de aquellos siervos, y arregló cuentas con ellos. El hombre que había recibido cinco talentos, trajo otros cinco. "Señor-dijo-, usted me confió cinco talentos. Mira, yo he ganado otros cinco. "Su señor le respondió:" ¡Bien hecho, siervo bueno y fiel! Has sido fiel en lo poco, te pondré a cargo de muchas cosas. ¡Entra en el gozo de tu señor! "

"El hombre de los dos talentos también vino. "Señor-dijo-, usted me encargó dos talentos, y mira que he ganado otros dos más." Su señor le respondió: "¡Bien hecho, siervo bueno y fiel! Has sido fiel en lo poco, te pondré a cargo de muchas cosas. ¡Entra en el gozo de tu señor!"Entonces el hombre que había recibido un talento. "Maestro-dijo-, yo sabía que eres un hombre duro, que cosechas donde no has sembrado y recoges donde no has esparcido. Así que tuve miedo y fui y escondí tu talento en la tierra..."' (Mateo 25:14-25).

En la parábola de los talentos, el maestro dio tres de los talentos a Sus siervos con que trabajen, mientras que él se había ido en un viaje. La Escritura dice que dos de los funcionarios tomaron sus talentos y se fueron a trabajar y duplicaron su inversión original.

Sin embargo, el tercer siervo no tomó ninguna medida en su talento, sino que lo escondió en la tierra. Cuando el maestro regresó, el funcionario dijo que no busco su misión, porque tenía **"miedo"**. En realidad, no había ninguna razón para que él tuviera miedo porque el maestro no le pidió que haga más de lo que podía manejar. Mira el principio de la parábola. Dice el maestro dio su talento funcionarios, ***"cada cual según su capacidad."*** Esta Escritura prueba que Dios sólo le pido que haga lo que ya está equipado hacer.

Dios sobrenaturalmente le permitirá completar cada misión que él le envía. Recuerdo una noche en la cárcel mientras trabajaba en el libro, realmente comencé a luchar. No podía hacer un capitulo bien. A medida que la noche avanzaba, empecé a sentirme tan poco ungido, sin poder, y poco digno. De hecho, después de unas horas, incluso me empezó a cuestionar si Dios en verdad me llamó a esto.

¡Finalmente, en un arrebato de frustración, grité en mi mente: "Señor, ayúdame!" Inmediatamente, le oí decir: "Yo estoy aquí." Su voz era tan clara que al principio me sorprendí, pero luego rápidamente, sus palabras lavaron mis dudas y temores, y mi escritura comenzó a fluir de nuevo. **¡A partir de esto, yo sabía que Dios me dio esta tarea, y siempre estaría conmigo para asegurarse de que se terminara!**

El Padre nunca le enviará una misión que no puede terminar. Desafortunadamente, muchas personas dejan que sus sentimientos de insuficiencia evitan que actúen en su revelación. ¿Qué sucede cuando usted deje que el miedo te convence de que pares su trabajo? La Biblia dice **¡que usted va a perder su oportunidad!** Vamos a ver de nuevo a lo que Mardoqueo le dijo a Esther en respuesta a su miedo.

*"...No creas que porque estás en la casa del rey que eres la única de todos los Judíos que se escapara. **Porque si permaneces callada en este tiempo, alivio y liberación de los Judíos surgirán de otro lugar, pero tú y la familia de tu padre perecerán..."***

Advirtió Mardoqueo a Ester que, si no tomara una decisión sobre su asignación, el alivio y la liberación de los Judíos vendría a través de otra fuente. Dios tenía un plan para salvar a su pueblo y su primera intención era utilizar a Esther para llevar a cabo este plan. Sin embargo, si Esther decidió no participar, la misión aún se llevaría a cabo con o sin ella.

El Señor quiere **usarte** para llevar a cabo sus planes. Desafortunadamente, si El en repetidas ocasiones presenta su propuesta, y usted no lo haga, el encontrará a alguien que lo haga.

Rápidamente, vuelva a la parábola de los talentos. Mira lo que el maestro dice al tercer siervo cuando, por miedo, él no pudo tomar una decisión sobre su asignación.

"¡Siervo malo y perezoso! ***Quitadle el talento y dadlo al que tiene los diez talentos"***

Debido a que el tercer siervo se negó a actuar en su misión, ¡el maestro se llevó su talento luego se lo dio a otra persona!

¿Te acuerdas de mi conversación con la hermana de Dana, cuando fui a hablar con ella acerca de la escritura de *La Serie Cautiverio*? Lo último que me dijo fue que, si yo no quería escribir el libro, lo haría por mí. ¿Entiendes lo que Dios estaba haciendo en su corazón? Él estaba preparación su corazón en caso de que yo negaría mi tarea. ¡No permita que los temores de insuficiencia hacen pasar su misión! Sólo recuerde que Dios nunca te dará más de lo que puedes manejar.

La cuarta razón y uno de los más grandes por qué las personas pierden su Fin Esperado es la pereza. Veamos de nuevo el tercer siervo en la parábola de los talentos. Este hombre dijo que no tomó ninguna medida en su tarea, porque tenía *"miedo"*. Ahora, echa un vistazo a la interesante respuesta que el maestro le dio a su declaración. El maestro dijo: *"Siervo **malo y perezoso**."*Toma nota que el maestro no llamó a su sirvienta miedoso, como había afirmado que era. ¡En cambio, el maestro lo castigó por la pereza! Dios conoce el corazón del hombre mejor que el hombre. ¡El siervo podrá haber tenido miedo, pero el maestro sabía que estaba también dispuesto a hacer el trabajo necesario para completar su misión!

Hay una condición para que sus sueños futuros llegan a pasar. ¡Usted debe hacer su parte! ¡Usted puede pensar que sería interesante hacer un ministerio de radio o un ministerio de televisión, pero en realidad eso tiene una enorme cantidad de trabajo! Usted debe ser disciplinado con el fin de tomar posesión de su futuro. Este ministerio "Expected End" no me lo entregaron.

He trabajado durante años en la preparación para ello. ¡De hecho, me tomó cuatro años sólo para escribir este estudio, y luego otro año más para que se publicara y apenas comenzar el ministerio! Escribir un libro y comenzar un ministerio son un trabajo duro. Ambos requieren de mucha disciplina. Hubo momentos en que tuve que superar la tentación de ser floja, pero, porque elegí ser diligentes para ver la misión hasta su final, ahora estoy recogiendo los frutos.

Muchas personas pierden su Fin Esperado, ya que procrastinan sobre cómo empezar. ¡O empiezan a toda velocidad luego se desvanecen! Usted debe hacer un compromiso total con su misión, y luego llevar su compromiso hasta el final, no importa el tiempo que sea necesario. Si no lo hace, su pereza, como el miedo, podría provocar la pérdida de la posesión de su sueño. Veamos de nuevo lo que el maestro le dijo al criado que era demasiado vago para trabajar en su asignación.

"¡Siervo malo y perezoso! Quitadle el talento y dadlo al que tiene los diez talentos "(Mateo 25:26, 28).

En este momento, algunos de ustedes están postergando o han dejado de trabajar en su asignación. ¡Peligro! ¡Cuidado! Su talento está a punto de ser eliminado y será dado a otra persona. ¡No es demasiado tarde! Supera su carne débil. Toma la decisión de dedicar un tiempo cada día para seguir su propósito. **¡Más que nada, siendo fiel a su trabajar para su asignación es lo que le permitirá alcanzar su meta y lograr sus sueños!**

Otra razón por la que mucha gente pierda la revelación de su final esperado es porque rechazan los pensamientos que Dios les está poniendo en sus mentes. Esto ocurre porque los pensamientos no tienen sentido para ellos. Permítanme explicar. Cuando Dios me dijo que escribiera este libro, no tenía sentido para mí porque nunca me he considerado un escritor. Pero vamos a ver lo que la Escritura dice acerca de esto.

"Confía en Jehová con todo tu corazón y no te apoyes en tu propia prudencia, Reconócelo en todos tus caminos y el hará derechas tus veredas "(Proverbios 3:5-6 AMP).

Cuando se trata de la revelación de su Fin Esperado, debe dejar a un lado todos los pensamientos e ideas propios. Cualquier idea que usted puede pensar que usted sabe acerca de su futuro sólo se pondrá en el medio de recibir el verdadero conocimiento de su propósito por el que fue creado.

Además, un montón de gente no confía en Dios con su futuro. Ellos creen que El le va a decir que hagan algo que no van a querer hacer. Bueno, puede estar seguro, aunque el Señor puede darle una misión que nunca había pensado antes, todavía se alinean con los deseos que ya ha colocado en su corazón.

Ya que me encanta enseñar, nunca he considerado ser un escritor. ¡Ahora, tengo que enseñar el libro que escribí a la gente en todas partes! Dios cumplió el deseo de mi corazón. ¡Él te dará algo que coincidan con sus deseos también!

Muy pronto, hay un último punto esencial que necesito compartir con ustedes para ayudarles a reconocer la revelación de su Fin Esperado. ¿Te acuerdas, en el comienzo de este capítulo, hablamos sobre el reconocimiento de la voz de Dios? Te dije que, si no actuaras en su revelación, te sentirías como si te estuvieras muriendo. Pues bien, lo contrario también es cierto. ¡Cuando tomas acción cuando Dios le está enviando un mensaje, usted tendrá una alegría **sobrenatural**! Permítanme explicar.

Una vez más, mirar la parábola de los talentos, pero esta vez mira la respuesta que el maestro le dio a los dos funcionarios que actuaron con prontitud en su asignación.

"El Señor le respondió:" ¡Bien *hecho, siervo bueno y fiel! ¡Ven a compartir la felicidad de tu señor! "*

A causa de su obediencia de realizar su asignación, los dos funcionarios fueron invitados a venir y compartir la *"¡felicidad de tu señor!"*¿Qué significa esto? La felicidad del maestro es diferente de la felicidad común. ¡Es la alegría que Dios recibe cuando sus hijos finalmente toman una decisión sobre lo que El quiere que sean! ¡Su Fin Esperado! ¡Debido a que es llamado felicidad del **maestro**, también significa que es sobrenatural! ¡Cuando son obedientes a actuar en su asignación puedes *"venir y compartir"* en ella!

¡Alegría sobrenatural es el indicador que ha tomado posesión de su Fin Esperado! Recuerdo que cuando el Señor me dio instrucciones para formar un equipo de oración colectiva en mi prisión. El trabajo del equipo, dijo, sería la de seguir las instrucciones de Jeremías a orar por nuestro lugar de exilio. Cuando el Señor me dijo esto, yo, naturalmente, supone Él quería que yo para liderar el grupo, pero, en cambio, Él me dio instrucciones para poner a una mujer llamada Remi a su cargo.

A pesar de que Remi ya había cumplido nueve años de prisión, todavía no tenía ni idea de su futuro trabajo con Dios. Una cosa es segura es que ella poseía una gran unción para la oración. El Señor me rebelo que El quería que Remi se pusiera en su "posición real" en el grupo porque ella necesitaba estar allí para poder recibir la revelación de su Fin Esperado.

Así que, rápidamente el equipo se reunió, estableciendo a Remi como su líder. Inmediatamente, Dios comenzó a hacer cosas poderosas en esas reuniones. Aún más emocionante, fue lo que le pasó a Remi. Sólo unas semanas después de que el grupo comenzó, la vi en el patio. Nunca olvidaré lo que habló sobre el proyecto. Literalmente llorando, ella gritó: **"¡Oh, la alegría, hermana Katie, la alegría!"**

¡En ese momento, supe que estaba pasando Remi alegría sobrenatural de Dios, porque ella había tomado posesión de lo que finalmente se convertiría en su Fin Esperado!

¡Cuando yo obedecí a Dios al comenzar a escribir este libro, me llene de inmediato con una alegría que nunca había sentido antes! ¡Cuándo usted siente la *"felicidad del maestro"* por primera vez, usted lo sabe porqués como nada de lo que ha sentido antes! ¡Cuando usted lo consigue, usted sabrá que oyó de Dios correctamente y has tomado posesión de su Fin Esperado!

En la carta de Jeremías a los cautivos, Dios se compromete a enviar, **hacia usted**, la revelación de su asignación. *"Porque yo sé los pensamientos que tengo acerca de vosotros...para darle el Fin Esperado."*

Asegúrese de que está en la posición correcta para recibir la revelación, y luego confía en que Dios mantendrá su promesa de dárselo. Una vez que su revelación llega, actúa en el. No interrumpa su búsqueda hasta lograr lo que Dios está dirigiendo qué hagas. ¡Te garantizo que sí usted hace estas cosas, pasaras la vida en más abundancia de lo que jamás podía soñar!

LECCIÓN DIECISIETE

1. Una de las explicaciones de por qué la gente pierde la revelación de su Fin Esperado está contenida en este versículo. *"¿Y quién sabe si no han llegado a la posición real de un momento como este?"* ¿Qué significa este versículo en relación a la recepción de la revelación de su Fin Esperado? ¿Está usted actualmente involucrado en la comunidad?

2. *"Porque si permaneces callada en este tiempo... que se pierda..."* (Ester 4:14). Según este versículo, si Dios está hablando a usted, pero no realiza ninguna acción en lo que se está moviendo a hacer, se sentirá como si estuviera literalmente _____. (Llene el espacio en blanco.) ¿Se ha sentido así últimamente? ¿Qué pensamientos o ideas recurrentes has ignorado que podría ser de Dios?

3. ¿De acuerdo con este versículo, cual fue la primera reacción de Esther a la revelación de su trabajo?*"... Cualquier hombre o mujer que se acerca el rey en el patio interior sin ser convocado el rey no tiene más que una ley: que se le puso a la muerte... treinta días han pasado desde que fue llamado para ir al rey"* (Ester 4:11).

4. ¿Cuando Dios revela su misión, estarás listo para "morir" a tus propios deseos y poner todo de lado para conseguirlo?

5. En la parábola de los talentos, la Biblia dice que el maestro dio sus talentos a los funcionarios, *"cada cual según su capacidad."* ¿Crees que Dios te dará más de lo que no puede manejar? ¿Creen que sobrenaturalmente le permitirá completar el trabajo que Él le asigna?

6. De acuerdo con estos versículos, ¿qué sucede cuando no se actúa sobre la revelación de su final previsto? *"... No creas que porque estás en la casa del rey que el único de todos los Judíos se escape. Porque si permaneces callada en este tiempo, respiro y liberación de los Judíos surgirán de otro lugar, pero tú y la familia de tu padre pereceréis "*(Ester 4:13-14). *"..." ¡Siervo malo y perezoso! ... Tome el talento, y dadlo al que tiene los diez talentos"*(Mateo 25:26, 28).

7. La pereza es una de las razones principales por las que la gente pierda su Fin Esperado. Escriba los siguientes versículos en el espacio de abajo. *"¡Siervo malo y perezoso! ... Tome el talento, y dadlo al que tiene los diez talentos "*(Mateo 25:26, 28). ¿En qué áreas de tu vida que están mostrando signos de pereza? ¿Está usted dispuesto a perder su futuro sobre ella?

8. Escribe Proverbios 3:5-6 y explica lo que significa respecto de la evelación de su ¿Fin Esperado?

9. Si usted no puede tomar una decisión sobre los pensamientos que Dios te envía con respecto a su final previsto, se sentirá como si usted está literalmente muriendo en una tierra seca y desierta. Pues bien, lo contrario también es cierto. ¡Cuando usted toma acción en los pensamientos que Dios te da, sentirás una **alegría sobrenatural!** En la parábola de los talentos, mira la respuesta que le dio el maestro a los dos funcionarios que actuaron con **prontitud** en sus tareas. *"Su señor le respondió:" ¡Bien hecho, siervo bueno y fiel! ... ¡Ven a compartir la felicidad de tu señor! "*(Mateo   25:21).

    ¡Alegría sobrenatural es el indicador que ha tomado posesión de su Fin Esperado! Cuando usted ha sido obediente a actuar en su asignación serás bendecido para *"venir y compartir en su __ _____ "* (Llene los espacios en blanco.)

CAPITULO DIECIOCHO

Una Profecía Contra Babilonia

"¡Elam, ataca, Media, hecha ponle sitio…Babilonia a caído, ha caído!" Isaías 21:2,9

Acostado en mi celda a finales de Septiembre una noche meditando en el Señor. Había sido mi ritual nocturno durante años. Esa noche, yo tenía una pregunta para él, y estaba esperando a la espera de su respuesta.

Un año antes, me dieron una sentencia de 13 años, después de dos años de lucha en los tribunales federales. La noche de mi pena, llamé a mi mamá y papá para darles la mala noticia. Fue entonces cuando hablamos de la posibilidad de apelar mi caso.

"Sólo Dios sabe si se gana o se pierde", les dije. "Por eso quiero saber de él antes de hacer cualquier cosa." Ambos estuvieron de acuerdo conmigo, y luego hicimos un pacto para ir ante el Señor individualmente para buscar su voluntad en cuanto a la apelación.

"Quiero hacer lo que Dios nos dice que hagamos," fueron mis palabras de despedida, "incluso si eso significa hacer todo el tiempo." A pesar de este comentario podría haber hecho me suena como Miss Súper cristiana, en el fondo yo estaba realmente esperando que no tendría que pasar por ello. Yo no quería estar tras las rejas por 13 años. Yo estaba orando para que Dios estaría de acuerdo conmigo. Afortunadamente, no tuve que esperar mucho tiempo para su respuesta, porque esa noche me habló en un sueño.

Mientras yo dormía, vi una pantalla en negro en mi mente con la palabra impresa ELAM, en grandes letras blancas. Cuando me desperté, la visión era tan claro que era como si fuera una imagen grabada en mi memoria.

Inmediatamente, llamé a mis padres para preguntarles acerca de Elam. Cuando mi mamá me dijo Elam era Persia, la bombilla se me encendió. Yo sabía de mis estudios de los cautiverios del Antiguo Testamento que Persia, bajo el liderazgo del rey Ciro, liberó a los Israelitas de la prisión en Babilonia. ¡Esta realización me dio un escalofrió en todo mi cuerpo! ¡Supe en ese momento que Dios estaba a punto de decirme algo maravilloso!

Armado con las referencias bíblicas en Elam, regresé a mi celda, y luego comencé a buscar la Biblia para las instrucciones de Dios. Cuando llegué a Isaías 21, sabía que él respondió a mi pregunta acerca de la apelación.

Lo primero que vi fue la partida de este capítulo, ya que, literalmente, saltó a mi vista. *"Una profecía contra Babilonia"*, declaró. Porque sabía que Babilonia representa el sistema judicial, las palabras que siguieron parecían de 10 metros de altura y sin duda. Dice la Escritura,

¡Elam, el ataque! ¡Los medios de comunicación, el asedio! ... ¡Babilonia ha caído, ha caído!

"La respuesta de Dios a mi pregunta fue clara. Si se hiciera la apelación, Babilonia caería y ganaríamos. Olas de alivio y emoción fluían en mí mientras corrí a llamar a mis padres con la noticia. Unos días más tarde, ellos también recibieron su confirmación, en el momento en que mi madre, que ahora sonaba muy seguro, dijo,"

¡Creemos tanto que lo que dijo el Señor va a suceder, vamos a darte el dinero! Entonces mis padres utilizaron los fondos que recibieron de la venta de su propiedad para contratar a un abogado de apelación.

Ahora, era año más tarde. Yo creía que me iba a casa, pero ¿cuándo? Me sentí como que algo iba a ocurrir en noviembre, que estaba a la vuelta de la esquina. Así que, a finales de esa noche de septiembre, mientras estaba acostada en mi cama, en silencio hablaba con el padre de mi liberación.

"Señor, tú sabes que desde el día en que entré en esta prisión a través de la fe en ti, les dije a todos acerca de Elam, y cómo Usted iba a permitir que me fuera a casa."

Cuando termine este pensamiento, me tome una breve pausa para contemplar cómo iba a hacer mi pregunta. "Siento que algo va a ocurrir en Noviembre."Seguí, y luego hice una pausa antes de preguntar tímidamente: "¿Estoy en lo cierto? Ojala que así sea."

Sintiéndome confidente, había estado disparando la boca, diciéndole a todo el mundo que estaría en casa a tiempo para comer la cena de Acción de Gracias, que fue el 22 de Noviembre. Como ya he dejado mi diálogo con el Señor por un minuto, mi mente se alejó a imaginarme llegar triunfalmente, a casa a tiempo para cocinar el pavo para mamá y papá. Desde que la oficina federal de política declaró que nadie fue liberada en días festivos o fines de semana, me gustaría que me dejaran salir el día antes de Acción de Gracias - 21 de Noviembre.

"Está bien, Señor.", Pensé mientras volví mi atención hacia él. "¿Si voy a casa a tiempo para la cena de Acción de Gracias, dime cuántos días hay desde ahora hasta el 21 de Noviembre?"

De inmediato me detuve y me tranquilice. En la quietud de mi mente, escuché: "57." Al principio pensé: "Eso era sólo yo", pero luego decidí revisar. Me senté en mi cama y empecé a contar los días en mi calendario. ¡Cuando llegué a 57, llego al 21 de Noviembre y saltó mi corazón!

"Tal vez cometí un error", pensé. Por lo tanto, tome una respiración profunda, poco a poco lo conté una vez más para asegurarme. Una vez más, llego al 21 de Noviembre.

"¡No puede ser!" Ahora, mi respiración continuaba rápidamente, pero todavía me obligué a contar muy despacio mientras intentaba por tercera vez. Cuando llegué hasta el 21 de nuevo, pensé, "No hay manera de que pudiera haber calculado este número tan rápidamente por mi cuenta. Tiene que ser el Espíritu Santo. "¡A medida que la realización empezó a tomar profundidad, me asusté! ¡Me iba a casa!

Al día siguiente, salí corriendo a decirle a todo el mundo en las instalaciones de lo que el Señor dijo, pero pocos me creyeron. Los demás me miraron con una expresión divertida. Al final del día, la noticia corrió como reguero de pólvora hasta que la mayoría de los internos se estaban riendo de mí. Hice como que no me importaba, pero en el fondo si me importaba, así que esa noche me fui al Señor una vez más.

"Padre, ellos piensan que estoy loca, pero no puedo dejar de decirle a todo el mundo lo que estás haciendo." En ese momento, abrí mi Biblia. Cayó en Jeremías 20. Mientras leí el capítulo, allí estaba, Jeremías había pasado exactamente lo que estaba pasando.

"...Fui ridiculizada durante todo el día, se burlan todo el mundo de mi... la palabra del Señor me ha traído insultos y reproches... Pero si digo: "Yo no lo menciono ni hablaré más en su nombre," Su palabra está en mi corazón como un fuego, un fuego encerrado en mis huesos. Estoy cansado de aguantarlo por dentro, de hecho, no puedo "(Jeremías 20:7-9).

Así como Jeremías, la palabra de Dios me había traído el ridículo. Sin embargo, se sentía como un fuego en mis huesos que no pude contener.

"No me importa lo que dicen Señor", pensé, ya que enderecé los hombros. "Yo te creo y yo voy a seguir diciéndoles todos lo que usted dice." Al leer el resto de la queja de Jeremías, sentí que estaba en buena compañía.

Los próximos 57 días fueron muy interesantes por lo menos. Mantuve el testimonio, no importa lo que se dijera sobre mí. Dios, a su vez, me animó dándome docenas de confirmaciones de que, efectivamente, iba a cumplir su palabra.

Como se acercaba el día, las personas contienen la respiración en suspenso. Incluso los incrédulos estaban ansiosos. Era como si quisieran que sucediera para tener una razón para creer. A continuación, el personal se enteró y uno de los consejeros en mi vivienda me llamó a su oficina.

"Por lo tanto, he oído que te vas el 21 de Noviembre," preguntó ella. Yo no lo creo. Yo lo sé. ", le respondí.

"¿Cómo es eso, cuando se tiene una sentencia de 13 años?", dijo ella.

Asique le dije lo que Dios me dijo. Su respuesta fue de llamar a dos oficiales para que me llevaran a la psiquiatra de la prisión.

"¿Así que estas escuchando voces?" Comenzó el psiquiatra, sus ojos entrecerrados, como ella me miró con escepticismo.

"No exactamente", le contesté. "Oigo a Dios dándome dirección."

"¿Así que crees que estás escuchando la voz de Dios?, ¿eh?" Su tono confirmando que ahora creía que era muy loca.

"¡Bueno, no se oye una voz grande diciendo:" Katie, es Dios! ", Dije, imitando un tono más fuerte estruendo. "Oigo la dirección del Espíritu Santo hablando a mí en mi mente. Yo entiendo la voz de Dios a través de la dirección de las Escrituras."

"¿Ah, sí? " dijo ella con desafío. En ese momento, pude ver la incredulidad en su rostro. "¿Crees que hay que ponerte en vigilancia de suicidio?", dijo ella.

"¡Por supuesto que no!", Dijo con firmeza. "No cree lo que estoy diciendo, porque simplemente no creen. Es una cosa de Dios, ¿sabes?

"Ella siguió con las preguntas durante otra media hora antes de que finalmente me dio una cita para el 21 de Noviembre. "Cuando esto no sucede", dijo, explicando por qué puso el 21 como la fecha de mi salida", tendrás que venir a verme."
A medida que me alejaba de su oficina, mi último pensamiento fue "¡Lo que sea!

"21 de noviembre por fin llegó. Mi compañero de cuarto Angie y yo estábamos terminando un ayuno de 3 días. ¡Era pasado al mediodía y yo estaba en medio de una reunión de oración, cuando de repente una de las hermanas vino corriendo a decirme que la oficina de registros me habían llamado!

"¡Eso es!" Grité y salté hacia la capilla con otra hermana a mi lado. Llorando, nos dirigimos hacia abajo a los expedientes. ¡Al doblar la esquina, prácticamente rompimos la puerta! "¿Me llamaste?" dije, sin aliento.

La mujer se levantó de la mesa y sacudió la cabeza. "No, debe haber sido un error.", Dijo ligeramente. Ah, y que error tan cruel. El resto del día llego y no pasó nada - ¡nada! Me sentí devastada. Toda clase de emociones y preguntas pasaron por mi mente. ¿Qué salió mal? Yo estaba tan segura de que había oído del Señor. De hecho, cuanto más lo pensaba, más me di cuenta de que no estaba molesta de no ir a casa. Mi preocupación era de ser capaz de obtener una palabra exacta de Dios. Sin esto, yo sabía todo lo demás se perdiera.

Luego estaba el ministerio. ¿Mi error causara heridas en la fe de otras personas? ¿Cómo podría continuar liderando a las mujeres después de esto? Comencé a preguntarme si estaba o no calificada aún. ¿Me atreví a seguir enseñando, y guiando a las ovejas?

Inmediatamente, el enemigo se aprovechó de lo que estaba sucediendo. Él trató de establecer una fuerte fortaleza en mi mente, murmurando que todo lo que he oído del Señor, cada palabra profética, la dirección para el ministerio e incluso la palabra sobre mi apelación fue equivocada. ¿Quería esto decir que mis padres pasaron decenas de miles de dólares basados en una mentira?

El ataque mental continuó. Me sentí enojado con Dios. ¿Por qué no me advertiste? ¿Por qué no me protegiste del engaño del enemigo? Ahora yo era sospechoso de la voz dentro de mí que yo había llegado a apreciar y confiar. , Confundida y abrumada, comencé a rechazar cualquier orientación que El me estaba dando. Después de todo, ¿de dónde estaba realmente viniendo? Comencé a fallar.

"Dios mío, ¿dónde puedo ir?" Yo estaba roto. La alfombra fue sacado de debajo de mí, pero ya era demasiado tarde. Yo estaba enganchada: Enganchada en Dios. A pesar de que estaba en la desesperación total, yo sabía que no tenía otra opción sino seguir adelante. Por lo tanto, me eché para delante. Continué yendo a la oración y la iglesia a pesar de que no me dio la gana. Incluso volví a la enseñanza de estudios de la Biblia, dejando a un lado la vergüenza.

Pasaron seis meses. El ministerio estaba dando fruta. Yo estaba enseñando *La Serie Cautiverio* y el Señor empezó a enseñarme a escribir la serie. Sin embargo, el miedo y la duda, ayudado por la memoria de mi reciente catástrofe, estaban trabajando en mi contra. Sin embargo, aunque con firmeza trate de ignorar lo que Dios me estaba diciendo que haga, pronto me di cuenta de que sería completamente miserable hasta que le obedeciera. Así que finalmente me rendí a la revelación de lo que sería mi Fin Esperado y fue entonces cuando sucedió.

Llamé a mi mamá y papá una noche y me dijeron que ganamos nuestra apelación. Yo iba a volver a la corte para re-sentencia! Cuando lo oí, yo estaba tan aturdido que les pedí que lo repitiera de nuevo tres veces. Después de colgar el teléfono, el Señor me informó que cumplió lo que me dijo de Elam, lo que significa que he oído y entendido lo correcto. Gane la confianza de nuevo.

Tres meses más tarde, fue trasladado a los tribunales para re-sentencia a través de la infame Con-Air. Cuando llegué, mi abogado me dijo que la Fiscalía iba a tratar de darnos más tiempo, pero me volvió a hablar el Señor. *"Todos los que la rabia contra ti serán como nada"*, dijo él y, como siempre, ¡él tenía toda la razón! ¡Cuando se hizo todo, salí de la prisión con siete años quitados! Dios dijo Babilonia caería, y de hecho lo hizo. ¡Me iba a casa!

Como yo estaba volando de vuelta a mi prisión para completar el resto de mi tiempo, no podía dejar de preguntarme qué estaba pasando con el número 57 y la fecha de 21 de Noviembre. ¿Cuál será la nueva fecha de salida? Mientras estaba sentada allí, atado a mi asiento, mirando en las nubes ondulantes fuera de mi ventana, sentí una emoción levantarse en mi espíritu. ¿Podría ser que escuché de El correctamente, pero tuvo la interpretación equivocada? De cualquier manera, pronto lo descubriría.

Dos meses angustiosos pasaron antes de que mis papeles fueron completados. Finalmente, llegó el día que el gerente me llamara para darme mi nueva fecha. A medida que me entregó el papel, lo agarre di una pausa y luego mire hacia abajo. Cuando vi las palabras "Fecha prevista de lanzamiento, **de Noviembre**..." Yo respiró fuerte,

"¿Podría ser?" Yo pensé, mientras un grito comenzó a levantarse en la garganta, pero cuando vi la fecha que seguía, mi grito fue cortado.

"¿23 de Noviembre?" Dije en voz alta en confusión. "No me lo puedo creer." Sacudí la cabeza y mire el papel de nuevo para estar segura. En efecto, allí estaba el número 23 mirándome burlonamente. Mi nuevo consejero, sin darse cuenta de lo que estaba pasando, parecía confundida. No sentía las ganas de explicárselo, me di la vuelta y arrastrando los pies murmurando,

"¿Por qué, Señor?, ¿por qué?"

Cuando entré en mi celda, tire el papel con disgusto. "23 de noviembre." Le dije a mi compañero de cuarto Angie ya que se subió a su litera para ver su calendario. "Yo estaba equivocada por dos días, Ang."

"¿23 de noviembre? ¿Qué pasa con eso? ", Preguntó desconcertada.

"El 23 es un Sábado." Continué, después de encontrar la página donde se encuentra Noviembre, "Esto significa que ellos me pondrán en libertad el Viernes 22."

Frustrada, deje escapar una exhalación fuerte. "¡Sólo un día equivocada!" dije. "Un día equivocada", Angie lo repitió también, igual de desconcertada.

Permanecí sentada y aturdida durante un rato, con la mirada perdida en el calendario con un millón de preguntas pasando por mi mente. Entonces, de repente me di cuenta. ¡Yo estaba mirando el 2002, el año equivocado! Rápidamente, me dirigí a la parte de atrás de la agenda en busca del siguiente año, pero no estaba allí.

"Ang" dije, "¿dónde está 2003 en esta cosa?"

"No lo tiene." Ella respondió con una mirada interrogante.

Sin tiempo de explicar, salté de la litera de arriba, cogí mi papel de salida y me fui corriendo por el pasillo hasta la celda de una amiga. Cuando entre por la puerta, adentro, todos saltaron.

"¿Tiene un calendario de 2003?" Grite frenéticamente.

"¿Qué está pasando?", Dijo ella con una pausa, mientras bajaba el calendario para dármelo en la mano.

"¡Tengo mi nuevo día de salida!", Dije sin aliento, los dedos pasando a través de las páginas.

Al instante, la habitación estaba tranquilo, porque todos sabían lo que estaba pasando. Temblando, finalmente llegué el mes de Noviembre, y luego se deslizó de mi dedo índice rápidamente a través de la página brillante para el día 23.

"¿Y bien?" Alguien preguntó finalmente.

"¡Oh, gracias, Jesús!" Susurré, apenas respirando.

"23 de Noviembre cae en domingo", anunció a todo el mundo", lo que significa..." Hice una pausa de nuevo casi sin oxígeno. "¡Tendrán que liberarme viernes, **21 de noviembre!**"

Cuando hablé la última frase, mi volumen alcanzó un punto culminante, a continuación, la sala explotó cuando grité la fecha. Al instante, todo el mundo se saltó para abrazarnos todos juntos. Entonces, todos empezaron asaltar, sin parar hasta que todos se vinieron a la puerta.

Como me libre del círculo para correr de nuevo a decirle a Angie, todos siguieron. En el camino, hemos creado tanto revolución que la gente empezó a salir de sus habitaciones para verlo que estaba causando el alboroto. ¡En cuestión de minutos, la noticia corrió como reguero de pólvora dé nuevo, pero esta vez para la Gloria de Dios! Fue un poquito más tarde cuando las cosas se calmaron un poco y me di cuenta de21 de Noviembre 2003, iba a ser mi mes **57** en cautiverio. ¡Dios NO comete errores!

1. ¿Dios te hadado una promesa? Es así, escríbalos detalles en el espacio de abajo. Incluyen las Escrituras que El le habló en relación a esa promesa.

2. ¿Por qué a veces parece quela promesa nunca va a suceder? ¿Por qué?

3. ¿Qué cosas le están haciendo dudar?

4. ¿A quién va a creer? ¿Sus dudas, o la Palabra de Dios, y las promesas qué ha hablado a usted?

5. Pídale a Dios en este momento que afirma sus promesas. Ora y luego silénciate. Deja que el Señor habla la Escrituras en su mente para confirmar que lo que dijo va a suceder. Si usted recibe una Escritura que El le hablo, escríbalo, memorizarla y reza con frecuencia. Sin embargo, si usted consigue una Escritura que no existe o tiene sentido, sólo se la audición de su propio pensamiento, no de Dios.

CAPITULO DIECINUEVE

Babilonia ha Caído

De la carta de Jeremías a los exiliados

"Me buscaras y me encontraras cuando me busques con todo tu corazón. Yo seré encontrado por ti,' declaro el Señor, 'yo te traeré de regreso del cautiverio. Yo te recogeré de todas las naciones y lugares de donde te he desaparecido,' declaro el Señor, ' y yo te traeré de regreso al lugar del cual te lleve al exilio."
Jeremías 29: 13-14

"El Señor llevara a cabo su propósito, su decreto contra la gente de Babilonia. Tú que vives por muchas aguas y eres rico en tesoros, Tu fin ha llegado, el tiempo para que seas cortado."
Jeremías 51:12-13

En el año 539 a. de JC, la ciudad de Babilonia, que estaba situado en el río Éufrates, cayó al rey Ciro de Persia y de sus ejércitos. El historiador griego Herodoto nos dice que Ciro, viendo la imposibilidad de romper los enormes muros de Babilonia, decidió ir en su lugar. En primer lugar, colocó algunos de sus fuerzas en el lugar donde el río se fue debajo de los muros de la ciudad. Luego, tomó el resto de su ejército aguas arriba donde se excavó un canal para desviar el flujo del Éufrates en un pantano cercano. Cuando el nivel del río bajó lo suficiente, que permitía a los hombres de Ciro a la derecha en marcha bajo las murallas de Babilonia para tomarlos por sorpresa.

El capítulo 5 del libro de Daniel nos dice lo que ocurrió simultáneamente dentro de la ciudad esa noche. Los Babilonios, muy seguros de su enorme fortaleza no estaba en peligro, estaban involucrados en una fiesta de la bebida y el baile, cuando se produjo el ataque furtivo. El rey Baltasar estaba lanzando un banquete para mil de sus príncipes. Durante las festividades, se llevó a cabo los vasos de oro y plata tomados del templo de Jerusalén para que sus clientes podían beber de ellos. Asistentes a la fiesta como el tostado de sus dioses paganos con los vasos sagrados, apareció una mano desde el reino de lo sobrenatural para escribir un mensaje en la pared. El mensaje decía que Dios le había contado los días del reinado de Baltasar y la llevó a su fin. Su reino fue dividido entre los medos y los persas. Aquella misma noche, Ciro marchó adentro, y Baltasar lo mataron, y luego Darío de Media se hizo rey. La poderosa Babilonia cayó en una noche. El pueblo de Israel fueron liberados después de su cautiverio.

Siglos antes, el profeta Isaías predijo de esta fatídica noche con una precisión aterradora:

"Profecía sobre el desierto del mar. Como torbellino del Neguev, así viene del desierto, de la tierra horrenda. Visión dura me ha sido mostrada. El prevaricador prevarica, y el destructor destruye. Sube, oh Elam; sitia, oh Media. Todo su gemido sin cesar...Se pasmo mi corazón, el horror me ha intimidado; la noche de mi deseo se me volvió en espanto. Ponen la mesa, extienden tapices; Comen, beben. ¡Levantaos, oh príncipes ungid el escudo! ¡Después hablo y dijo: Cayo, cayó Babilonia!](Isaías 21:1-2, 4-5, 9 AMP).

Esta profecía de Isaías, se habla de cientos de años antes de la caída de Babilonia, prueba de la liberación de los cautivos Israelitas no era una simple casualidad, sino por la mano de Dios a través del vehículo de un rey. ¿Quién era este rey?

Ciro el Grande (580-529 a. de JC), fundador de Persia por unir dos tribus Iraníes, los medos y los persas. Durante su vida, Ciro conquistó muchas naciones, incluyendo Babilonia, en octubre de 539 a. de JC. Sin embargo, Cyrus fue más que un gran rey y conquistador. La Biblia dice que fue el instrumento escogido por Dios para liberar a los Israelitas de su cautiverio. Doscientos años antes de que Ciro naciera, el profeta Isaías lo llamó por su nombre y anunciada de la misión que Dios planeó para su vida.

"Esto es lo que dice el Señor a su ungido, a Ciro, cuya mano derecha me apoderarse de someter a las naciones delante de él y para despojar a los reyes de sus armaduras, para abrir las puertas delante de él a fin de que las puertas no se cerrarán: Yo iré antes de que usted y el nivel de las montañas, voy a romper las puertas de bronce y cortar barras de hierro ... Él reconstruirá mi ciudad y soltará mis cautivos ... "(Isaías 45:1-2, 13).

¡El desglose de las puertas de bronce y el corte a través de barras de hierro! Ciro fue llamado a sacar un "jailbreak" literal y luego ayudar a los hijos de Israel a reconstruir Jerusalén. De hecho, después de que Ciro derrotó a Babilonia, después liberó a los cautivos, publicó este anuncio sobre las minas terrestres en casa de Israel a cambio.

*"En el primer año de Ciro, rey de Persia, **con el fin de cumplir con la palabra de Jehová por boca de Jeremías, el Señor se movió el corazón de Ciro**, rey de Persia para hacer una proclamación en todo su reino y lo puso por escrito: Esto es lo que Ciro, rey de Persia, dice: "El Señor, el Dios del cielo, me ha dado todos los reinos de la tierra y él me ha nombrado para construir un templo para él en Jerusalén, en Judá. Cualquier persona de su pueblo en medio de ti - sea su Dios con él, y le dejó ir a Jerusalén en Judá y en la construcción del templo de Jehová... "*(Esdras 1:1-3).

Después de la derrota de Babilonia, Ciro ayudó a los cautivos para reclamar su casa. En el año 537 a. de JC, en la orden del rey, 40.000 Judíos se fueron de Babilonia cargado de bienes y cosas preciosas que pueden utilizar en la reconstrucción de

Jerusalén. Las Escrituras dicen que Dios se movía sobre el corazón de Ciro para que la promesa de la carta de Jeremías pudiera cumplirse.

"....Porque me buscaréis con todo vuestro corazón. Y seré hallado por vosotros, dice el Señor, y te hará volver de su cautiverio... y le llevará de vuelta al lugar desde el que os he llevado al exilio "(Jeremías 29:13-14).

¡Dios cumplió su promesa de traer a casa Israelitas levantando a un libertador para liberarlos! Muchos de ustedes están listos para ir a casa. ¡Han cumplido los propósitos de Dios para su tiempo por lo que creo que Él va a defender su causa para que salga! Bueno, déjame decirte que el secreto para obtener su libertad: ¡Escuchar a Dios y seguir sus instrucciones!

Me enteré del Rey Ciro, a través de una palabra personal que el Señor me dio en mi caso. Después de perder mi juicio, mis padres y yo empezamos a buscar un nuevo abogado. A pesar de que había pocas opciones para elegir, el Señor dirigió a un hombre llamado Billy Blackburn.

"Él es Cyrus." El Señor me dijo.

"¿Qué quieres decir, Señor?", Le pregunté. El Padre me ha llevado a estas Escrituras acerca de Ciro.

"...Aliado escogido del Señor cumplirá su propósito en contra de Babilonia, y su brazo estará contra los Babilonios. Yo, yo, hemos hablado, sí, lo he llamado. Yo te lo traeré, y que tendrá éxito en su misión "(Isaías 48:14-15).

Después de leer este versículo, yo sabía que el Señor estaba diciendo que Billy era mi Cyrus. Él era el hombre que Dios escogió para redimirme de mi cautiverio.

Déjame decirte la razón por la que gané mi caso. ¡Mi familia y yo vamos a Dios directamente durante todo el proceso! Nosotros presentamos una apelación porque Dios nos dijo que lo hiciera. Hemos contratado al abogado que Dios nos dijo que contratáramos. Hemos escuchado al Señor, ¡hemos obedeció sus instrucciones y obtuvimos la victoria!

Dios tiene un plan detallado con respecto a su liberación. Mira Cyrus. ¡El Señor le dio un plan específico sobre la manera de derrotar a Babilonia: Pase por debajo de las paredes en vez de tratar de pasar por ellos! Como Ciro siguió este plan, no perdió un solo hombre esa noche. ¡Babilonia se rindió completamente a él sin luchar! ¡Así de fácil son las cosas cuando Dios está en él!

Los planes de Dios siempre funcionan. ¿No te hace preguntar por qué tan pocas personas lo consultan acerca de su liberación? He conocido a innumerables prisioneros que pierden su tiempo y dinero en abogados inadecuados y movimientos inútiles. He visto a gente levantar sus esperanzas para estar totalmente decepcionado porque creía que los últimos rumores en el patio de algún ley "milagroso" que iban a pasar. ¡Incluso he conocido presos que se han enamoró de un esquema que podría comprar su salida de prisión! Me parte el corazón, cuando el plan de Dios fácilmente podría haber obtenido su libertad.

Usted tiene que consultar a Dios por su estrategia de batalla. Mira de nuevo la Escritura acerca de Ciro y su éxito en su misión contra los Babilonios. Mira de cerca el verso que sigue.

"...Aliado escogido del Señor llevará a cabo su propósito contra Babilonia, y su brazo estará contra los Babilonios. Yo, yo, hemos hablado, sí, lo he llamado. Yo te lo traeré, y que tendrá éxito en su misión..." **"Yo soy el Señor tu Dios, que te enseña lo que es mejor para usted, que usted dirige en el camino que debes seguir. Si tan sólo había prestado atención a mis mandamientos, tu paz habría sido como un río..."** *(*Isaías 48:14-15, 17-18).

Sólo el Señor puede dirigir qué camino tomar con respecto a su liberación. ¡Si usted lo escucha a él, usted tendrá la victoria! Sin embargo, si escucha a sí mismo o haces lo que el mundo le dice que haga, va a fracasar.

Tienes que aprender a buscar al Señor para escuchar su dirección. Cuando usted se sienta delante de Él en oración y en el estudio de las Escrituras, Él te dará instrucciones detalladas sobre qué curso deben seguir. No se preocupe que usted no será capaz de comprender la revelación por el Espíritu Santo y su conocimiento de la cautividad de Israel le ayudará. Créeme, no es tan difícil como usted piensa. Toma mi caso, por ejemplo. Cuando le pregunté si debía apelar mi condena, Dios me dio la siguiente escritura:

"¡Elam, el ataque! ¡Los medios de comunicación, el asedio!... ¡Babilonia ha caído, ha caído!"

¿Qué significa esto para usted ahora que usted sabe la historia de Israel? Probablemente lo mismo que significó para mí. ¡Ataque en la Corte de Apelaciones y gana! Dios quiere que usted entienda la revelación. ¡Si no, no le ayuda!

Si ya ha presentado mociones o tomado algún tipo de acción sin buscar a Dios en primer lugar, no se desespere. Todavía puede solicitar la ayuda de Dios. Luego, una vez que reciba su estrategia de batalla, la siguen a través, incluso si va en contra de la opinión del mundo. Recuerde que el camino de Dios, no del hombre, le llevará a la victoria. Usted debe dejar que el Señor recoge las armas de su redención. Si simplemente confiaras y obedecieras a Él, Él levantará un Ciro para que usted, como lo hizo con Israel. Entonces, Él cumplirá sus planes maravillosos para tu vida.

LECCIÓN DIECINUEVE

1. Jeremías29:13-14 dice: *"Me buscaréis y me hallaréis, porque me buscaréis de todo vuestro corazón. Y seré hallado por vosotros, dice el Señor, y te hará volver de su cautiverio. Yo os recogeré de todas las naciones y los lugares donde te he desterrado, dice Jehová, y le llevará de vuelta al lugar desde el que os he llevado al exilio."* Cuando uno busca a Dios con todo tu corazón para construir una relación con Él y se convertirse en lo que Él te creó para ser, por encima de la Escritura dice que Él", *le llevará de vuelta a* _____ "(Llene los espacios en blanco.)

2. ¿Cuánto tiempo se le dio en su sentencia? ¿Está usted luchando con tu caso? ¿Necesita el tiempo del favor de Dios?

3. El rey Ciro derrocó a Babilonia en una sola noche, liberó a los cautivos Israelitas les ayudó a reconstruir Jerusalén. Isaías 48nos dice Ciro,"... *aliado escogido de Jehová cumplirá su propósito en contra de Babilonia, y su brazo estará contra los Babilonios. Yo, yo, hemos hablado, sí, lo he llamado. Yo te lo traeré, y que tendrá éxito en su misión."*¿Por qué cree usted que Ciro tuvo éxito en su misión?

4. Isaías 48:17-18dice: "... *Yo soy el Señor tu Dios, que te enseña lo que es mejor para usted, que usted dirige en el camino que debes seguir. Si tan sólo había prestado atención a mis mandamientos, tu paz habría sido como un río..."*Según la Escritura, ¿dónde debe buscar orientación con respecto a su caso? ¿Dios o el hombre?

5. ¿Ha estado buscando opciones para su caso sin consultar al Señor? ¿Por qué?

6. ¿Está usted en necesidad de la gracia de Dios con respecto a su sentencia? Comienza a pasar tiempo a solas con El Padre. Ora, léalas Escrituras, y escucha para que El hable a través de Su Palabra. Dios te dará un detallado plan a seguir. ¡Confía en Él y hacer lo que El, no el hombre, instruye, para que pueda obtener la victoria!

CAPITULO VEINTE

El Encuentro Perfecto

"Cuando el Señor hiciere volver la cautividad de Sion, seremos como los que sueñan. Entonces nuestras bocas se llenaran de risa, Y nuestra lengua de alabanza; entonces dirán entre las naciones: Grandes cosas ha hecho Jehová con estos. Grandes cosas ha hecho Jehová con nosotros; Estaremos alegres
Salmos 126:1-3

Casi cinco años han pasado desde que fue detenido por primera vez. ¡A pesar de que se suponía que debía estar en prisión por otros siete, yo estaba fuera! Acababa de terminar seis meses en un centro de rehabilitación y ahora estaba sentado en la oficina mirando el tablero del calendario colgado en la pared. Mi nombre y la palabra "SALIDA" fueron escritos en el bloque marcado "¡21 de Noviembre 2003!" ¡Mi fecha milagrosa llegaba! Después de firmar los papeles, di un paso hacia la puerta. El sol nunca parecía tan brillante, especialmente en comparación con unos meses antes.

Cuando llegué por primera vez a la casa de transición, enseguida me di cuenta que estar allí era mucho más difícil que estar en la prisión. ¡Tanto es así, hay días que me hubiera gustado estar de vuelta en el interior! Prisión había sido una experiencia grandiosa para mí, lo que se refiere a Dios, pero, obviamente, las cosas en el exterior eran diferentes. Ahora bien, sentí como si me hubieran tirado de una montaña y tirada a la calle. Mi vida espiritual estaba en una fecha de aguante, cuando la disciplina diaria de mis estudios se fue, y tenía que volver a la vida. Todo esto me hizo sentir como un pez fuera del agua en un día caluroso, golpeando contra el suelo y respirando con dificultad.

Por lo que el libro se refiere, yo no había arañado una sola palabra desde que salí. Podía sentir la tensión en mi espíritu. Pronto, me sorprendí de haber roto las reglas, y luego de me escribieron una nota de mala conducta en la casa de transición. Parecía que cuanto más lejos estaba de Dios, y mi propósito, más frecuente pasaban las infracciones.

No fue difícil para ver si continúa en el camino que estaba, finalmente se convirtiera en serios problemas. Sintiéndome desesperada, decidí volver al plan. Sin embargo, en el mundo libre, no hubo tiempo para nada más que la supervivencia, sin mencionar el estudio y la oración. Por cierto las cosas iban bien, yo sabía que si no comenzaba a poner a Dios primero, todo lo demás en mi vida poco a poco se vendría abajo.

Así que, empecé por tomar la Biblia en el autobús para poder utilizar el tiempo para leer. También me lleve el casete de mi padre para escuchar música de alabanza.

Incluso decidí orar mientras hacia cualquier tipo de actividad, como caminar o ducharme.

Sorprendentemente, al seguir estos esfuerzos poco, comencé a sentir una diferencia grande. Por último, incluso llegó al punto en que yo estaba dispuesto a trabajar en el libro. ¡Cuando lo hice, pude sentir el fuego empezar a subirse dentro de mí de nuevo!

Pronto el poder de mi Fin Esperado comenzó a manifestarse en mi vida. ¡No sentí la tentación de volver a las drogas o mi antiguo estilo de vida! ¡Yo estaba llena de un entusiasmo y la alegría más allá de la explicación! Dondequiera que iba, he recibía favor y Dios y todo comenzó a moverse para mí de una manera sorprendente. ¡Tres órdenes de arresto aparecieron, amenazándome con devolverme a la prisión, pero fueron despedidos por completo! ¡Una multa que había pagado a la corte me lo devolvieron! Obtuve un trabajo cantando y vendiendo música en una tienda de karaoke. Después me dieron un poquito de dinero, que, junto con mis ahorros, utilicé para comprar un coche nuevo. Además, durante este tiempo, de "casualidad" me tope con personas que estaban en el ministerio de prisión. ¡Mi vida iba tan bien que parecía que estaba encantada!

A pesar de todo, sin embargo, Dios lo hizo obvio que la increíble cantidad de "suerte" que estaba pasando se conecta directamente a Él y mi misión. Cuanto más me puse a la misión primero, más Él se aseguró de que estaba a cargo de una manera grande. ¡De hecho, las cosas que me pasaron eran tan increíble que sentí como si estuviera en Las Vegas y yo estaba ganando en grande! Luego se presentó.

Unos meses antes de mi liberación, me pusieron en arresto domiciliario. Yo vivía con mis padres, mientras que todavía asisten a clases de tratamiento en el centro de reinserción social. Robert Souza estaba en una de mis clases. Al principio, realmente no lo nota hasta que, un día, en respuesta a una pregunta, que defendía una respuesta muy Bíblicamente correcta. "Eh, un teólogo", pensé con desdén. Sin embargo, sentí una conexión con él, pues él era, obviamente, el único cristiano en el otro grupo.

Semanas más tarde, cuando llegué tarde a clase, descubrí el único asiento que quedaba era la de al lado de Roberto. Cuando comenzamos la asignación del día, dejé que mis ojos la deriva a ver cómo estaba. Me encontré con que había contestado todas las preguntas de un punto de vista Bíblico. Admirando su deseo de hacer Dios el centro de su vida, extendió la mano y escribí un gran "A plus" en la parte de arriba de su papel.

Cuando terminó la clase, me levanté a toda prisa por la puerta, y él me alcanzó con prisa.

"Me gustaría hablar sobre el texto bíblico con usted en algún momento", dijo, al llegar a la acera.

"Por supuesto", respondí, sin pensar. "Te voy a dar mi número." Tan pronto lo dije, quería retroceder.

Robert, sin embargo, parecía más que satisfecho. "¡Ok, te doy el mío también!", Dijo con alegría, una sonrisa de oreja a oreja.

Viendo su reacción, me obligué a sonreír de nuevo. "Déjame ir a mi coche y conseguir una pluma", le dije, tratando de cubrir el tono de lamento ahora en mi voz. Entonces, me aparté de él rápidamente para que no me viera, la perderá mientras corría al cruzar la calle.

"¿Qué has hecho?", Murmuré para mí mismo mientras excavado a través de la consola del coche. A pesar de que parecía un buen chico, no era mi tipo. Además, yo definitivamente no tenía tiempo para una relación. Cuando volví con el lápiz a intercambiar números de teléfono, todo lo que podía pensar era: "Por favor Señor, que no me llame."

Desafortunadamente, si llamo. Al día siguiente, Robert dejó un muy breve, pero amable, mensaje en mi servicio. "¿Y ahora qué vas a hacer?", Pensé, y me regaña. "No puedes ser grosero y simplemente ignorarlo."

Pensándolo bien, decidí llamar y ore para que él no contestara, así para sólo dejar un mensaje. Así que, cuando marqué, su servicio recogió, me solté un ruidoso "¡Alabado sea Dios!" Entonces, después del tono, le dije que lo siento que me perdí su llamada. Yo también le dije que no estaría disponible para hablar por el resto del día. Entonces, para terminar, le dije:

"¡Pero fue bueno saber de usted de todos modos! Adiós" Después de colgar, pensé dentro de mí, "¡Buen trabajo, tal vez esto lo disuadiera!"

Sin embargo, no hubo suerte. Él llamó al día siguiente y conteste erróneamente mi teléfono sin mirar primero a ver quién era. "Buenos días. Es Roberto ", dijo, la voz gruesa, con un acento de Massachusetts. "¿Cómo estás?"

Le respondí: "Muy bien, gracias", mientras que quería patearme yo misma.

Charlamos durante unos minutos, luego me dijo que iba a llamar más tarde, lo que hizo y yo le contesté, pero por culpa pura. Esta vez, sin embargo, como hemos hablado, algo pasó. Roberto comenzó a irresistiblemente gustarme porque le gustaba mi tema favorita - Dios. Mientras escuchaba a Roberto, se hizo muy evidente que había estudiado profundamente la Palabra. Cuanto más hablaba, más me maravilló su conocimiento, pero tampoco podía dejar de sentir que estaba buscando mucho más que una conversación bíblica.

"Gracias a Dios no se nos permite estar cerca el uno al otro", pensé con alivio. Debido a nuestra condición de ex-convictos, no pudimos tener contacto fuera de nuestras clases. Al hacerlo sería violar la ley, y nos devolvieran de vuelta a la prisión. Esto, me di cuenta, fue mi salvación, ya que evitaría que mi nuevo amigo se convierta en más que esto. Por desgracia, no tardé en saber que nada impediría a Robert Souza de su curso elegido.

Unos días más tarde, mientras estaba en el trabajo, el llamó como siempre y dijo con una risa, "¡Buenos días, señora Souza"!

"¡Disculpe!" Le respondí con asombro.

A lo que respondió con prontitud: "Bueno, el Señor me dijo tú eres mi esposa."

En este anuncio, mis defensas se dirigió inmediatamente hacia arriba. ". Yo no lo creo", dije sarcásticamente, pero luego, al darme cuenta de mi rudeza, trate de explicar ", le dije: "No estoy pensando en casarme, porque tengo un montón de cosas que hacer."

¿Como qué? Me pregunto en un tono curioso, pero exigente.

De repente me sentí acorralada. ¿Cómo le dices a alguien que no encajan en el cuadro grande de tu vida? Como no quería hacerle daño, intenté una declaración más amplia. "Bueno, yo estoy en una misión de Dios." Le Contesté.

"¿Y qué significa eso exactamente?", me pregunto.

Por lo tanto, me di por vencida. Empecé a hablarle del libro, y no lo mencione antes porque pensé que no lo entendería. De hecho, la mayoría de la gente no lo entendía. Siempre cuando trataba de explicar lo que estaba haciendo, nadie parecía entender, pero con el fin de ser cortés, le respondían con un comentario obligatorio como, "Bueno, o que maravilloso", o, "Que bueno por ti."

De alguna manera sentía que se lo debía a Roberto, que tratara de explicar lo mejor que pude y él trataba de entender lo mejor que pudo. Sin embargo, él realmente no lo entiendo, que es lo que yo esperaba. No preví lo que hizo a continuación sin embargo.

Unas horas más tarde, Roberto entró en mi trabajo, puso una mochila en el mostrador, y luego, para evitar más infracciones a la regla de nuestra libertad, se dio la vuelta y se marchó. Desde el estacionamiento, me llamó desde su teléfono celular para explicar. "¡Te he traído mi Biblia, una concordancia y algunos materiales de estudio para ayudarle a escribir su libro!"

"¡Qué dulce!", Le dije, y verdaderamente en serio. Al mismo tiempo, sin embargo, no pude dejar de pensar en lo que no necesitaba su Biblia y la concordancia ya que tenia docenas de las mías. Esto, por supuesto, me guardé para mí y sólo continúe dándole las gracias por su gesto maravilloso. Después de colgar, pensé que, ya que no se va a utilizar ninguno de sus materiales, los aguantare hasta que lo volvería a ver, si acaso.

El trabajo estaba muerto ese día, sin que entrar un alma a la tienda de karaoke. A medida que la hora se deslizó, el Señor empezó a molestarme a que viera la Biblia de Roberto. Al principio, resistí, y, finalmente, cedí por puro aburrimiento. Agarre su mochila, establecido en el mostrador, y mire hacia adentro.

La Biblia fue encuadernados en cuero y en perfecto estado para su edad. Cuando lo saqué a hojear las páginas, me quedé aturdido. Estaban llenos de símbolos escritas a mano que indican diferentes temas. En los márgenes habían pequeñas notas escritas a mano, tan perfectamente impresas parecía como si una máquina de escribir en miniatura que lo hizo. Roberto cumplió 17 años, nueve de ellos en un intenso estudio de las Escrituras. Yo estaba leyendo el producto de todos esos años.

A medida que continuaba a mirar entre su Biblia, inesperadamente me puse a llorar. Mientras las lágrimas comenzaron a fluir por mi cara, mire a la página abierta para ver lo que el texto era, entonces mi ojos se posaron en un verso que me cayó como una piedra,

"...No es bueno que el hombre esté solo" (Génesis 2:18 NVKJ).

"¡Oh, vaya!", dije en voz alta, un poco preocupada, y luego volví a bajar para investigar más a fondo. Por desgracia, lo que he visto sólo empeoró las cosas.

"... Él la trajo al hombre"(Génesis 2:22 NVKJ).

"Whoa! Definitivamente no es divertido, Señor ", le dije, mirando hacia el cielo mientras apuntaba a la Escritura ofensora.

En esto, cerré la Biblia de Roberto, se secó el agua salada quedaba en mi cara con un pañuelo de mi bolsillo, y luego hizo una pausa para evaluar lo que había sucedido. Como yo no creía en las coincidencias, esto no parecía muy bueno para mí, pero, quizás esta vez, fue sólo eso - una coincidencia.

"Bueno, sólo hay una manera de averiguarlo." Pensé, mientras valientemente abrí su Biblia de nuevo. Sin embargo, cuando miré hacia abajo, me di cuenta de que mi situación había empeorado.

"...Que sea ella la mujer a quien el Señor ha señalado para el hijo de mi señor" (Génesis 24:44).

¡La realidad de esta declaración mando electricidad a través de mi cuerpo! ¿Era el plan de Dios que me diera a Roberto? Si es así, en mi opinión, sólo hay una vía para enfrentar a este plan. ¡Ignorarlo a plan y a él!

Sin embargo, Roberto no se iría. Como no podíamos estar cerca el uno del otro y yo todavía estaba viviendo en la casa de mis padres; el decidió el pasaría tiempo con mis padres cuando yo estuviera en el trabajo. Así que, noche tras noche, mientras yo estaba en la tienda, lo cortejó con su encanto y espagueti hecho en casa. "¡Él no estaba jugando un juego justo", declare a mi mamá, pero mi padre no estaba de acuerdo, sobre todo después de haber consumido plato después de plato de la deliciosa soborno!

Entonces, una noche, Bobby me llamó y me empezó a empujar el asunto del matrimonio de nuevo.

Harto, le dije cruelmente: "Mira, el Señor no me ha dicho que usted es mi marido. ¡Por lo tanto, Así que hasta que ello diga, tienes que olvidarte de eso!

"El silencio en el otro extremo de la línea indicaba que me pase esta vez. La conversación había terminado. Cuando colgué, sentí como si le había dado un apuñalado en el corazón. Sin embargo, al día siguiente llamó, aparentemente no afectado por mi anuncio.

"El Señor dijo que te va a decir que yo soy su marido." "¡Ja!" Solté un bufido. "¿A si?"

"Sí", respondió, muy seguro de sí mismo. "¡Y él lo va a hacer" pronto, muy pronto! "

"Bueno, ya lo veremos ", contrarreste en un tono sarcástico. La conversación termino, y me quedé con la sensación muy segura de que no iba a escuchar tal cosa, ni antes ni después.

Aproximadamente una semana después de su llamada, estaba despierta toda la noche con mi mamá. Ella sufría de dolor intenso durante más de 20 años, pero esta noche era en particularmente mala. Cuando finalmente llegó a dormir, yo también estaba agotada, pero sólo consiguió un par de horas de descanso antes de que se despertó de nuevo. Después de mirar el reloj, y luego ver que todavía era temprano, decidí volver a la cama para una siesta corta.

Cuando se quedó dormida, recibí una visión. En mi mente, yo me veía escribiendo una nota a Bobby en la parte de arriba de una corbata marrón de gamuza. La nota decía: "Tengo un mensaje en mi corazón para ti." Cuando vi la pluma escribir el mensaje una y otra vez, de repente me desperté de la conciencia. Me desperté diciendo las palabras en voz alta en mi sueño.

"¿Qué fue eso, Señor?" Yo pregunté. Luego me puso de nuevo a reflexionar sobre ello hasta que me dormí de nuevo.

Un par de horas más tarde, me levanté y decidí correr en la caminadora. Yo estaba usando ese tiempo para orar y hablar con el Señor. Cuando yo estaba en una carrera completa, la oración contra la enfermedad de mi madre, el Señor me interrumpió, y luego repite en mi mente la visión que había visto antes. A medida que volvía a ver la mano escribir las palabras: "Tengo un mensaje en mi corazón por ti", que en silencio le pregunté al Señor qué significaban aquellas palabras.

"Está bien, Padre," comencé, " cuál era el desorden..."; pero, antes de que pudiera pensar en la palabra" mensaje "todo el camino, me interrumpió, respondiendo bastante alto con"¡I DO!"

Su las palabras me golpearon como un tren de carga. Gimiendo y diciendo en voz alta: "¡No, no, no, Señor!" Me caí, y me agarre de la manilla, luego, puse los pies en el borde exterior de la cinta, dejando el cinturón que caminara a altas velocidad por debajo de mí.

"¡No, esto no puede ser!" protesté de nuevo, pero las palabras del Señor seguían haciendo eco en mi cabeza alta y clara, "I DO, I DO, I DO."

Apretando los dientes, presione con más fuerza en el botón de parada enfatizando mi frustración. La máquina llego a un pare, y me dejó sin aliento, y parada allí aturdida, con el sudor salado goteada en mi cara.

Yo ni siquiera conocía a Roberto, y él no me conocía a mí. Así que, ¿cómo podría encajar en mi vida con todos mis planes para el libro y el ministerio? El Señor tenía que estar equivocado esta vez. Por lo tanto, sintiéndome desafiante, planté mis manos en las caderas y, mirando al cielo, dije:

"Usted realmente va a tener que probar esto otra vez para que yo lo crea."

Afortunadamente, un rayo no cayó del cielo, pero en cambio al instante sentía ola tras ola al Espíritu Santo a través de mí cuerpo. Yo estaba caliente y sudada, pero con la piel de gallina de pies a cabeza. Dios se me iba demostrar y en una manera bien grande.

Aunque al principio no le dije a Bobby lo que sucedió, él actuó como si ya supiera. Se convirtió en un hombre poseído, insistiendo en que pidiéramos la libertad condicional por el permiso para casarnos. No le importaba que lo que estaba pidiendo era prohibido. Una fuerza invisible, el Espíritu Santo, lo guío a que hiciera lo que yo ya sabía ahora que era la perfecta voluntad de Dios.

A partir de este momento, Dios puso todo en marcha alta para que Su Palabra se cumpliera. Después de una pelea muy breve con la gente de periodo de prueba, milagrosamente cedieron. En Abril del año 2004, sólo cuatro meses después de mi liberación y seis meses después del de Bobby, nos casamos. Entonces, tan sólo seis meses más tarde, nos activo sobrenaturalmente para que pudiéramos comprar nuestra primera casa. Recuerdo sentirme totalmente asombrada por Dios el día que nos mudamos. A pesar de que la casa era nueva, estaba llena de todo tipo de provisión, ¡lo único que pagamos fue por una televisión!

Después de eso, tan sólo unos pocos meses más pasaron antes de que Dios le dio instrucciones a mi esposo para iniciar su propio negocio. El Señor prometió a Bobby que iba a prosperar su empresa para que yo pudiera ser libre para dedicarme a mi tarea. ¡Ahora, Bobby y yo fuimos socios en conseguir que la misión se completara! ¡Inmediatamente, la compañía de mi esposo se levanto, generando dos veces más ingreso de lo que teníamos antes! Entonces renuncié a mi trabajo de tiempo completo, termine el libro y di a luz el "Ministerio Expected End."

Todo sucedió tan rápido que dejo a la gente preguntándose cómo dos ex convictos podrían estar haciendo tan bien. Por supuesto, yo sabía la respuesta, Dios estaba en él. Su plan perfecto implemento a través de nosotros. Bobby y yo estábamos compartiendo amor y persiguiéndola misión juntos. ¡El Señor nos estaba bendiciendo con una vida más abundante de lo que podríamos imaginar!

Cuando me senté a mirar a lo que Dios estaba haciendo, me di cuenta de lo agradecida que estaba de que le escuche a él y no a mí misma. Puede que no haya conocido Roberto Souza, pero Dios lo hizo realidad. Sabía que llegaríamos a ser la pareja perfecta en el amor y para Su Reino. Más tarde, en una conversación con mi mamá y mi papá, vino el tema que, cuando ellos se casaron, mi padre llevaba un abrigo color marrón chocolate, una combinación perfecta con la corbata de Bobby.

LECCIÓN VEINTE

1. Anótelos planes que el Señor ha puesto en su corazón. Describa todos los detalles o las ideas que ha recibido acerca de esos planes.

2. ¿Qué cosas crees que va a ser difícil para usted una vez que salga? ¿Por qué?

3. Anote lo que usted piensa que usted puede hacer para superar esas dificultades.

CAPITULO VEINTE Y UNO

Primero las Cosas Principales

"Esto es lo que dijo Ciro el rey de Persia... Quien sea que este entre ustedes de su gente, Que su Dios este con él, y déjenlo ir a Jerusalén en Judá y reconstruir la casa del Señor...Después levanten los padres de los jefes de la casa de Judá y Benjamín, y los levitas, con todos esos que Dios ha levantado en sus espíritus de ir a reconstruir la casa del Señor en Jerusalén... toda la congregación número a 42,360." Esdras 1:2, 3, 5, & 64

En el año 538 a. de JC, el rey Ciro hizo su proclamación histórica para los cautivos Israelitas de ir a casa. La Biblia dice, en respuesta al edicto del rey, Dios despertó el espíritu de más de 42,000 personas que querían regresar a Jerusalén para reconstruir la casa del Señor. Dirigidos por Zorobabel, heredero del trono de David, y Josué, el sumo sacerdote, la primera ola de exiliados preparados para ir a casa a continuar su misión. Para ayudarles, los Israelitas que permanecieron en Babilonia donó oro, el ganado y los regalos para el proyecto. Además, el rey Ciro devolvió los vasos sagrados robados del templo original. ¡Cuando los exiliados salieron de Babilonia, que poseía todo lo necesario para comenzar su misión!

En los próximos capítulos, vamos a seguir las historias de cada uno de los tres grupos de exiliados que regresan. Al estudiar las pruebas y triunfos de los presos se enfrentan a su antigua versión, ¡van a descubrir muchas verdades valiosas para ayudar a los que lo hacen en el exterior y le permiten afrontar con éxito la posesión de su Fin Esperado!

Primero lo Primero

Había tres prácticas muy importantes que el primer grupo de repatriados instituyo después de su salida de prisión. En primer lugar, Israel comenzó la práctica del diezmo tan pronto como llegó a Jerusalén. En segundo lugar, la gente se reunió para la comunión después de que se acomodaron en sus localidades. Luego, en tercer lugar, los exiliados restituyó los sacrificios diarios de acuerdo a lo que estaba escrito en las Escrituras. Estas tres prácticas contribuidas significativamente al éxito de Israel cuando salieron. Por lo tanto, también son vitales para su éxito una vez que esté en el mundo libre.

Ahora, vamos a examinar uno por uno. La primera cosa que los exiliados hicieron cuando entró en Jerusalén para dar el diezmo. La Escritura dice: *"Cuando llegaron a la casa del Señor en Jerusalén, algunos de los jefes de las familias dieron ofrendas voluntarias hacia la reconstrucción de la casa de Dios en su lugar. De acuerdo con su capacidad que le dieron a la tesorería de esta obra 61.000 dracmas de oro, 5.000 minas de plata y 100 vestiduras sacerdotales. Los sacerdotes, los levitas... que se instaló en sus propios pueblos... y el resto de los Israelitas se establecieron en sus ciudades "*(Esdras 2:68-70).

Inmediatamente después de su entrada en Jerusalén, los exiliados diezmaron. De hecho, a pesar de que la gente terminaron de caminar 900 millas de Babilonia, ¡todavía hicieron un esfuerzo para dar el diezmo antes de desempacar e instalarse en su ciudad! ¡Este acto de dar es de gran importancia que fue grabada incluso por segunda vez en el capítulo 7 del libro de Nehemías!

¿Por qué los exiliados hicieron que el diezmo fuera su primera prioridad al llegar a casa? Los Israelitas comprendieron la gran importancia del diezmo. Sabían que era la manera en que Dios pusiera a prueba su fe y su obediencia. También fue el vehículo que Dios usó para traer aumento a su pueblo. Israel estaba en el mundo libre ahora, y estaban a punto de afrontar muchos retos. Con el fin de hacerlo, tenían que confiar totalmente en Dios. Esta es la razón por la que dieron su diezmo tan pronto cuando entraron en la puerta de la ciudad. Querían mostrar al Señor a través de su obediencia, que confiaban en El para satisfacer todas sus necesidades.

La mayoría de ustedes probablemente fueron muy irresponsable con el dinero cuando estaban en el exterior. Bueno, una vez que se libera de nuevo, el dinero va a jugar un papel importante en su vida. A fin de que para triunfar en el mundo libre, va a tener que confiar en Dios y aprender a manejar su dinero a su manera.

Usted ve, Dios, no su empleador, será la verdadera fuente de sus ingresos una vez que salga. Esto es afortunado, porque la mayoría de los puestos de trabajo regulares no pagan bien. Usted ve, Dios es capaz de ofrecerle mucho más que su salario por hora. Él puede hacer que reciben regalos y fondos imprevistos. Se le puede permitir comprar una nueva casa o iniciar un nuevo negocio. El Señor incluso le puede dar una idea para una invención. Dios es dueño de la riqueza del mundo, así que mientras usted está siendo obediente en manejar sus finanzas a su manera, Él bendecirá y le aumentara. Él incluso le dará maneras creativas de generar ingresos. Entonces, ¿cuál es la manera de Dios de manejo de las finanzas?

La prioridad de Dios para su dinero es para utilizarlo para construir Su Reino. Los exiliados que regresaron lo sabía. Basta con mirar a donde diezmaron su dinero.

"Cuando llegaron a la casa del Señor en Jerusalén, algunos de los jefes de las familias dieron ofrendas voluntarias hacia la reconstrucción de la casa de Dios en su lugar."

Israel entienda que la prioridad de Dios para su dinero era Su Reino. Esta es la razón por la que pusieron su dinero en la reconstrucción del templo. El Señor desea que usted participe en la construcción de su Reino también. Una forma de hacerlo es dando fielmente a su iglesia y a otros programas cristianos. Cuando usted elige hacer las prioridades de Dios primero en sus finanzas, él, a su vez, los bendiga y le aumentara. Una de las razones porque mi esposo y yo damos más de lo que se puede pedir es porque seguimos socios financieros con el Padre, para construir su Reino en la tierra.

¿Ahora, exactamente cuánto de su dinero quiere el Señor que usted da? Pues bien, en el Antiguo Testamento, la palabra diezmo significa un 10%. El diezmo una décima parte de sus ingresos es un buen criterio para medir. Sin embargo, habrá momentos en que el Señor también le pedirá que dé por encima de su regalo común. De hecho, cada vez que hacía un movimiento financiero importante para mi marido y yo, siempre nos pidieron que diera un regalo extra a nuestra cantidad normal.

La primera vez que sucedió fue tan sólo unas semanas antes de casarnos. Recuerdo que mi Roberto casi se desmayó cuando el Señor me dijo que le diera un 30% del total de mi sueldo durante tres meses. En ese momento, teníamos hasta el último centavo, por lo que, por supuesto, pensamos que no se podía hacer. ¡Sin embargo, cuando finalmente escogí ser obediente y escribir el cheque, recibió un cheque de sorpresa en el correo por la misma cantidad más tarde ese día! ¡Ese año, ese diezmo especial nos ha traído más bendiciones de las que puedo contar! De hecho, yo tendría que escribir otro capítulo sólo para ser capaz de mencionar todas las cosas increíbles que Dios hizo por nosotros a través del diezmo.

La próxima vez que el Señor nos pidió dar un diezmo extra, fue la misma mañana que El Señor le dijo a mí esposo que iniciara su nuevo negocio. En esta ocasión, el Señor nos instruyó que diéramos $40 al mes durante un año a una red de televisión cristiana. ¡Debido a nuestra obediencia el negocio levanto inmediatamente! Nos hicimos más seguros financieramente como nunca antes. ¡Entonces pude dejar mi trabajo de tiempo completo para seguir mi misión!

El diezmo es vital para su relación personal con Dios y para su seguridad financiera. También es un aspecto complicado de su Fin Esperado. **Dios siempre conectara el dar a su tarea** - como cuando nos dio la demanda de dar los $40 dólares. Ves, Dios usa el diezmo para probar, para ver si dan cuando él te dice, donde él le dice, y la cantidad que él os diga. El Señor requiere este tipo de obediencia, porque el dinero siempre va a estar involucrado en la realización de su Fin Esperado. Aunque, usted necesita diez dólares para imprimir unos volantes o diez mil para imprimir un libro, se necesita dinero para difundir el Evangelio y, a veces, mucho dinero. ¡Dios proveerá para todas las necesidades de su misión, pero sólo si aprenden a ser un buen administrador sobre su dinero! Recuerde, la Biblia dice que "si sobre poco has sido fiel, sobre mucho te pondré. (Mateo 25:21)

El diezmo es un principio Bíblico de gran alcance. Porque realmente funciona, te enfrentarás a un montón de pruebas cuando sea el momento para dar el diezmo. ¿Le darás a Dios todo el 10% y de forma coherente? ¿Lo obedecerás cuando Él le indica que debe dar un regalo especial? ¿Le darás la cantidad que pide o le darás lo que usted piensa que puede pagar? ¿Vas a confiar en Él y no tendrás miedo de dar, incluso cuando usted piensa que no lo tiene? ¡Habrán momentos en los que parece que no puede darse el lujo de dar el diezmo, pero, en realidad, usted no puede permitir el no hacerlo!

Además, no se preocupe por no tener nada para dar la primera vez que salgas. Mira la cantidad de diezmo que dieron los exiliados la primera vez que regresaron a casa. Las Escrituras dicen: "De acuerdo a su capacidad que le dieron a la tesorería para este trabajo." ¡Israel dio de acuerdo a lo que eran capaces de dar! ¡Así que cuando salgas, si usted tiene un dólar en el bolsillo y pagáis el diezmo de diez centavos, Dios lo va a honrar! ¡De hecho, usted se sorprenderá de lo que Dios hace con su moneda de diez centavos!

Bien, ahora volvamos a la historia de los exiliados que regresaron para ver la segunda práctica que instituyeron después de llegar a su casa Jerusalén. Las Escrituras dicen: "Cuando el séptimo mes vino y los Israelitas se establecieron en las ciudades, se juntó el pueblo como un solo hombre en Jerusalén" (Esdras 3:1 AMP).

Después de que Israel se estableció en, se reunieron para la comunión. Es importante señalar que, a pesar que los exiliados fueron separadas en sus propias ciudades, no se quedaron aislados unos de otros. En su lugar, optaron esforzarse a reunir para el apoyo espiritual, físico y moral.

Cuando usted salga, tiene que hacer lo mismo. Una vez que regrese a casa y se instala, tienes que hacer un esfuerzo para encontrar una iglesia, y debes asistir fielmente. ¿Por qué es esto tan importante?

Bueno, el compañerismo ofrece muchas cosas. La primera es la Palabra de Dios. La palabra contiene el poder de corregir cuando está en pecado. También le permite vencer la tentación. En el mundo libre, te enfrentarás a muchas pruebas, por lo que será absolutamente necesario que usted pueda estar expuesto a la sana doctrina bíblica de manera regular. Esta enseñanza es lo que te mantendrá conectado en el camino correcto.

La comunión también tiene la función de ser su sistema de apoyo. La iglesia se compone de gente que está ungido para dar orientación bíblica, que le permitirá navegar a través de sus ensayos diarios. Cuando la gente piadosa le rodean, será menos probable que caigas de nuevo o que sufres una colisión con el pecado. Piénsalo. ¡Es difícil seguir pecando cuando los creyentes te rodean! Conocí a un ex convicto que tenía bastante tiempo en la cual desarrolló una relación profunda con Dios. Sin embargo, cuando salió, regreso a sus viejos hábitos. De hecho, durante años, luchó en vano contra las adicciones de su medicamento. Bueno, una de las razones por las cuales él nunca totalmente los venció fue porque se negó a buscar la ayuda de la iglesia. Cada vez que caía, era porque le daba vergüenza o simplemente era rebelde, trataba con sus propias fuerzas de superar su adicción en vez de buscar la ayuda de otros cristianos. Desafortunadamente, debido a que su fuerza no era suficiente, fallo en varias ocasiones. Mantuvo a los ancianos de la iglesia fuera de su lucha, permitiendo que fallara por anos. Esta es una de las razones por las que debe rodearse de los creyentes. Ellos le mantendrán contable.

¡La comunión es donde también caminaras su Fin Esperado! Ves, Dios te da una idea y espera que lo desarrollas, sin embargo, su misión sólo podrá llevarse a cabo dentro de un cuerpo de creyentes. Te voy a enseñar una prueba a través de las Escrituras. En primer lugar, mira este ejemplo de la primera ola de exiliados que regresaron.

"En el segundo mes del segundo año después de su llegada a la casa de Dios en Jerusalén, Zorobabel hijo de Salatiel, Jesúa hijo de Josadac, y el resto de los hermanos (los sacerdotes, los levitas y todos los que habían vuelto del cautiverio a Jerusalén) comenzó el trabajo... "(Esdras 3:8).

Zorobabel y Josué fueron los encargados de la reconstrucción del templo, pero no trató de ejecutar el proyecto por su cuenta, recibieron ayuda. La Escritura dice que *"el resto de los hermanos"* se unieron a ellos para completar el trabajo.

En la segunda ola de repatriados, vemos el mismo principio. Esdras, el escriba, estaba en una misión para ir a Jerusalén para restaurar la adoración en el templo y enseñar a los exiliados la Palabra de Dios. Bueno, justo cuando se disponía a salir de Babilonia, se dio cuenta de que no había nadie en su grupo santificado para llevar a cabo el servicio del templo. En este descubrimiento, Esdras se dio cuenta de que su misión no podría crecer. Él sabía que, antes de que pudiera salir de Babilonia, necesitaba encontrar hombres calificados para ir con él. La Escritura dice:

"Debido a que la mano bondadosa de nuestro Dios estaba sobre nosotros, nos trajeron Serebías, un hombre capaz, de los descendientes del hijo de Mahli de Leví...Serebías hijos y hermanos... Hasabías, junto con Jesaías ... y sus hermanos y sobrinos ... También trajeron 220 de los servidores del templo - un cuerpo que David y los funcionarios han establecido para ayudar a los levitas ... "(Esdras 8:18-20).

Como dice la Escritura de arriba, el cuerpo fue creado por Dios para ayudar en la ejecución del encargo. Esdras se dio cuenta y comprendió que, si trataba de ir más allá sin el cuerpo, ¡su misión fallaría!

Usted necesitará la ayuda de la fraternidad para completar su tarea. A ver otro ejemplo de la tercera ola de exiliados que regresaron. Nehemías llegó de Babilonia en una misión de reparar una pared rota en Jerusalén. Inmediatamente después de llegar a su casa, la Biblia dice que llamó a todos los exiliados, para que juntos empezaran a construir. Las Escrituras muestran cómo las personas unieron sus esfuerzos para completar el proyecto.

"Entonces el sumo sacerdote Eliasib se levantó con sus hermanos los sacerdotes y construyó la puerta de las ovejas... y junto a él... los hombres de Jericó, construido. Junto a [ellos] hijo de Zacur Imri construido ... Después de él, los levitas ... Después de él, los sacerdotes ... "(Nehemías 3:1-2, 17, 22 AMP).

En el capítulo 3 de Nehemías, las frases *"al lado"* y *"después de él"* se utilizan más de dos docenas de veces para describir la forma en que cada grupo trabajó en una sección de la pared "junto a" sus hermanos que estaban trabajando en otra sección. Que la "cadena" vinculadas a los exiliados, trabajaron juntos como un solo cuerpo. ¡Debido a que unieron sus esfuerzos, la pared se completó en sólo 52 días!

Durante los tres primeros años de mi trabajo, yo estaba sola por mi cuenta porque yo estaba escribiendo el libro. Cuando me acerqué a la publicación y llevando a cabo la misión, Dios comenzó a traer a la gente "al lado" que me ayudaran. Uno por uno, los que Dios apunto se unieron para ayudarme a completar la asignación. ¡Como cada persona poseía talentos que yo no tenía, éramos un cuerpo perfecto, enteramente preparado, capaz de afrontar cualquier situación! ¡Yo no podría haber cumplido mi misión si no fuera por la ayuda de los creyentes!

Su sobrevivencia, su salud espiritual y el cumplimiento de su Fin Esperado son dentro de la comunidad. Usted debe entrar en una iglesia, una vez que salga de la cárcel. Sin embargo, aunque usted puede estar planeando en ir a la iglesia después de su liberación, a veces no es tan fácil como parece.

Después de que salimos, mi marido y yo luchamos en muchas ocasiones de seguir asistiendo a la iglesia. Si estábamos ocupados, cansados, o simplemente estábamos presos, hubo momentos en los que nos desviáramos. Cada vez que paso, sin embargo, sufrimos no sólo espiritualmente, pero también en nuestra vida diaria, junto con nuestra relación matrimonial.

Cuando usted sale, su vida va a ser ocupado y estresante. En el mundo libre, tendrá cientos de responsabilidades a los que cuidar. Su casa siempre tendrá que ser limpiado. Los niños siempre necesitan ser atendidos. Las emergencias siempre parecen surgir. La vida en general se ofrecen miles de excusas para que pierda el compañerismo. Sin embargo, cuando dejes de asistir a la iglesia, su vida espiritual también cae. Cuanto más dejes de practicar compañerismo, más estarás abierta a la tentación. ¡Con el tiempo, incluso se encontrara en malas situaciones, y a violando las reglas a volver a la cárcel! ¡La comunidad de creyentes está ahí para guiarlo y sobre todo, para ayudarle a evitar caer en pecado de nuevo! ¡También es el lugar donde cumplirá su Fin Esperado! Por lo tanto, al salir, haga que la iglesia sea una parte regular de su vida, sin importar lo que tienes en el calendario.

Por lo tanto, después de que Israel diezmo, entonces se reunieron como un solo hombre en Jerusalén en la comunión, ¿qué hicieron después? La Biblia dice que construyeron un altar al Señor, hicieron ofrendas de acuerdo a lo que estaba escrito en las Escrituras.

"...Y se construyó el altar del Dios de Israel, para ofrecer holocaustos sobre él, como está escrito en las instrucciones de Moisés, hombre de Dios... y ofrecieron sobre él holocaustos al Señor mañana y tarde. Se mantuvo también la Fiesta de los Tabernáculos, como está escrito, y ofreció el holocausto diario ... y ... después de eso, el holocausto continuo Desde el primer día del mes séptimo comenzaron a ofrecer holocaustos al Señor, pero la fundación del templo no se habían echado todavía "(Esdras 3:2-6 AMP).

No mucho después de que los exiliados volvieron a Jerusalén, comenzaron la práctica de ofrecer sacrificios a Dios de acuerdo a las instrucciones contenidas en la Escritura. La Biblia dice que la gente hizo estas ofertas, *"mañana y tarde"*, *"cada día"* y en un manera *"continuo"*. En otras palabras, estos sacrificios se dieron regularmente. ¿Por qué es esto tan importante?

En el Capítulo XI de este estudio, hemos hablado de la necesidad vital de desarrollar un estilo de vida centrado en Cristo. Esta es la práctica de pasar tiempo diario con Dios, orando y estudiando las Escrituras. A pesar de que, con suerte, se inició esta práctica mientras estaba en el interior, tendrá que trabajar para restablecer una parte de su rutina después de haber salido a la libertad.

Su relación personal con el Padre debe ser su primera prioridad sobre cualquier otra cosa. Su vida entera cambia cuando sales, pero el hábito diario de pasar tiempo con Dios tiene que seguir siendo el mismo. Por desgracia, se encuentra, al igual que yo, que esto es más difícil de hacer. Las exigencias del mundo pueden ser tan abrumadoras, que piensas que no tienes tiempo para estar con Dios. Sin embargo, si usted no ofrece este sacrificio regularmente, lentamente morirás en su camino espiritual hasta que caes en una trampa mortal.

Su éxito en el futuro en el exterior dependerá de que si estás viviendo una vida centrado en Cristo. Cada día en el mundo real, usted tendrá unas docenas de opciones. Sólo a través del estudio regular de la oración vas a ser capaz de navegar con éxito esas decisiones.

Cuando mi esposo y yo salimos, hay muchos momentos en que no leíamos la Biblia a diario. Cuando esto sucedió, sin embargo, nos obligamos a hacer ajustes en nuestro estilo de vida con el fin de volver a leer. Por desgracia, una gran cantidad de otros ex convictos no se esforzaron a hacer lo mismo. ¡No se quedaban comprometidos con su tiempo de estudio diario, y, en consecuencia, estaban siendo violados, y enviados de vuelta a la cárcel!

¡Siempre me ha sorprendido cómo la lectura de algunos capítulos de la Biblia puede tener una influencia tan poderosa en su vida! Una vez que estés libre, debes hacer como los exiliados que regresaron hicieron; seguir la palabra y no dejar de pensar que no tienes tiempo para estudiar, ya que su supervivencia dependerá de que "mañana y tarde, todos los días y continuamente leen La Palabra de Dios."! **¡Usted tiene que hacer tiempo!** Si usted tiene que levantarse más temprano o acostarse más tarde, lo hace. Si es necesario, escucha la Biblia en CD en el coche o lleva su Biblia con usted en el autobús. ¡Dios no quiera puede ser que incluso tienes que abandonar media hora de su tiempo frente al televisor para obtener la Palabra de Dios!

Incluso la búsqueda de su Fin Esperado debes pasar tiempo a diario con el Padre. Después de mi liberación, había unos pocos meses cuando me convencí de que, porque yo estaba escribiendo el libro, no tenía necesidad de entrar en mi tiempo personal con Dios. Bueno, yo estaba equivocado y hasta mi forma de escribir comenzó a sufrir a causa de ella.

Su Fin Esperado no puede sustituir la oración y el tiempo de estudio. Los antiguos Israelitas lo sabían. Mira de nuevo la Escritura en Esdras, *"Desde el primer día del mes séptimo comenzaron a ofrecer holocaustos al Señor, **pero la fundación del templo no se habían echado todavía.**"* ¡Reconstrucción del templo fue el Fin Esperado de Israel, pero entendieron que sus sacrificios diarios a Dios eran más importantes! ¡Es por eso que ellos lo restituyeron antes de que se sentaran las bases del templo! Una vez que salga, necesitas restablecer su tiempo diario con Dios. Haga que su primera prioridad sea Dios sobre todo lo demás, incluyendo su misión.

Debido a que los exiliados regresaron comenzando su nueva vida diezmando, en comunión y haciendo sacrificios todos los días, comenzaron su camino muy bien. Por desgracia, pronto se encontraron con algunos problemas serios. En el siguiente capítulo, vamos a ver lo que Israel hizo mal y cómo puede evitar hacer lo mismo.

LECCIÓN VEINTIUNO

1. ¿Según la Escritura, que es una de las primeras cosas que hicieron los Israelitas cuando llegaron a casa? *"Cuando llegaron a la casa del Señor en Jerusalén, algunos de los jefes de las familias dieron ofrendas voluntarias hacia la reconstrucción de la casa de Dios en su lugar. De acuerdo con su capacidad le dieron para el tesoro... "*(Esdras 2:68-69).

2. ¿Por qué es importante el diezmo? ¿Cuánto se debe diezmar a nivel personal? ¿De qué manera es el diezmo conectado a su Fin Esperado?

3. Según la Escritura, ¿qué más hicieron los Israelitas cuando regresó a casa? *"Cuando el séptimo mes y los Israelitas estaban en las ciudades, se juntó el pueblo como un solo hombre en Jerusalén"* (Esdras 3:1 AMP).

4. ¿Por qué asistir a la iglesia e ir a comunión son tan importantes? ¿Qué tiene que ver comunión con el Fin Esperado?

5. ¿Según la Escritura, que de la tercera cosa que hicieron los Israelitas después de su regreso? *"... Y se construyó el altar del Dios de Israel, para ofrecer holocaustos sobre él, como está escrito en las instrucciones de Moisés, hombre de Dios... y ofrecieron sobre él holocaustos al Señor mañana y tarde. Se mantuvo también la Fiesta de los Tabernáculos, como está escrito, y ofreció los holocaustos diarios... Y después de eso, el holocausto continuo ... "*(Esdras 3:2-6 AMP).

6. ¿Por qué es tan importante para continuar con su hábito de vivir una vida centrada en Cristo una vez que salga? ¿En seguir tú Fin Esperado, si ves porque es tan importante no descuidar a su tiempo personal con el Señor cada día? Nombre dos prácticas que son esenciales en la vida centrada en Cristo.

CAPITULO VEINTE Y DOS

Los Primeros Problemas

"En el segundo mes de el segundo año después de su llegada a la casa de Dios en Jerusalén, Zorobabel hijo de Salatiel, Jesua hijo de Josadac y el resto de sus hermanos (el sacerdote y los levitas y todos los que retornaron del cautiverio a Jerusalén) empezaron el trabajo, designando a los levitas de veinte años de edad y más a supervisar el edificio de la casa de el Señor." Esdras 3:8

Los exiliados que habían regresado comenzaron en el mundo libre de la manera correcta, diezmando, en comunión y haciendo sacrificios todos los días a Dios. Una vez que establecieron esas prácticas, comenzaron a trabajar en su tarea de reconstruir el templo. Sin embargo, cuando los enemigos de los judíos escucharon del proyecto, vinieron con sus malas intenciones en su corazón y se ofrecieron a ayudar a los exiliados en la construcción.

Sabiamente, Israel rechazó su oferta, pero la Biblia dice que los enemigos de Israel, "..Estaban dispuestos a desalentar a la gente de Judá y hacerlos tener miedo si siguieran construyendo. Contrataron a asesores para trabajar en contra de ellos y para frustrar sus planes durante todo el reinado de Ciro, rey de Persia y hasta el reinado de Darío rey de Persia "(Esdras 4:4-5).

Los enemigos de Israel no perdieron tiempo en lanzar un asalto contra los exiliados. Los consejeros fueron contratados para intimidar a los repatriados y frustrar sus planes. Se hicieron intentos de disuadir a los constructores del templo y puso el miedo en ellos. ¿Cuál fue el propósito de estos ataques contra los Israelitas? La Escritura nos dice arriba, *"que les hacen tener miedo de seguir construyendo."* ¡Cada asalto fue un intento de llegar a los exiliados a dejar de trabajar en su final esperado!

Afortunadamente, los hijos de Israel no se detuvieron, o al menos no de inmediato. Los ataques continuaron durante años, debilitando a los exiliados, pero no causando que dejaran de trabajar totalmente. Sin embargo, cuando los enemigos de los judíos escribieron una carta a Artajerjes, rey de Persia, la carta estaba llena de acusaciones contra Israel, el trabajo en el templo se detuvo por completo. Echemos un vistazo a lo que se dijo acerca de los exiliados en esta carta al rey:

"...Nosotros, como súbditos del reino, consideramos injusto que Su Majestad sea menospreciada, y por lo tanto creímos conveniente informar de esto a Su Majestad. Ordene Su Majestad buscar en las memorias de sus antepasados, y podrá comprobar que esta ciudad siempre ha sido rebelde y perjudicial a los reyes y a las provincias del reino. Ya en el pasado se han suscitado rebeliones en ella, por lo cual esa ciudad fue destruida. Sepa Su Majestad que, si esta ciudad llega a ser reconstruida y reforzadas

sus murallas, la región que está al otro lado del río Éufrates dejará de ser de Su Majestad (Esdras 4:14-16).

La carta decía que Israel había mala fama y una historia de rebelión, razón por la cual cayeron al cautiverio. ¡La carta incluso llegó a insinuar que, si a los exiliados se les permitiera la reconstrucción de Jerusalén, que estaban rebeldes de nuevo! Estas declaraciones fueron, obviamente, un intento de usar su estatus anterior de "ex convictos" en contra de ellos. Por desgracia, el intento fue exitoso. Después de leer las acusaciones, el rey Artajerjes envió esta respuesta:

"Ahora, emite una orden a estos hombres a dejar de trabajar, por lo que esta ciudad no será reconstruida hasta que lo diga yo. Tenga cuidado de no descuidar este asunto. ¿Por qué dejar esta amenaza crecer, es detrimental a los intereses reales? "(Esdras 4:21-22).

La estrategia por parte de los enemigos de Israel funciono. El rey ordenó a los exiliados a detener la construcción. La Escritura confirma: *"Así, el trabajo en la casa de Dios en Jerusalén, llegó a un punto muerto..."* (Esdras 4:24).

¡Los ataques lograron el propósito para el que fueron enviados: para detener a los exiliados a que no completen su misión! ¿Por qué el enemigo estaba tan impulsado en hacer esto? **¡Debido a que el arma más poderosa contra el reino de las tinieblas es la persona que está llevando a cabo su Fin Esperado!**

Esta es la razón por la cual Satanás no quiere que usted completar su tarea. Él sabe que, si lo haces, puede dañar gravemente su reino. Con el fin de obtener su meta, utilizará todas las vías disponibles para llevarlo a cabo, te hará tener miedo y disuadir te. El diablo va a trabajar a través de la gente para frustrar sus planes. Cambiara circunstancias ordinarias en su contra. Incluso utilizara su historia pasado para atacar su credibilidad, al igual que los enemigos del antiguo Israel en su carta al rey. ¡Debido a que están llevando a cabo su misión, **serás atacado**! La pregunta es, "¿Cómo lo va a manejar?"

¿Qué hizo Israel? Se mantuvieron por un tiempo, pero finalmente siguieron adelante. Debido a la respuesta de Artajerjes, la Biblia dice, *"... el trabajo en la casa de Dios en Jerusalén, llegó a un punto muerto..."*

Los hijos de Israel permitieron que los ataques pararan su misión. ¡De hecho, el trabajo en el templo se detuvo por más de 18 años! Durante este tiempo, los exiliados se retiraron a sus casas para concentrarse en la reconstrucción de su lugar. Aunque la gente probablemente justificó dejar de construir, ya que fueron ordenados por el rey para hacerlo, en ninguna parte de las Escrituras dice que Dios les dijo que dejaran de construir. ¡Por desgracia, lo hicieron de todos modos, y por más de 18 largos años!

A partir de ahora, la vida de los exiliados 'dio un giro para atrás. Sus cosechas dejaron de llegar y sus salarios desaparecieron, y la prosperidad ceso por completo. Los años de abundancia se habían ido. Sequía y el hambre ocuparon su lugar. Mientras los 18 años pasaron, los repatriados fueron luchando desesperadamente. ¿Qué pasó? Dios envió al profeta Ageo a Su gente con esta respuesta poderosa:

"En el segundo año de Darío rey [de Persia], en el sexto mes... la palabra del Señor vino por medio del profeta Hageo [en Jerusalén después de la cautividad de Babilonia] a Zorobabel hijo de Salatiel, gobernador de Judá, y Josué hijo de Josadac, sumo sacerdote, diciendo: Así ha dicho Jehová de los ejércitos: Este pueblo dice, el tiempo aún no ha venido para que La casa del Señor debe ser reconstruido [aunque Ciro había ordenado que hace dieciocho años antes].

"Entonces vino la palabra del Señor por medio del profeta Hageo, diciendo: ¿Es tiempo de que vosotros habitéis en vuestras casas artesonadas y esta casa [del Señor] está en ruinas? Pues así ha dicho Jehová de los ejércitos: Meditad sobre vuestros caminos y poner tu mente en lo que ha venido a ti.

"Habéis sembrado mucho, pero han cosechado poco; que come, pero no tienes suficiente, beber, pero no quedáis satisfechos; os vestís, pero nadie está caliente, y el que gana los salarios devengados se las coloca en una bolsa con agujeros. Así ha dicho Jehová de los ejércitos: Meditad sobre vuestros caminos (su conducta anterior y actual) y cómo les ha ido. Sube a la montaña y traer la madera y la reconstrucción de [mi] casa, y pondré en ella y seré glorificado, dice el Señor [al aceptar como hecho por mi gloria y mi gloria, mostrando en él].

"Se parecía mucho a [la cosecha], y he aquí que llegó a poco, y aun cuando ha traído de su casa, lo dejó sin aliento. ¿Por qué? dice Jehová de los ejércitos. **Debido a mi casa, que está desierta, mientras que vosotros ejecutar cada uno a su propia casa [deseosos de construir y adornarlo].** Por lo tanto, los cielos por encima de ti [por ti] retener el rocío y la tierra retiene sus productos. Y me han llamado la sequía sobre la tierra y la montaña, sobre el grano, el vino dulce, el aceite, sobre lo que la tierra produce, sobre los hombres y bestias, y sobre todo su trabajo [aburrida] de los [hombres's] manos "(Hageo 1:1-11 AMP).

En este mensaje, el Señor le dijo a los exiliados que "considerando sus formas (su conducta anterior y actual) y cómo les ha ido." Anteriormente, Israel estaba haciendo muy bien. La primera vez que salió de la cárcel, persiguieron fielmente su cometido y fueron muy prósperos. Sin embargo, después no les iba nada bien. De hecho, ellos estaban sufriendo de hambre total. ¿Por qué? La Escritura explica, *"porque de mi casa, que está desierta..."*

Y llamó Dios a la sequía sobre los Israelitas, ya que dejó de trabajar en su Fin Esperado. Esta es una de las razones principales por las que la gente volvió a la cárcel.

Dejaron de perseguir el propósito dado por Dios. ¿Te acuerdas de este versículo del capítulo dieciséis?

"El Señor frustra los planes de las naciones, y frustra los propósitos de los pueblos. Pero los planes de la empresa Jehová permanecerá para siempre, los propósitos de su corazón por todas las generaciones "(Salmo 33:10-11).

La Biblia es muy clara. Sólo los planes de Dios para tu vida tendrán éxito. Por lo tanto, si el intercambio de Sus propósitos para los tuyos, usted va a fallar, no importa lo que intentes de hacer. De hecho, Dios mismo le hará fracasar, como lo hizo a los exiliados antiguos. ¡Es por eso que hay que mantener la asignación después de que salga! Si deja de trabajar en él, va a fracasar. Entonces es muy probable que vuelva a lo que hacía antes de su arresto. Cuando esto sucede, usted va a volver a la cárcel o terminan viviendo un miserable, medio lleno existencia.

Por desgracia, mantente en tu asignación al salir va a ser muy difícil. Al igual que los antiguos exiliados, que se enfrentaron muchos asaltos del enemigo, cuyo objetivo es evitar que completen su misión. Te atacara mentalmente, físicamente, emocionalmente y espiritualmente. Su credibilidad y su fama serán interrogadas. Incluso se tendrá que luchar contra ti mismo, porque te verás tentado a centrarse en sus propias necesidades en lugar de las necesidades de su Fin Esperado.

Déjeme darle un ejemplo. Cuando mi esposo y yo nos compramos nuestra casa, teníamos que tener mucho cuidado que no hiciéramos lo que los exiliados antiguos hicieron, *"... ejecutar cada uno a su propia casa [deseosos de construir y adornar ella]."* Era muy tentador gastar todo nuestro dinero y el tiempo de arreglar nuestro nuevo hogar. ¡Lamentablemente, hubo momentos en que nuestro enfoque se alejó de nuestro Fin Esperado, pero gracias a Dios, nos dimos cuenta de que, continuar significaría nuestra perdición!

Todos tenemos la tendencia de hacer lo que Hageo dijo, *"viven en casas techadas mientras que esta casa [del Señor] se encuentra en ruinas. "*Esto es lo que hicieron los antiguos exiliados. Dejaron de trabajar en el templo, y se enfocaron en la reconstrucción de sus hogares. Intercambiaron el propósito de Dios para sus propias prioridades, por lo que Dios los causo a fallar. ¡Cualquiera puede caer en esta trampa! Cuando usted sale, usted debe tratar de evitar esto a toda costa.

No me malinterpreten, Dios no quiere que descuides tus propias necesidades personales, sino que requiere que usted vea fielmente a las necesidades de su misión. Es por eso que debemos aprender a dedicar el tiempo suficiente tanto para su asignación y su familia. ¡Sólo recuerde que, si pones a Dios primero, Él, a su vez, le dará todo lo que necesitas!

¿Qué sucedió cuando el Señor, por medio del profeta Ageo, ordenó a la gente a regresar a su trabajo en el templo?

*"AHORA LOS profetas, Hageo y Zacarías, hijo [nieto] de Iddo, profetizaron a los Judios en Judá y Jerusalén en el nombre del Dios de Israel, cuyo [Espíritu] estaba sobre ellos. Entonces se levantaron Zorobabel hijo de Salatiel [heredero al trono de Judá] y Jesúa hijo de Josadac, y comenzaron a construir la casa de Dios en Jerusalén... Y los ancianos de los Judios construido y prosperaban, conforme a la profecía del profeta Hageo y Zacarías, hijo de Iddo. **Terminaron su edificio como mandado por el Dios de Israel ...** "*(Esdras 5:1-2; 6:14 AMP*).*

¡Cuando los exiliados escucharon el mensaje de Hageo, se levantaron para completar su misión! Observe que la Escritura dice que Israel *"construido y prosperó."* Cuando se trata de Su Fin Esperado, estas dos cosas van de mano en mano. Mientras usted sigue trabajando fielmente en su misión, Dios se asegurará de que prospere.

El problema Que Se Repite

¿Qué otros problemas enfrentaron los Israelitas al llegar a casa? El segundo tema que se trató fue la repetición del pecado que los hizo caer en cautiverio en el primer lugar. Era el problema de la mezcla con la gente de las naciones extranjeras.

En el año 458 a. de JC, la segunda ola de los cautivos regresaron a Jerusalén. Este grupo fue dirigido por el escriba, Esdras, cuya misión consistía en restaurar el servicio del templo y enseñar a los exiliados que regresaran a la Palabra de Dios. Por desgracia, a su llegada a casa, Ezra detectado un problema. Los exiliados se mezclaron con la gente de las otras naciones alrededor de ellos. La Biblia dice:

"...los hijos de Israel y de los sacerdotes y levitas no se han separado de los pueblos de las tierras, pero se han comprometido las abominaciones de los cananeos ..." (Esdras 9:01 AMP).

Los repatriados se habían casado con mujeres extranjeras, y seguían después de sus prácticas idólatras! Esta fue una situación muy peligrosa para los exiliados. ¿Te acuerdas de por qué? En el capítulo cuatro, hablamos de los dos pecados que llevaron a Israel en el exilio:

"...Ellos adoraban a dioses ajenos, y siguieron las costumbres de las otras naciones que el Señor había desposeído delante de ellos ..." (2 Reyes 17:07 - 8). Cuando los Israelitas cruzaron por primera vez en Canaán para conquistarla, el Señor les mandó que matasen a todos los habitantes de la tierra. Por desgracia, los Israelitas no fielmente la voz. Eventualmente mezclado con el pueblo que había quedado vivo. Los supervivientes de los judíos llevaron a cometer idolatría, que, según la Biblia, es

por eso que Dios envió a Su pueblo en cautiverio en el primer lugar. ¡Ahora, aquí estaban los exiliados que regresaron repitiendo este mismo pecado otra vez! Cuando Esdras se enteró, estaba consternado. Va a Dios en la oración, dijo,

"Desde los días de nuestros padres nos han sido muy culpable, ... y ... han sido entregados en cautiverio ... ... y después de todo lo que nos ha sobrevenido por nuestras malas acciones ... vamos a romper tus mandamientos de nuevo y se casan con los pueblos que practican estas abominaciones?" (Esdras 9:7, 13-14 AMP).

Esdras sabía las consecuencias de lo que hizo Israel. ¡La gente se estaba preparando para caer al cautiverio de nuevo!

Como he mencionado antes, la tasa de reincidencia de los ex convictos es del 70%. Eso significa que siete de cada 10 personas que salen de la cárcel volverá. Apuesto a que si usted habla con alguien que violó, ellos te dirán que una de las razones por las que fueron enviados de regreso se debía a que Empezaron a salir con la gente equivocada otra vez. Es por eso que Dios no quiere que te relaciones con los pueblos del mundo.

Mezclarse es un comportamiento que los ex-convictos a través de la historia han repetido una y otra vez. ¿No me creen? Veinticinco años después del primer incidente durante el tiempo de Esdras, una segunda situación se presentó cuando Nehemías regresó a Jerusalén. Nehemías dice: *"En esos días también vi Judíos que habían tomado mujeres de Asdod, Amón y Moab. Y sus hijos hablaban la mitad en el discurso de Ashdod, y no podía hablar el hebreo, pero en el idioma de cada pueblo"* (Nehemías 13:23-24 AMP).

¡Una vez más, los exiliados que regresaron se estaban casando con las personas que practicaban la idolatría! En repetidas ocasiones, los Judíos pusieron su libertad y su futuro en peligro por el que se entremezclaron con la gente de otras naciones. Este fue un problema recurrente que continuamente ha plagado a los Israelitas. ¿Cómo Esdras y Nehemías manejaron este problema? De la misma manera que usted debe. ¡Severamente! Echemos un vistazo a los ejemplos.

Cuando Esdras se enteró de la relación de los exiliados, hizo un llamamiento para que se reúnan en Jerusalén dentro de tres días. Incluso llegó a decir que quien no se presentaba, tendría todas sus tierras y posesiones arrebatadas. Por lo tanto, al tercer día, todos los de Israelitas se reunieron, y entonces Esdras se puso de pie diciendo:

"...Usted ha sido infiel, se han casado con mujeres extranjeras, añadiendo a la culpa de Israel. Ahora hagan una confesión a Jehová, el Dios de vuestros padres, y haga Su voluntad. Apartaos de los pueblos a su alrededor y de las mujeres extranjeras" (Esdras 10:10-11).

Esdras mandó a los hombres a romper sus relaciones con las personas del mundo. ¡Esto significaba enviando lejos a las mujeres y a los niños que amaban! Ahora bien, esto fue una decisión muy intensa. Sin embargo, Ezra sabía que era la única solución que había.

Nehemías respondió al problema de la misma manera, si no más grave que la de Esdras. La Biblia nos dice lo que él les hizo a los Israelitas que formaron las asociaciones mal.

"Yo les reprendió y pidió maldiciones sobre ellos. Golpeé a algunos de los hombres y los jale del cabello. Les hice que hicieran un juramento en nombre de Dios que dijera: 'Usted no se ha de dar a sus hijas en matrimonio a sus hijos, y no eres de tomar sus hijas en matrimonio para sus hijos ni para vosotros mismos" (Nehemías 13:25).

¡Nehemías respondió al problema de la mezcla golpeando a los hombres que participaron! ¡Incluso les sacó su pelo, y llamó maldiciones sobre ellos! (¡Apuesto a que una de esas maldiciones era la maldición de cautiverio!) Además, Nehemías les hizo jurar a Dios que no permitiera que sus hijos cometieran el mismo delito. ¡Aunque la respuesta de Nehemías fue intenso, una vez más el sabía que era la única manera de manejar la situación!

A veces se necesita tomar medidas drásticas para acabar con el pecado. Si usted se deja involucrarse con la gente del mundo, en algún momento tendrá que cortar, o bien terminar en la cárcel. ¡Hágase un favor, ni siquiera permite que ese tipo de asociaciones comiencen! Si lo hace, será difícil para que se separe de ellas más adelante. ¡Piense de cómo los hombres se sintieron cuando Esdras les ordenó que enviaran a sus esposas e hijos! Qué cosa tan horrible tener que hacer. ¡Era absolutamente necesario, sin embargo, o Israel volvería a la cautividad de nuevo!

¿Cómo respondieron a los exiliados cuando Esdras les dijo que tenían que separarse de sus familias? La Biblia los registros como diciendo: *"¡Tienes razón! Tenemos que hacer lo que te dicen"* (Esdras 10:12).

Israel respondió con obediencia inmediata, por lo tanto, la ira del Señor se apartó de ellos. Si se enreda con la gente del mundo de nuevo, tendrá que manejar la situación de los exiliados como hicieron los antiguos exiliados. Si no lo hace, perderá su libertad y destruirá su vida.

En este capítulo, vimos las luchas que la primera y segunda ola de exiliados enfrentó después de su liberación. ¡Porque manejaron mal la mayoría de sus situaciones, les tomó casi 40 años para completar su trabajo en el templo! En el siguiente capítulo, vamos a mirar a Nehemías para ver cómo maneja los retos de su Fin Esperado y por lo que sólo le tomó 52 días para completarlo.

1. Una vez que la primera ola de exiliados que regresaron empezaron a reconstruir el templo, y sus enemigos "establecidos para disuadir a la gente de Judá y les hacen tener miedo de seguir construyendo. Contrataron a asesores para trabajar en contra de ellos y frustrar sus planes durante todo el reinado de Ciro, rey de Persia y hasta el reinado de Darío rey de Persia "(Esdras 4:4-5). De acuerdo con las Escrituras, ¿cuál fue el objetivo del enemigo?

2. ¿Cómo Israel finalmente responder a estos ataques? Escriba Esdras 4:24 en el espacio de abajo.

3. Cuando los exiliados regresaron dejado de seguir el plan de Dios para su vida para perseguir sus propios deseos y deseos, Dios llamó a la sequía sobre toda la obra de sus manos. ¿Qué Salmo 33:10-11 significar en relación con esta situación?

4. De acuerdo con esta Escritura que viene, lo que es la segunda cosa que los Israelitas hicieron mal al regresar a casa "... *los hijos de Israel y de los sacerdotes y levitas no se han separado de los pueblos de las tierras, pero se han comprometido las abominaciones de los cananeos"* (Esdras 9:01 AMP).

5. El pecado de la mezcla es una de las razones por las cuales Israel fue llevado en cautiverio. Cuando regrese a casa, debe mantenerse separado de las personas que equivocadamente podría influir. ¡Si no lo hace, podría terminar en _____ otra vez! (Llene el espacio en blanco.)

CAPITULO VEINTE Y TRES

La Forma Correcta de Hacerlo

"...después le ore a el Dios del cielo, y le respondí al rey,' si le place al rey y si tu sirviente ha encontrado favor en su mirada, déjalo mandarme a la ciudad en Judá donde mis padres están enterrados para que yo la pueda reconstruir." Nehemías 2:4-5

En el 445 a. de JC, Nehemías se fue de Jerusalén armado con una misión. Aunque todavía en la tierra de su cautiverio, recibió palabra que las paredes de Jerusalén estaban derribados, dejando la ciudad sin protección. Devastado, recibió la sanción real del rey de Persia para ir a repararlos. Después de que Nehemías llegó a Jerusalén, en secreto montó alrededor de su perímetro a inspeccionar la pared dañada, y luego reunió a los exiliados en conjunto para comenzar los trabajos de reconstrucción.

Sin embargo, cuando Sanbalat el horonita, Tobías el oficial amonita, y Gesem el árabe oyeron que la muralla de Jerusalén estaba en construcción, lanzaron varios ataques contra Nehemías y los exiliados. ¡Al principio, los conflictos eran sólo verbales, pero pronto aumentó a donde la vida misma de los exiliados fueron amenazados! ¡Afortunadamente, a pesar de que las condiciones eran graves, la gente aún así terminó la pared en un tiempo sorprendentemente corto! ¡De hecho, el proyecto tuvo sólo 52 días, lo que, en comparación con los 40 años que les duro en terminar el templo, era nada menos que un milagro!

¿Qué hizo Nehemías y su grupo diferente que la primera ola de exiliados que les permitió completar su tarea en tan corto tiempo? En este capítulo, vamos a explorar la técnica de Nehemías y ver la forma en que el manejo las circunstancias y problemas mientras perseguía su Fin Esperado
.

La confianza de Nehemías en Dios Mediante la Oración

En primer lugar, Nehemías era un gran hombre de oración. Poseía una profunda comprensión de que la oración funciona de verdad. Desde el comienzo mismo de su misión, Nehemías se basó en la oración para conseguir que su objetivo se cumpliera. De hecho, ya en el versículo 4 del capítulo 1 del libro de Nehemías, vemos que ya estaba orando por su tarea. En este momento, Nehemías estaba todavía en la tierra de su cautiverio, que actúa como copero del rey Artajerjes. Cuando se enteró que los muros de Jerusalén y las puertas estaban rotas, fue de inmediato ante el Señor en oración para buscar su ayuda.

"Cuando oí estas cosas, me senté y lloré. Durante algunos días me dolían y ayunaron y oraron delante del Dios de los cielos. Entonces me dijo: 'Oh Jehová, Dios de los cielos, el Dios grande y temible, que guarda su pacto de amor con los que le

*aman y obedecen sus mandamientos, que tu oído atento y los ojos bien abiertos para escuchar la oración de tu siervo está orando delante de ti día y noche por tus siervos, el pueblo de Israel .... Ellos son tus siervos y tu pueblo, a quienes redimiste con tu gran fuerza y tu mano poderosa. Oh, Señor, tu oído atento a la oración de este siervo ya la oración de tus siervos que se deleitan en reverenciar tu nombre. **Dé a su éxito siervo hoy, concediéndole a favor de la presencia de este "hombre"** (Nehemías 1:4-6, 10-11).*

Este hombre Nehemías se estaba refiriendo al rey Artajerjes. Con el fin de que Nehemías pueda regresar a su casa para reconstruir la pared de Jerusalén, necesitaba el favor del rey. Afortunadamente, Nehemías sabía que la oración podía conseguir este favor. De hecho, Nehemías se basó tanto en el poder de la oración para obtener el favor que necesitaba, que incluso la Biblia lo registra como silenciosamente orando a Dios **en medio de hacer** su petición al rey.

"El rey me dijo: '¿Qué es lo que quieres?" *Entonces oré al Dios de los cielos, y respondí al rey ... "*(Nehemías 2:4-5).

¿Cuál fue el resultado de la oración de Nehemías? Él recibió el favor que él estaba pidiendo. La Biblia dice que Artajerjes no sólo le dio permiso para ir a Jerusalén, ¡sino que también le proporcionó una carta de la casa de un salvo conducto y una caballería para acompañarlo allí! Artajerjes, incluso le dio permiso a Nehemías para tomar de los bosques del rey, toda la madera y las vigas que iba a necesitar para configurar las puertas de Jerusalén. (Nehemías 2:6-9)

Desde el principio, Nehemías incorporo la oración en todos los aspectos de su Fin Esperado. La escritura anterior lo demuestra. Cuando Nehemías dirigió una oración silenciosa a Dios en medio de su conversación con el Rey, ¡demostró la dependencia total de Nehemías en la oración para conseguir su misión! De hecho, usted verá Nehemías, a lo largo de este capítulo, siempre "orad sin cesar" (1 Tesalonicenses 5:17 NKJV). ¡Eso significa que oren en todo lugar que vaya, en todo momento, incluso en el centro de sus conversaciones!

La oración era un hábito de Nehemías. Tanto es así, **el automáticamente respondió a cada situación con la oración**, al igual que en su conversación con Artajerjes. ¡Obviamente, la técnica de la oración de Nehemías trabajó porque obtuvo todo lo que necesitaba para continuar su misión!

Afortunadamente, en el momento en que comencé mi tarea, ya comencé a desarrollar el hábito de orar sin cesar. Desde entonces, me he dado cuenta que este hábito es responsable por mi éxito. ¡Siempre he orado por todos los aspectos de mi misión y nunca me ha faltado nada de lo que he necesitado para completar! ¡Cuando necesitaba favor, oré y Dios abrió puertas de oportunidad! Cuando fue atacada, pedí la ayuda sobrenatural y lo conseguí. ¡Cuando necesitaba provisiones, oré y recibí más que suficiente para hacer el trabajo!

Por desgracia, no siempre tuve un montón de tiempo para estar en oración para pedir mis peticiones. De hecho, la mayoría de mi oración se hizo en la carrera. Mientras que yo ¡Estaba en el coche, en el trabajo, haciendo la cena, limpiando la casa, y sí, incluso en medio de mis conversaciones! Esto es lo que orar sin cesar significa. ¡Es un hábito que desarrollas que te hace responder automáticamente a cada situación con la oración!

Echemos un vistazo a otros lugares en los que Nehemías respondió de forma automática con la oración. Hubo muchas ocasiones, mientras trabajaba en su asignación, que Nehemías fue atacado. La primera es cuando Sanbalat, el enemigo de los Judíos, insultó verbalmente a las personas que estaban construyendo el muro. La Biblia dice:

"Cuando oyó Sanbalat que estaban reconstruyendo el muro, se enojó y se indignaron mucho. Se burló de los Judíos, y en presencia de sus asociados y del ejército de Samaria, dijo, "¿Cuáles son los Judíos débil haciendo? ¿Van a recuperar su pared? ¿Van a ofrecer sacrificios? ¿Van a terminar en un día? ¿Pueden llevar las piedras a la vida de los montones de escombros - como son quemados "(Nehemías 4:1-2)?

El primer ataque Nehemías trató fue verbal. Sanbalat insultó a los exiliados al dar a entender que eran demasiado débiles y estúpidos para completar la tarea inmensa que tenían por delante. ¿Cómo respondió Nehemías a este ataque verbal? **La Biblia dice que oró al instante.**

"Escucha, oh Dios nuestro, que somos despreciados. Devuelve sus insultos a sus propias cabezas. Darles más como botín en una tierra de cautiverio. No ocultar su culpabilidad o borres su pecado de delante de tus ojos, ya que han lanzado insultos en la cara de los constructores. "(Nehemías 4:4-5).

La primera reacción de Nehemías fue orar. Tenga en cuenta que Nehemías no grito ni discutió con Sanbalat. De hecho, Nehemías ni siquiera se ofendo, no se preocupo ni se derroto por esas palabras. En su lugar, Nehemías oró y pidió a Dios para cuidar de sus enemigos.

Una de las cosas que Satanás tratará de hacer es hacerte parar de llegar a su Fin Esperado usando ataques verbales. Los insultos de Sanbalat fueron la intención de provocar, degradar y desalentar a los exiliados de continuar su tarea. Usted ve, el enemigo usa ataques verbales para mantener su mente distraída y no enfocado en su proyecto. Él sabe que, si te mantiene ocupado pensando en sus insultos, no serás capaz de concentrarse en tu tarea.

¡Piense en eso! ¿Cómo respondió la última vez que alguien le dijo algo malo acerca de ti o para ti? ¿Te enojaste? ¿Fuiste a discutir con la persona o hablar detrás de sus espaldas? Tal vez usted no dijo nada, pero dejaste que sus palabras te hicieran daño, que a su vez afecta su nivel de confianza. O, tal vez sólo repetiste el insulto varias veces en tu mente, y luego pasaste más tiempo pensando en lo que se va a hacer en represalia. La conclusión es esta: Si usted no respondió con la oración, El enemigo logró mantener su mente distraída de su Fin Esperado.

La única respuesta de Nehemías al insulto de Sanbalat fue de orar. Nehemías sabía que, si se permitiera que la gente pensara en las palabras de Sanbalat, estarían demasiados molestos para centrarse en la pared. ¿Cuál fue el resultado de la oración de Nehemías? La Biblia dice:

"Así que reconstruyeron la muralla hasta que todos se llegó a la mitad de su altura, porque la gente trabajó con todo su corazón" (Nehemías 4:6). Debido a que Nehemías oró y le entrego la situación a Dios, los exiliados dejaron de pensar en los insultos, y luego volvieron a concentrarse en su trabajo. ¡De hecho, la oración de Nehemías era tan fuerte que despertó a los exiliados para que trabajaran *"con todo su corazón"* para completar su misión!

¡Es imposible, tanto rezar y pensar en un insulto a la misma vez! Si no me creen, ¡pruébalo! ¡Cuando usted ora, le quita las distracciones y piensas en tu misión! Su primera respuesta a cada ataque debe ser la oración, pero debe continuar orando con el fin de superar plenamente todas sus situaciones. Nehemías **continuó** a orar sin cesar durante todo el tiempo que estaba trabajando en la pared. Mira el siguiente ejemplo.

Después de que Nehemías oró contra el primer ataque verbal de Sanbalat, los exiliados se animaron a volver a su trabajo en la pared. A continuación, la Biblia dice, "... cuando Sanbalat, Tobías, los árabes, los amonitas y los de Asdod oyeron que las reparaciones de los muros de Jerusalén se había adelantado y que las brechas se están cerrando, se enojaron mucho. Todos ellos trazan juntos para venir y pelear contra Jerusalén y provocar disturbios en contra de ella. Pero nosotros oramos a nuestro Dios y publicado un guardia de día y noche para cumplir con esta amenaza "(Nehemías 4:7-9).

¡La oración inicial de Nehemías fortaleció a Israel, y no solo cumplieron con su misión, sino que también aumento los ánimos de sus enemigos para detenerlos! ¡Como resultado, Sanbalat y sus asociados comenzaron a crear problemas aún más fuertes en contra de Israel! Una vez más, la Escritura muestra que la respuesta de Nehemías fue: *"oramos a nuestro Dios."*

A medida que persigues su Fin Esperado, tendrás que permanecer en oración continua. Los enemigos de Nehemías no dejaron de atacarlo, sino que sus ataques se intensificaron. Su enemigo no va a dejar de atacarte después de su oración, sea la primera, segunda, o incluso la tercera oración. De hecho, los ataques sólo se pondrán peor sólo porque usted está orando. Recuerde que la oración que te prospera hacia su Fin Esperado. (Vuelve a leer el Capítulo Nueve de este estudio.) ¡Es por eso que debe continuar orando, sea lo que sea!

¿En qué otras ocasiones utiliza Nehemías la oración para que le ayuden a completar su tarea? ¡Cuando se sentía débil y con miedo! La Biblia dice que Nehemías y los exiliados terminaron con la pared cuando Sanbalat y sus colaboradores trataron de tomar la vida de Nehemías. La Biblia dice: *"Cuando la noticia llegó a Sanbalat, Tobías, Gesem el árabe y el resto de nuestros enemigos, que yo había reconstruido la pared y no un hueco que quedaba en él - aunque hasta ese momento no había puesto las puertas en las puertas - Sanbalat y Gesem me envió este mensaje: "Ven, reunámonos en uno de los pueblos en la llanura de Ono. 'Pero ellos estaban conspirando para hacerme daño, por lo que envió mensajeros a ellos con esta respuesta:" Yo soy llevando a cabo una gran proyecto y no se puede ir hacia abajo. ¿Por qué debería dejar este trabajo, mientras que lo dejo y bajar para vosotros? "Cuatro veces me enviaron el mismo mensaje, y cada vez que les dio la misma respuesta"* (Nehemías 6:1-4).

Los enemigos de Nehemías, desesperada por evitar que completen la pared, estaban tratando de ponerse en la posición en la que físicamente podía hacerle daño. Afortunadamente, debido a que Nehemías se negó reiteradamente a reunirse con ellos, no podían llevar a cabo su plan. Finalmente, en un intento de atemorizar a Nehemías en el cumplimiento de sus demandas, Sanbalat le envió este mensaje:

*"...Se ha informado de entre las naciones vecinas ... que usted y los Judíos plan de los rebeldes, por lo que se está construyendo el muro, que puede ser su rey, según el informe. También se han establecido los profetas para anunciar que le conciernen en Jerusalén, hay un rey de Judá. Y ahora esto será informado a la [Pérsico] rey. Así que, venga ahora y dejar que consultemos juntos "(*Nehemías 6:6-7 AMP).

Ahora, Sanbalat estaba amenazando a decir al rey Artajerjes que Nehemías iba a rebelarse contra él. ¡Esta acusación, si se cree, podría detener la misión de Nehemías de una!

Recuerde que una táctica similar fue utilizada en contra de la primera ola de exiliados a conseguir que dejen de construir. Afortunadamente, sin embargo, Nehemías se dio cuenta de la amenaza Sanbalat era sólo un intento de asustar y desgastarlo hasta el punto en que dejaría de trabajar en su asignación. Nehemías contestó de nuevo a Sanbalat, *"..."* nada que ver con lo que está diciendo que está sucediendo, usted es sólo que la componen de la cabeza. *"Estaban todos tratando de amedrentarnos, pensando:"* Sus manos estará demasiado débil para el trabajo, y no se completará. **"Pero yo oré:"** **Ahora fortalece mis manos "**(Nehemías 6:8-9).

Nehemías era consciente de las verdaderas intenciones de su enemigo. Esta toma de conciencia, no le impidió tener miedo. Nehemías estaba débil de las numerosas amenazas que le hicieron. ¡Pero en lugar de dejar que los ataques le obligaran a dejar de construir, oró por la fuerza que necesitaba para terminar el trabajo!

Mientras que usted está trabajando en su Fin Esperado, el enemigo te amenazara, tratara de asustarte, e incluso lanzara ataques físicos en contra de usted. A pesar de todo, usted necesita estar consciente del propósito final de esos ataques. Veamos de nuevo lo que Nehemías dice en la Escritura anterior. *"Todos estaban tratando de amedrentarnos, pensando:" Sus manos estará demasiado débil para el trabajo, y no se completará"* El enemigo busca debilitarte hasta el punto donde va a querer parar. Su objetivo es vencerlo, desgastarte para que no puedas seguir adelante. ¡Es por eso que debe estar rezando! Cuando Nehemías se desgasto, oró por la fuerza para terminar el trabajo. Usted también tendrá que confiar en la oración para obtener la fuerza necesaria para completar su misión.

Me sentía tan mal los últimos 12 meses de trabajar en este libro. Numerosos ataques físicos se lanzaron en contra mí. Parecía que cuando más me acercaba a completar mi tarea, lo más grave eran los ataques. Yo tuve gripa una media docena de veces en un período de ocho meses. Desarrolle un caso severo de vértigo (esto es cuando usted siente que está dando vueltas a pesar de que usted se sienta totalmente quieto). Duró mucho tiempo, cuatro meses. ¡Luego me diagnosticaron con lupus, una enfermedad muy debilitante en el cuerpo, los ataques destruyen el cuerpo! ¡Una vez, incluso me enfermó gravemente de algunas vitaminas que tomé! ¡Esto es cuando me di cuenta que el diablo estaba demasiado obvio!

Había días en que estaba tan enferma que apenas podía trabajar en el libro. Afortunadamente, yo sabía que mi enfermedad era sólo los intentos del enemigo para debilitarme hasta el punto que no pude completar mi Fin Esperado. Así que, en lugar de para, ore para la fuerza. A veces, me sentía tan mal físicamente todo lo que podía hacer era orar la "help" en varias ocasiones en mi mente. Afortunadamente, porque respondí con esta sencilla oración, pude sobrenaturalmente terminar mi tarea.

Muchas veces los enemigos de Nehemías utilizó el miedo y la amenaza de hacerle daño físicamente para tratar de conseguir que dejara de trabajar en la pared (Nehemías 6:10-14). Afortunadamente, Nehemías continuamente respondió a cada ataque con la oración, y porque lo hizo, la Escritura dice: *"... el muro fue terminado... en cincuenta y dos días "*(Nehemías 6:15).

Mientras que están llevando a cabo su tarea, tendrá que orar sin cesar. La forma de hacer esto es simple. Sólo recuerda orar en cada parte de tu día. Mientras lo haces, es muy probable que formes un hábito en el que naturalmente respondes a todas las situaciones con la oración. Recuerde que sus oraciones no tienen que ser largos ni religiosas. Pueden ser instantáneos, incluso en medio de respiraciones, como Nehemías, cuando estaba hablando con el rey. El punto es, si usted desarrolla un hábito de responder a todo con la oración en primer lugar, donde se cultiva en un arma poderosa para ayudarle a completar su tarea.

La Confianza de Nehemías en Dios Mediante la Fe y La Acción

Nehemías era un gran hombre de oración, pero ¿qué otras técnicas se utilizaron para completar su tarea con tanta rapidez? Desde el principio, Nehemías utiliza la fe y la acción que le ayudara a terminar su misión. Echemos un vistazo a ejemplos concretos. Vamos a regresar al momento donde Nehemías y los exiliados estaban en el proceso de la construcción del muro. La Escritura dice:

"Pero cuando lo oyeron Sanbalat el horonita, Tobías el oficial amonita y Gesem el árabe oído hablar de él, se burlaron y nos ridiculizaron. ¿Qué es esto que estás haciendo? "Preguntaron. "¿Que se rebelan contra el rey? "" (Nehemías 2:19).

Una vez más, los enemigos de Nehemías lo asaltaron verbalmente. ¿Cómo reacciono Nehemías esta vez? ¡Con su fe! Nehemías 2:20 dice: *"Yo les respondí diciendo:" El Dios del cielo nos dará éxito ..."*

"¿Qué fue especial acerca de esta declaración? ¡Es lo que Nehemías ha basado toda su misión- su fe en Dios! Permítanme explicar. ¿Recuerdas el Salmo 33:10-11?

"El Señor frustra los planes de las naciones, y frustra los propósitos de los pueblos. Pero los planes de la empresa Jehová permanecerá para siempre, los propósitos de su corazón por todas las generaciones"

¡Según la Escritura, los planes que usted hace producirán errores; Pero cuando el Señor le da un plan, usted siempre tendrá éxito! Nehemías sabía esto, por lo que podía con tanta audacia decir que Dios mismo le aseguraría el éxito. Usted ve, Dios plantó la idea de reconstruir la pared en el corazón de Nehemías. Mira lo que la Biblia dice que Nehemías dijo cuando llegó por primera vez en Jerusalén para inspeccionar en secreto la pared.

"Yo fui a Jerusalén, y después de estar allí tres días establecido por la noche con unos pocos hombres. Yo no había dicho a nadie lo que mi Dios había puesto en mi corazón que hiciese en Jerusalén... "(Nehemías 2:11-12).

Dios le dio a Nehemías la idea de reconstruir el muro. ¡Fue la revelación de su Fin Esperado! Es por eso que Nehemías pudo con tanta audacia decir que Dios le aseguraría el éxito. ¡La reconstrucción de la pared era el plan de Dios, así que nada en el universo podría detenerlo! Sin embargo, un fallo por parte de Nehemías y los exiliados podían excluirse de ser parte de ella. Nehemías entendió esto completamente. ¡De hecho, es en lo que basa su fe!

Una vez que usted cree que Dios es absolutamente capaz de asegurar el éxito de su proyecto, debe combinar su fe con la acción, continuando haciendo su parte para completar la asignación. La fe tiene que ser combinado con la acción. Aquí está un ejemplo:

Cuando los enemigos de Judá amenazaron con matar a los exiliados con el fin de detener su trabajo, Nehemías, sobre la base de su fe, tomo medidas por el armamento del pueblo con las armas y el estacionamiento de ellos en las partes más bajas de la pared. Entonces Nehemías ordenó a la gente a tener fe y actuar por sí mismas. Él dijo: *"...No tengáis miedo de ellos. Acuérdate del Señor, que es grande y temible, y pelead por vuestros hermanos, vuestros hijos y vuestras hijas, sus esposas y sus hogares "*(Nehemías 4:14)

Nehemías dio dos instrucciones a los exiliados. Primero dijo: *"Acuérdate del Señor, que es grande y temible,"* En otras palabras, tener fe en la capacidad del Señor para completar su plan. Entonces Nehemías dijo: *"... luchar por tus hermanos, tus hijos y tus hijas, sus esposas y sus hogares."* ¡Esto quiere decir que tomar medidas en su fe por su colaboración en la lucha por completar la tarea! ¿Por lo tanto, que sucedió cuando Nehemías dijo a su pueblo a tener fe y actuar?

"Cuando nuestros enemigos oyeron que eran conscientes de su parcela y que Dios lo había frustrado, todos regresamos a la pared, cada uno a su propio trabajo" (Nehemías 4:15).

¡Dios frustrado los planes del enemigo! ¡A continuación, los exiliados se les animaron a seguir trabajando en su Fin Esperado!

Mientras estaba escribiendo este libro, tuve muchos tipos de ataques. A través de todos ellos, que continuamente me recuerda que Dios me dijo que escribiera este libro. ¡Sabía que era su plan, no la mía, así que nada podría detenerlo! Así que, cuando fui atacada, respondía primero hablando de mi fe. Entonces, yo tomaría una acción por seguir trabajando en mi tarea.

Déjeme darle algunos ejemplos de las declaraciones de fe que yo usaba para pelear mis batallas. Siempre que fue atacado yo diría cosas como:

"¡Dios me dio instrucciones para escribir este libro! Desde que lo ordenó, nada puede detenerme,"o yo diría,"

"No era mi idea de escribir este libro. Eran del Señor, para que Él se asegurará de mi éxito "También me gustaría decir", ¡Dios dijo, esto libro estará en todas las prisiones en los Estados Unidos y en todo el mundo! "

¡La razón por la cual estas afirmaciones de la fe eran muy importantes fue porque demostraron que yo creía que Dios era el creador de mi plan, y por lo tanto, su éxito fuera asegurado!

Mientras estás trabajando para completar su Fin Esperado recuerda este verso: *"... Los planes de la firma de Jehová permanecerá para siempre..."* mantenlo delante suyo en todo momento. ¡Creemos que el tiempo que usted está siguiendo el plan de Dios y haciendo su parte, las puertas del infierno no podrán prevalecer contra ti! (Mateo 16:18 VKJ)

Esto me lleva al siguiente punto. Usted va a tener que aprender a pelear mientras sigas en su asignación. Como he dicho antes, el enemigo lanzará muchos ataques contra usted mientras usted está construyendo, para que dejes de construir. En esos momentos, tendrás que seguir trabajando en su asignación, mientras luchas contra esas agresiones. El enemigo toma un día de descanso porque estás ocupado. ¡Por el contrario, aumentará la intensidad de sus ataques, mientras continúas llegando a su misión! **¡Es por eso que tendrá que aprender a trabajar y luchar al mismo tiempo!** Cuando los Israelitas estaban en el centro de su proyecto de construcción sus enemigos lo amenazaron con la muerte. Esta es la razón porque Nehemías armo al pueblo con las armas. La Biblia dice, instruyó a los exiliados para mantener sus arcos y espadas, mientras que continuó la construcción de la pared.

"...Los que llevaron a los materiales hicieron su trabajo con una mano y un arma en la otra, y cada uno de los constructores llevaban su espada a su lado mientras trabajaba..." (Nehemías 4:17-18).

Nehemías se aseguró de que los exiliados no dejaran de trabajar para pelear la batalla. ¡De hecho, continuaron la construcción y aguantaban sus armas al mismo tiempo!

Déjame decirte algo. Los ataques lanzados contra mí, mientras yo trataba de terminar este libro no cesaron. ¡Si yo hubiera dejado de trabajar para pelear en contra de ellos, yo nunca habría terminado mi tarea! Por suerte, seguí el ejemplo de Nehemías, y funcionó *", con una mano y un arma en la otra."* Sin embargo, esto no siempre fue fácil.

Unos ocho meses antes de terminar el libro, envié mí manuscrito a dos de mis mejores amigos. Estas fueron las mujeres que participaron en los ministerios y en quien yo confiaba. Pues bien, meses más tarde recibí cartas de ellas que, literalmente, me dejaron sin aliento.

Junto con muchos otros comentarios, un amigo me dijo que tenía que tener cuidado sobre las revelaciones que escribía en el libro. Ella sintió que Satanás me había engañado por disfrazarse como un ángel de luz. El otro dijo que el mensaje de la "prosperidad", que yo ensenaba (de la prosperidad que viene a los que están llevando a cabo el encargo de Dios) era en realidad una forma de piedad con Dios y el cristianismo como un medio para obtener dinero. Estos comentarios, que vinieron de gente que realmente confiaba, tuvieron un impacto profundo y negativo en mí. La situación me afecto gravemente mi deseo de seguir trabajando en este libro.

En el momento en que recibí esas cartas, yo ya estaba muy débil por mi enfermedad repetida. Estaba caminando en una niebla constante de la gripe y la fiebre. Yo estaba agotado físicamente. Ni siquiera podía mover la cabeza sin sentir la sensación de vértigo. Además, me dolía todo el cuerpo del lupus atacando mi cuerpo. Ahora, Satanás estaba insistiendo mucho en mi mente, insinuando toda mi doctrina en el libro fue un error total y una ofensa a Dios. Los ataques me hicieron daño. Empecé a cuestionar la validez de todo el estudio. ¡Incluso dejé de trabajar en él, **que fue exactamente lo que el diablo quería!**

Recuerde que el arma más poderosa del universo contra el reino de las tinieblas es la persona que está llevando a cabo su propósito dado por Dios. Esta es la razón por la cual Satanás quería asegurarme de que "La Serie Cautiverio" nunca se terminara. ¡Esto libro no sólo era mi Fin Esperado, pero iba permitir que miles de personas pudieran reclamar el de ellos también!

Cuando recibí por primera vez las cartas, abandoné mi misión. Me dejo totalmente abrumado por un tiempo. Entonces, yo ayunaba y buscaba a Dios para ver si lo que estaba diciendo era verdad. Afortunadamente, al final del ayuno, el Señor me dio algunas de las Escrituras poderosas para asegurarme de que estaba en el camino correcto. Después de esto, tomé esas mismas Escrituras y las utiliza para luchar en contra de los ataques del diablo. Además, me hizo trabajar en el libro todos los días, no importaba cómo me sentía. Mientras peleaba con mi espada en una mano (la espada es la palabra) y continúe escribiendo con el otro, Satanás dio marcha atrás porque se dio cuenta que no iba a dejar de escribir.

¡No dejes que nadie te distraiga de completar su misión! ¿Te acuerdas cuando los adversarios de Nehemías estaban tratando de matarlo? La pared de Jerusalén estaba casi terminada, pero las puertas no se habían terminado todavía. Por esto es qué los enemigos de Nehemías estaban tratando de detenerlo antes de que pudiera completar el proyecto. Repasemos Nehemías 6:2-3 otra vez

"...Sanbalat y Gesem me envió este mensaje: 'Ven, reunámonos en uno de los pueblos en la llanura de Ono.' Pero ellos estaban conspirando para hacerme daño, por lo que envió mensajeros a ellos con esta respuesta: 'Yo soy el ejercicio de un gran

*proyecto y no se puede ir hacia abajo. **¿Por qué el trabajo de parar mientras lo dejo y ve a usted?'"***

Nehemías reconoció la razón de porque el ataque era para que él dejara de trabajar en la pared. Por esta razón se negó a responder a la invitación. Usted debe hacer lo mismo. No vuelvas a sacar tiempo de su misión de ir a discutir con sus agresores. Niégate a ser distraído de su trabajo. La Biblia dice que los enemigos de Nehemías le pidió repetidamente a reunirse con ellos, pero se negó en repetidas ocasiones.

"Ellos me enviaron cuatro veces de esta manera, y yo les respondí como antes" (Nehemías 6:4 AMP). Una y otra vez, el enemigo trató de parar a Nehemías para detener lo que estaba haciendo, pero Nehemías en repetidas ocasiones optó por ignorarlos y continuar su trabajo. Cuando el enemigo en repetidas ocasiones le da una invitación a participar, la niégale sus ofertas. ¡Mantenga su enfoque en su misión!

Le aconsejo que lea el libro de Nehemías, el estudio de sus tácticas y, más importante, ponerlas en práctica. Aprenda a orar sin cesar. Siempre habla de su fe. Toma medidas mediante la persecución continuando su asignación. Recuerde que debe luchar con una mano, mientras se trabaja con la otra. ¡No dejes que nada te haga para! Estas técnicas serán de gran ayuda en el manejo de la multitud de ataques que se enfrentará al trabajar hacia la conclusión de su Fin Esperado. Si las pones en práctica, usted tendrá éxito y entraras en su herencia.

1. Nehemías aprendió a *"orar sin cesar."* ¿Qué crees que significa?

2. Nehemías respondió a todos los ataques que se enfrentó con _____,
    _____ y _____.

3. Salmo 33:10-11 escribir en el espacio de abajo. Describir lo que este versículo
    tiene que ver con tener éxito en su Fin Esperado.

4. Escriba una declaración de fe que se puede decir en voz alta o en la oración
    cuando son atacados mientras persigue su Fin Esperado.

5. ¿Qué significa el versículo siguiente, cuando se trata de completar el Fin
    Esperado? "... Los que llevaron a los materiales hicieron su trabajo con una mano
    y un arma en la otra, y cada uno de los constructores llevaban su espada a su lado
    mientras trabajaba..." (Nehemías 4: 17-18).

6. El objetivo principal del enemigo es conseguir que deje de trabajar en su
    asignación. ¡No importa cómo te ataca, no lo dejes! No se distraiga de su misión.
    Si el enemigo trata de distraerlo, le dan la misma respuesta hizo Nehemías.
    Escribir Nehemías 6:3 a continuación.

CAPITULO VEINTE Y CUATRO

¿Dónde está el dinero Querido?

'Y por mí es dada orden de lo que debéis de hacer con esos ancianos de los judíos, para reedificar esa casa de Dios; que de la hacienda del rey, que tiene del tributo del otro lado del rio sean dados puntualmente a esos varones los gastos, para que no cese la obra. Esdras 6:8

Su dinero está en su misión. El tiempo cuando estás llevando a cabo su Fin Esperado, Dios se asegurará de que puedan satisfacer todas sus obligaciones financieras, tanto el del Reino y los personales. ¿Por qué él hace esto el Señor? La Escritura de arriba nos dice, *"para que la obra no se detendrá."* Voy a explicar.

La prioridad de Dios para el dinero es para utilizarlo para construir su Reino. Se necesita dinero para difundir el Evangelio. Si usted no tiene dinero, usted no puede imprimir folletos o libros. No se puede producir programas de televisión o radio. No se puede ejecutar una iglesia o un viaje regando la buena noticia. Esta es una razón por la que Dios prospera económicamente a sus siervos *", por lo que el trabajo no se detendrá."* Seamos realistas, el hombre que dijo: "El dinero hace girar el mundo" no era totalmente incorrecto. El dinero es uno de los vehículos que Dios utiliza para cubrir la tierra con el conocimiento de Sí mismo.

Otra razón por la cual Dios financieramente aumenta los que están llevando a cabo su Fin Esperado es porque se requiere tiempo, energía y compromiso total de su parte para hacer su asignación. Si usted está en una situación financiera mala, siempre trabajando para pagar sus cuentas, usted no será capaz de trabajar en su misión. Dios providencialmente provee para sus siervos que están llevando a cabo su Fin Esperado para que puedan ser libres para hacer su obra. Cuando los siervos de Dios son libres de perseguir sus propósitos del Reino, su *"trabajo no se detendrá."*

¡Dios también utiliza el dinero justo para que nos bendiga! Cuando usted elige a dar la vida por Dios y la edificación de su Reino sea Su primera prioridad, la Escritura dice que se hará cargo de todas sus necesidades. En Mateo 6:31-33, Jesús dijo:

"...no se preocupen diciendo: '¿Qué comeremos?' O '¿Qué hemos de beber?" O "¿Qué vamos a llevar?" Porque los gentiles buscan todas estas cosas, pero vuestro Padre celestial sabe que tenéis necesidad. Mas buscad primeramente el Reino y Su justicia y todas estas cosas os serán añadidas a usted también."

El propósito de su Fin Esperado es la construcción del Reino de Dios. ¡Cuando usted elige hacer esto su primera prioridad, Dios te dará todo lo que necesitas! Cuando se están llevando a cabo Su tarea, se trabaja por Dios. Tu eres Su empleada, en Su nomina de sueldo. ¡Y déjame asegurarte, vas a encontrar, que Dios es el jefe más generoso en el universo!

Es especialmente importante para todos los ex-delincuentes para entender la verdad Bíblica de que Dios prospera a los que siguen su asignación. ¿Por qué? Antes de ser detenidos, muchos de nosotros hicimos crímenes para obtener dinero. Dios no quiere que usted esté en esta posición otra vez. **¡Él tiene una manera mejor que ganarse la vida!** En este capítulo, voy a demostrar a través de las Escrituras, que su prosperidad futura está en su asignación. Ahora es el momento de hacer dinero de una manera justa. Concéntrese en su Fin Esperado, y vas a tener todas sus necesidades satisfechas por Dios.

Cada grupo de exiliados que regresaron a Jerusalén prosperó debido a que estaban siguiendo su Fin Esperado. Zorobabel y su pueblo prosperaron debido a que estaban en una misión para reconstruir el templo. Esdras y su grupo se les dieron la riqueza enorme, ya que estaban en una misión de enseñar la Palabra de Dios y en restaurar el servicio. A Nehemías se le dio todos los materiales que se necesitaban para reconstruir la pared de Jerusalén, asentar sus puertas y completar su misión. ¡Cada uno de los tres grupos recibió algún tipo de ayuda financiera, ya que realizaban sus Fin Esperado! En este capítulo, vamos a mirar sus ejemplos para que puedas ver, más allá de una sombra de duda, que Dios prospere su pueblo, que están llevando a cabo Sus propósitos del Reino.

En el primer capítulo de Esdras, Dios movió el corazón del rey Ciro para hacer un anuncio sobre la primera ola de cautivos regresando a Jerusalén. La Biblia registra Cyrus como diciendo: *"Esto es lo que Ciro, rey de Persia, dice:" El Señor, el Dios del cielo, me ha dado todos los reinos de la tierra y Él me ha nombrado para construir un templo para él en Jerusalén, en Judá. Cualquier persona de su pueblo en medio de ti, sea su Dios con él, y le dejó ir a Jerusalén en Judá y en la construcción del templo del Señor... Y la gente de cualquier lugar donde los sobrevivientes pueden estar viviendo ahora se le proporcionará la plata y el oro, con bienes y ganado, y con las ofrendas voluntarias para el templo de Dios en Jerusalén"* (Esdras 1:2-4).

¡El rey Ciro dio orden de cada uno que quedaba en Babilonia para proporcionar a los exiliados que regresan con dinero y bienes para reconstruir el templo en Jerusalén! En respuesta a la proclamación de los reyes, Esdras 1:6-7 dice: *"Todos los vecinos les ayudaron con objetos de plata y oro, con bienes y ganado, y con valiosos regalos, además de todas las ofrendas voluntarias. Por otra parte, el rey Ciro sacó los que pertenecen a la casa de Jehová, que Nabucodonosor se había llevado de Jerusalén..."*

El orden de Ciro dio mucho apoyo. El primer grupo de repatriados salieron de Babilonia con dinero, una provisión para vivir, valiosos regalos, ofrendas voluntarias, y 5.400 de plata y vasos de oro para su uso en el templo. ¡En total, una cantidad muy importante y más que suficiente para permitir a los exiliados a salir de su Fin Esperado!

El primer grupo de exiliados que regresan pasaron inmensa prosperidad porque estaban en una misión. De hecho, la única vez que su prosperidad se detuvo era cuando dejaron de trabajar en el templo. ¿Te acuerdas de lo que sucedió cuando los enemigos de Israel enviaron una carta al rey Artajerjes? El rey ordenó a los exiliados a para la construcción. Bueno, por desgracia, lo hicieron, que es cuando dejaron de prosperar.

Sin embargo, cuando el profeta Ageo le dijo a la gente que regresaran a su trabajo, y ellos obedecieron, su prosperidad regresó. Más tarde, sin embargo, los exiliados fueron atacados de nuevo. Una segunda carta de acusación fue enviada al nuevo rey de Persia, el rey Darío. Esta vez, los exiliados no dejaron de trabajar en el templo, sino que continuaron con su tarea. Y, porque lo hicieron, dice la Escritura: *"... los ojos de su Dios estaba con los ancianos de los Judíos para que el enemigo no podía detenerlos ..."* (Esdras 5:5 AMP). Echa un vistazo a la impresionante respuesta del rey Darío enviado de nuevo a la segunda carta.

"Ahora bien, Tatnai, gobernador de Más Allá del Río, y Setar-boznai y usted, sus compañeros de los funcionarios de esa provincia, se mantenga alejado de allí. No interferir con el trabajo en este templo de Dios. Que el gobernador de los Judíos y los ancianos de los judíos a reconstruir esta casa de Dios en su lugar. Por otra parte, Vengo en decretar lo que tienes que hacer por estos ancianos de los Judíos en la construcción de esta casa de Dios: Los gastos de estos hombres han de estar totalmente pagada por el tesoro real, de los ingresos de Más Allá del Río, por lo que que el trabajo no se detiene. Lo que sea necesario - novillos, carneros, corderos para holocaustos al Dios del cielo, y el trigo, sal, vino y aceite, conforme a lo solicitado por los sacerdotes de Jerusalén - se les ha dado todos los días sin falta ... Además, decreto que si alguien cambia este edicto, la viga que se sacó de su casa y él se levantó y empalado en ella ..." (Esdras 6:6-9, 11).

¡En respuesta a la carta, el rey Darío primero decretó que a los Israelitas se les permite seguir construyendo! ¡Entonces el rey le dijo a Tatnai y sus compañeros de los funcionarios que pagaran todos los gastos de los exiliados, además de darles todo lo necesario para terminar el templo! ¡Darío llegó a decir que el que no cumpliera con su orden, será matado! ¡Esta es la seriedad con que Dios tiene para ofrecer a Sus siervos que están llevando a cabo su propósito! Note una vez más, sin embargo, ¿por qué Dios hace esto?,

"Los gastos de estos hombres han de ser totalmente pagado por el tesoro real ... para que la obra no se detendrá. " Dios no permitirá que su obra se detenga. ¡Esta Escritura prueba que Él hará lo que sea necesario para prosperar sobrenatural a Sus siervos para que puedan hacer el trabajo!

Otro ejemplo de esto viene de la segunda oleada de repatriados. Cuando Esdras dejó Babilonia en su misión, se le dio una gran cantidad de riqueza. La Biblia dice que justo antes de que él fuera a Jerusalén, el rey Artajerjes le dio una carta.

"Hago un decreto que todos los del pueblo de Israel y de sus sacerdotes y levitas en mi reino, que ofrecen libremente para ir a Jerusalén, puede ir con usted. Porque tú eres enviado por el rey y sus siete consejeros para investigar acerca de Judá y de Jerusalén conforme a la instrucción de tu Dios ... Y para llevar la plata y el oro que el rey y sus consejeros voluntariamente ofrecen al Dios de Israel ... y toda la plata y el oro que se puede encontrar en toda la provincia de Babilonia, con las ofrendas voluntarias del pueblo y de los sacerdotes, ofrecieron voluntariamente para la casa de su Dios en Jerusalén ... Y lo que más se requiera para la casa de tu Dios, que tendrán la ocasión de dar, que proporcionan a la tesorería del rey" (Esdras 7:13-16, 20 AMP).

Esdras recibió toda la ayuda financiera que necesitaba para llevar a cabo su tarea. El rey le dio la plata y el oro para su uso en la casa del Señor. También le dijo a Esdras que él podía tener toda la plata y el oro que pudo encontrar en la provincia de Babilonia. Además, el rey dijo que iba a dar de su propia tesorería si Esdras necesaria mas. Entonces, si esto no fuera suficiente, el rey Artajerjes también emitió una orden adicional a sus tesoreros reales en el lado de Jerusalén del Éufrates. Él les dijo que proporcionan Esdras con todo lo que sea necesario una vez que llegó a su casa. Esdras 7:21-23 afirma:

"Ahora, el rey Artajerjes, para todos los tesoreros de Más Allá del Río para ofrecer con diligencia lo que Esdras, el sacerdote, un maestro de la Ley del Dios del cielo, puede pedir que - hasta cien talentos de plata, cien coros de trigo, cien batos de vino, cien batos de aceite de oliva, sal y sin límite. Cualquiera que sea el Dios del cielo ha prescrito, sea hecho con la diligencia para el templo de Dios en el cielo ... "

En los tiempos antiguos, cien talentos de plata pesan el equivalente a 7,500 libras. Un centenar de baños eran iguales a 600 galones. En Persia, según los histórianos Bíblicos, la sal sólo se hizo disponible a la realeza del palacio, pero aquí, Esdras se le dio *"la sal sin límite"* porque estaba en una misión de Dios.

Cada grupo de exiliados que persiguen su Fin Esperado recibió todo lo necesario para completarlo. Usted podría preguntarse, sin embargo, si la provisión generosa de Dios es sólo para uso en su asignación. Pues bien, en la carta del rey Artajerjes a Esdras, el rey se cierra dando Esdras una instrucción sobre cómo gastar el dinero que le dieron. La Biblia dice:

"Por lo tanto, será con la mayor rapidez y exactitud con esta compra el dinero toros jóvenes, carneros y corderos, con sus ofrendas de cereales y libaciones, y luego ofrecer en el altar de la casa de tu Dios en Jerusalén. Y todo lo que parezca bien a ti

ya tus hermanos que ver con el resto de la plata y el oro, que hacen a la voluntad de vuestro Dios" (Esdras 7:17-18 AMP).

El rey instruyó a Esdras a pasar primero el dinero en los suministros que necesitaría para ejecutar el templo. Entonces, el rey dijo: *"Y todo lo que parezca bien a ti ya tus hermanos que ver con el resto de la plata y el oro, que hacen a la voluntad de su Dios."* Esta Escritura lo dice todo. Lo primero y más importante que debe hacer con las disposiciones que recibe es *"la voluntad de vuestro Dios"* y su voluntad debe ser llevado a cabo con *"Toda la velocidad y exactitud",* como el rey de las instrucciones. Sin embargo, una vez que haya tomado el cuidado de las necesidades de su misión, ser un buen administrador sobre el dinero, completamente hacer lo que Dios requiere, pues, *"... lo que parezca bien a ti ya tus hermanos que ver con el resto de la plata y el oro, que hacen ... "*

Junto con las necesidades financieras de su misión, Dios también va a cuidar de sus necesidades personales. Dios recompensa a su pueblo que está comprometido con sus propósitos. En Marcos 10:29-30, Jesús dice:

"Yo te digo la verdad... nadie que haya dejado casa, o hermanos, o hermanas, o madre o padre, o hijos o campos por mí y del evangelio, tendrán cien veces más ahora en este tiempo (casas, hermanos, hermanas, madres, hijos y campos - y con ellos, persecuciones) y en el mundo venidero, vida eterna."

La gente va a argumentar que no debe centrarse en las recompensas o lo que puede salir de trabajar para el Señor. Sin embargo, Dios promete que serás recompensado, y un centenar de veces a eso. No sólo en el siglo venidero, sino también "en el tiempo presente" por los sacrificios que hizo para perseguir su Fin Esperado.

Como dice la Escritura de arriba, las persecuciones vendrán junto con sus bendiciones, como hemos visto con tanta claridad a lo largo de este estudio. Por lo tanto, usted debe ser un buen administrador sobre todo lo que Dios te da. La Biblia dice que a quien mucho se da, mucho se le exige (Lucas 12:48). Si no manejan las bendiciones que Dios le da con el mayor cuidado e integridad, El se los quita. En el asunto de las finanzas, serás repetidamente probado por el Padre. Es por eso que siempre debe comportarse de una manera digna de Él.

Todos los exiliados que regresaron a casa en una misión recibieron todas las disposiciones necesarias para completar su tarea. Incluso Nehemías recibió las vigas y las vigas que necesitaba para establecer las puertas de Jerusalén. Por lo tanto, si su misión requiere de diez dólares o cien mil, Dios se asegurará de que lo consigas. También te hará bien, por los sacrificios que hacen para construir su Reino.

¡Ahora, permítanme compartir con ustedes el último capítulo de este estudio, la promesa de mi Fin Esperado!

1. ¿Cuál es la prioridad de Dios para sus finanzas?

2. El tiempo que están llevando a cabo su esperado final, Dios proveerá providencialmente para todas sus necesidades, tanto Reino y personal. ¿Por qué haría esto? (Su respuesta se encuentra en Esdras 6:8)

3. ¿Cuál sería la causa de Dios para detener la prosperidad qué?

4. Elija uno de los tres grupos de exiliados que regresaron a Jerusalén en una misión. Nombre de la misión que estaban encendidas y las disposiciones que recibió por su trabajo.

5. ¿De acuerdo con la siguiente escritura, lo que es lo primero y más importante que debe hacer con las disposiciones que recibe? "Y todo lo que parezca bien a ti ya tus hermanos que ver con el resto de la plata y el oro, que hacen a la voluntad de su Dios." Después de haber atendido las necesidades de su misión, ser un buen mayordomo de todo lo que tienes, y completamente hacer lo que Dios exige, ¿qué se puede hacer con el resto de las disposiciones que recibe?

6. La Biblia promete que Dios bendiga a su pueblo que están llevando a cabo sus tareas reino. Anote esta promesa de Marcos 10:29-30.

CAPITULO VEINTE Y CINCO

Mi Fin Esperado

"Porque yo se los pensamientos que yo pienso hacia ti, dijo él señor, pensamientos de paz, y no del mal, para darte un Fin Esperado." Jeremías 29:11 KJV

En enero de 2006, había estado fuera de la cárcel durante casi tres años, y entraba a mi cuarto año de la escritura de *La Serie Cautiverio*. A pesar de que estaba a punto de terminar el libro, parecía como si nunca se llevaría a cabo. Todo el proceso se llevo tanto tiempo que sentía como un embarazo con años de retraso. ¡Dentro de mí había un bebé grande, pateando duro en mi caja torácica, que quieren salir!

Un año antes, en 2005, había batallado tan feroz que hubo momentos en que parecía que estaba perdida. Todo ese año, fue cuando fui asaltado mentalmente, espiritualmente y emocionalmente de cada esquina. Entonces, me diagnosticaron con lupus, una enfermedad donde el cuerpo literalmente se ataca y se destruye solo. ¡Justo cuando pensé que en realidad podría morir, el Señor me rescato con una curación sobrenatural! Cuando ocurrió, yo sabía en mi espíritu que el Señor me hizo bien para que pudiera completar mi misión. Una vez que había sido sanada, pensé que toda la lucha había terminado. ¡Qué equivocada estaba!

Ahora, el año 2006, trajo una guerra completamente nueva, que fue tan feroz, que me hizo sentir como si estuviera siendo repetidamente atropellada por un tanque. Satanás encontró la grieta en mi armadura, mi amado esposo, y él estaba desatando las fuerzas del infierno en contra de nuestro matrimonio. Ya que mi esposo y yo eran socios en la misión, el diablo sabía si pudiera causar un catástrofe en nosotros, pudiera para que se terminara la misión. Día tras día, Bobby y yo estábamos siendo atacados hasta que finalmente estábamos al borde de la destrucción total. Hasta entonces, yo estaba segura de nada pudiera hacerme parar. Sin embargo, aunque mi marido y yo no estábamos luchando físicamente, parecía. Que yo estaba luchando en un combate de peso pesado. Fue la 13ª ronda, estaba cansada y la alfombra se veía muy atractivo. Sin embargo, a pesar de todo, la emoción de lo que estaba creciendo en mi vientre me dio el poder para continuar. Hablando figurativamente, que estaba muy ansiosa para que ese momento se acerca rápidamente, cuando la fuente se rompería, y llegaría el bebe para producir algo fantástico, ¡y bien vale la pena la espera!

Un domingo por la noche a mediados de febrero, estaba sentado frente a la computadora, luchando. Yo estaba tratando desesperadamente de picotear algún tipo de progreso en el libro, cuando sonó el teléfono. Ya que nunca tomaba llamadas el domingo, me sorprendí cuando de repente llegue a contestar. "Soy Katie", le dije, preguntándome por qué había rota mi regla.

"Hola Katie, es Stephanie Medeiros!" Le oí decir. "¿Cómo estás?"

"¡Ola, mujer! Estoy bien ", le contesté. "La pregunta es, '¿Cómo está usted?'", Continué. No pude evitar preguntarme por qué me llamaba Stephanie ya que apenas nos conocíamos. Aunque nos encontramos el ano anterior en la oficina de mi contador, no tuvimos la oportunidad de desarrollar nuestra amistad porque ella se fue por una grave enfermedad. Cuando le pregunté cómo estaba, la oí respirar profundo antes de continuar con lo que me tenía que decir de su situación grave.

"Bueno, los médicos me dan 18 meses para vivir.", Dijo en un tono plano.

Esta noticia fue una sorpresa ya que sabía que Stephanie estaba muy enferma, pero no tenía idea de que estaba cerca de morir. Sorprendentemente, sin embargo, sonaba bien, y no parecía que quería enfocar la discusión en su problema. De hecho, después de decirme sólo algunos detalles más, de repente cambió de tema.

"De todos modos," dijo ella, rápidamente cambió el tema. "Déjeme decirle la verdadera razón por la que la llamo."

"Ok", le respondí, ahora preguntándome para que había llamado de verdad.

"Bueno, a pesar de que supone que no debo salir de la casa, decidí que tenía que salir", comenzó, "así que fui a un seminario de Joyce Meyer este fin de semana. ¿Sabes quién es?

"En este, mi primer pensamiento fue:" ¿Quién no? "Después de todo, Joyce Meyer se ven todos los días en la televisión en casi dos terceras partes del mundo. Stephanie, sin embargo, era obviamente consciente de esto, así que respondí con, "Claro que sí,".

"Bueno, yo no sabía quién era hasta hace últimamente". Stephanie continuó: "¡Pero, cuando fui a su seminario, tuve un tiempo fantástico!"

A medida que Stephanie procedió a darme el resumen de todo lo que escuchó en la conferencia, pude sentir su entusiasmo. Al final de su descripción detallada, ella estaba muy emocionada, pero luego de unos segundos más tarde me enteré que la verdadera razón por la que estaba alterada. Ella quería venderme algo.

"Mientras estuve allí", dijo Stephanie, finalmente, "sentí que había algo importante que tenía que hacer, pero yo no sabía lo que era." "Bueno, esta mañana", continuó: "Vi a Joyce en la televisión hablando de su ministerio en la prisión, y de repente supe" En esta declaración, Stephanie se detuvo muy ligeramente antes soltarlo.

"Se supone que debo decirle que tome su libro a Joyce, mientras ella está en la ciudad", dijo. "¿En serio?", Contesté bruscamente, tratando de esquivar su sugerencia."Sí. Por supuesto. "Respondió ella de nuevo, con un aire de seguridad.

Dentro de mí me eche a reír. ¡La confianza de Stephanie, pensé, era más bien audaz, sobre todo teniendo en cuenta que nunca había leído mi libro! Pudo haber sido basura total que en ese momento no parecía molestarla en absoluto.

"Pero es demasiado tarde", le contesté. "La conferencia ha terminado." En ese momento, Stephanie rápidamente intervino con un "Sí, pero Joyce va a tener una firma de libros en la ciudad este jueves."

Este fue un hecho que ya conocía. Como socio de los Ministerios Joyce Meyer, yo recibía su boletín de noticias mensual con los anuncios de todos sus eventos. Pero Stephanie no lo sabía, yo ya estaba considerando ir a la firma de libros, pero decidí no hacerlo. La razón era porque ya había consultado con Dios si debo ir, y no dijo nada. Por lo tanto, estaba segura de que no iba a asistir.

Stephanie, sin embargo, estaba muy seguro de lo contrario. "¡Escucha", dijo con insistencia: "Yo sé, he oído de parte del Señor! Además, "ella continuó, con su voz más intensa," cuando fui a llamar, me encontré con su número de teléfono justo encima de mi escritorio, lo que si viera a mi escritorio, ¡usted sabría que es un milagro encontrar algo allí!

A este comentario, me acordé que contestó el teléfono en un domingo, que tampoco nunca pasaba.

"Ok," dije. "Voy a rezar y pedirle a Dios si debiera de ir. Te devolveré la llamada para dejarte saber lo que dice, ok? "

"Bien ", dijo con firmeza, como a un niño que finalmente decidió obedecer.

"Mientras tanto," continué, haciendo caso omiso de sus impulsos maternales. "Voy a mandarte mi libro por correo electrónico, para que lo puedas leer."

"Muy bien", dijo casualmente, como si no habría ninguna diferencia si lo leía o no.

"Entonces, después de haberlo leído", le dije con mucho énfasis. "Puede dejarme saber si todavía sientes lo mismo."

Ella estuvo de acuerdo, confirmando su dirección de correo electrónico antes de colgar. Luego, tras una pausa de un minuto para revisar nuestra conversación, pensé con asombro,

"De todas las personas en el mundo, no puedo creer que ella me dijo que tomara mi libro a Joyce Meyer" La razón por la que era tan sorprendió, fue que Stephanie no tenía ni idea de lo que Dios me había hablado de Joyce, cuatro años antes.

Yo todavía estaba en la prisión en ese momento, empezando a escribir el libro. Un día, mientras que en la ducha, le pregunté al Señor cómo iba hacer llegar mi libro a los millones de prisioneros que lo necesitaban. Después de todo, no era como si pudiera pasar el plato de colección. Ellos no tenían dinero, y yo tampoco. Mientras estaba debajo del agua caliente en la ducha, pensé de pronto de Joyce Meyer. Muchos reclusos recibieron sus libros, incluyéndome a mí. Su ministerio mandaba miles de libros a las cárceles por todo el mundo.

"Yo podría hacer cualquier cosa con la ayuda de un ministerio como la suya." Pensé con nostalgia.

A medida que me puse acondicionador barato Suave en mi pelo, dejo que mi mente tomara viaje. Casi al instante, me vi de pie frente a una gran multitud hablando de uno de los libros de Joyce. Esta "sueno despierto", continuó por algún tiempo más, hasta que finalmente me hice salir de ella.

"Fue extraño", pensé. "¿Por qué me veo a mí promocionando algún otro libro?"

Al meditar en esta visión extraña, mientras me quitaba el acondicionador del cabello, de repente tuve una sensación de urgencia que Dios quería hablar conmigo. Así pues, apague el agua, y comencé a secarme, mientras pensaba en el ministerio de Joyce. ¿Estaba soñando despierto, o era Dios tratando de decirme algo? De repente, no podía esperar más, por lo que me puse la sudadera, a pesar de que aún estaba húmedo, luego corrí hacia mi celda.

Cuando entré, ambas compañeros estaban leyendo. Agradecidamente, guardé la bolsa de ducha, y me tiré en la cama con mi Biblia. Tan pronto como me volví a mi lectura diaria en Gálatas, el Señor me dio el verso. Lo primero que leí fue Pablo diciendo:

"Yo quiero que sepan, hermanos, que el evangelio anunciado por mí no es algo que el hombre ha formado. Yo no lo he recibido de cualquier hombre, ni fui enseñado, sino que lo recibí por revelación de Jesucristo " (Gálatas 1:11-12).

De inmediato, supe que Dios estaba hablando de La Serie Cautiverio. Al igual que Pablo, las revelaciones que recibía no eran míos, sino de Dios. Por lo tanto, en los siguientes versos, donde Pablo escribió acerca de cómo Dios le permitió difundir su mensaje a través de todo el mundo antiguo, yo sabía que el Señor estaba también a punto de decirme cómo iba a difundir *La Serie Cautiverio* a través de todo el sistema penitenciario.

En Gálatas, el Señor había ordenado divinamente a Pablo para ir a Jerusalén para reunirse con Pedro, Santiago y Juan, los apóstoles originales de Jesús. Pablo tomó su evangelio a estos hombres para ver si estaban de acuerdo con él. En ese momento, los apóstoles fueron los líderes de la iglesia cristiana, por lo que fueron los que puede dar Pablo el apoyo que necesitaba para difundir sus enseñanzas. El problema fue que Pedro, Santiago y Juan habían pasado tiempo con Jesús, mientras estuvo en la tierra, mientras que Pablo no. Por lo tanto, era nada comparado con ellos. Pablo llegó a decir que era *"personalmente desconocido a las iglesias de Judea que están en Cristo"* (Gálatas 1:22). Así que, ¿por qué iba alguien a tomar su mensaje en serio?

En ese momento, supe que Dios me estaba hablando. Yo era igual que Pablo, un nadie, un convicto humilde. Así que, ¿por qué alguien querrá tomar mi mensaje en serio? Ninguno de los líderes de los ministerios grandes me conocía, pero al igual como los apóstoles eran a Pablo, esos líderes son los que me podría permitir llevar a cabo plenamente mi misión.

Como pare a pensar en esta dura realidad, todas las imposibilidades comenzaron a pulular mi cabeza como abejas furiosas. Yo era un criminal con un pasado violento. Si llegara a la puerta de Joyce Meyer, probablemente no pasaría del pasillo, o que me digan que tuviera que hacer cola detrás de los millones de personas que estaban delante de mí. ¿Incluso si entrara, será que alguien se tomaría el tiempo para escuchar mi mensaje, y mucho menos darme el apoyo masivo que tenía que tener para cumplir mi misión?

En solo creer, que pudiera recibir ayuda de alguien como Joyce Meyer no sólo era exagerado, pero parecía totalmente imposible. Dejo este pensamiento en mi mente, me di cuenta de lo que estaba haciendo: ¡me atreví ponerle un límite a Dios! Instantáneamente, yo sabía que tenía que parar de pensar negativamente y regresarme a las Escrituras para ver lo que el Señor quería decir. ¡Efectivamente, cuando volví a ver lo que le sucedió a Pablo, todo cambió dramáticamente!

En los siguientes versículos, Pablo hablo de la misma cosa de la que yo estaba preocupada. Él dijo:

"En cuanto a los que parecían ser importantes, lo que se hace ninguna diferencia para mí, Dios no juzga por la apariencia exterior-los hombres no añade nada a mi mensaje. Por el contrario, como vieron que me había encomendado la tarea de predicar el evangelio a los gentiles, al igual que Pedro había sido a los Judíos "(Gálatas 2:6-7).

¡Yo estaba asombrado! En una frase, Pablo lo puso todo en perspectiva. Dijo que no importaba que él no fuera una persona de gran importancia. El Señor estuvo a cargo de hacer un camino para él. ¡De hecho, cuando Pablo presentó sus revelaciones a los apóstoles, reconoció que había sido confiada por Dios para llevar a cabo su misión!

A medida que leía el verso más, me pareció oír a Dios susurrar en mi espíritu, "Ellos van a reconocer lo mismo de ti." ¿Lo harán? ¿Sera que Dios moverá el corazón de los "grandes" de la iglesia, para que yo pudiera proclamar mi evangelio en todo el mundo? Tenía que saber.

Ahora, sentí la urgencia de mis lecturas. ¿Aunque los Apóstoles vieron que Pablo fue confiado de Dios, será que lo ayudaron llegar a su meta? Busqué en los siguientes versículos como si mi propia existencia dependiera de ellos. ¿Sera que Dios me confirmara lo que yo creía que me estaba diciendo, o si me entero de que yo estaba soñando despierto después de todo? Tomé una respiración profunda, y la sostuvo mientras sigue leyendo. Afortunadamente, yo sólo tenía que ir unas cuantas líneas más antes de ver que no iba a estar decepcionada. Cuando llegué a la respuesta que yo esperaba, me sentí tan aliviada que me deje escapar un fuerte "zumbido" de aire. Pablo dijo: *"Y cuando ellos sabían (que se percibe, reconoce, entiende y reconoce) la gracia (favor inmerecido de Dios y la bendición espiritual) que había sido depositado en mí, Santiago, Cefas (Pedro) y Juan, que eran considerados como columnas de la Jerusalén la iglesia, me dio a mí ya Bernabé la mano derecha de la comunión con el entendimiento de que debemos ir a los gentiles y ellos a la circuncisión (Judíos) "*(Gálatas 2:9).

Whoa! El poder de Dios vino sobre mí, y yo temblaba mientras lo leía. Era la respuesta a mi pregunta. ¡Pedro, Santiago y Juan, los pilares de la reputación de la iglesia de Jerusalén, le dio a Pablo toda la ayuda que necesitaba para cumplir su misión! La realidad de lo que esto significaba para mí era casi increíble de entender. ¡Dios estaba diciendo que iba a darme, un nadie total, un convicto humilde, el favor de uno de los ministerios más grandes del mundo! Al igual que los apóstoles de alto, que le dio a Pablo la mano derecha del compañerismo, los Ministerios Joyce Meyer me ayudaría. Al pensarlo, me sentía conforte. Me sentía tan bien, que quería bañarme en ella para siempre.

Así que ahora, aquí estaba cuatro años más tarde, y una mujer que apenas conocía me decía que llevara mi libro a Joyce. ¿Coincidencia? Yo no creía en ella. Sin embargo, ya he pedido a Dios si debiera ir a la firma de libros, y no dijo nada. ¿Por lo tanto, que realmente estaba pasando? La única manera de saberlo era volver a preguntar. Por lo tanto, fui inmediatamente a Dios en oración.

"Señor, yo ya pedí que esto, y usted no dijo nada," comencé. "Por lo tanto, creo que la respuesta es no, pero yo sólo quería volver a tratar." Entonces, me detuve brevemente, en silencio para Oírlo, antes de preguntar: "¿Tengo que ir a la firma de libros?"

Ni siquiera una fracción de un segundo pasó cuando oí en mi mente ", Gálatas 2:9." Como no podía recordar exactamente de qué se trataba el verso, abrí mi Biblia a los Gálatas, a continuación, casi me desmaya cuando lo leí. *"...Jacobo, Cefas (Pedro) y Juan, que eran considerados como columnas de la iglesia de Jerusalén, dio a mí ya Bernabé la mano derecha del compañerismo..."*

"¡Oh!", Pensé, los músculos de mi estómago convulsionando. "¡Esta es la promesa que he estado esperando!" Se suponía que debía ir. ¡El tiempo finalmente había llegado, y yo, literalmente, sentí enfermo del estómago! ¿Cómo podría yo darle mi pequeño libro a una mujer como Joyce Meyer? ¡No había terminado aún, y la firma de libros fue tan sólo cuatro días! No había manera de que pudiera estar lista.

Me entró el pánico. Mi mente fue de cero a sesenta en un minuto. ¡Ensaye lo que le diría a Joyce, y trate de encontrar la manera de no ir! Entonces, en medio de mi locura, Dios puso los frenos y me recordó de quien estaba a cargo. Era Él, y su tiempo fue siempre perfecto. Él había dado a Pablo una revelación divina para llevar su mensaje a los apóstoles. ¡Y, bueno, esta fue mi revelación! Yo iba a ir, aunque quisiera o no, porque Dios se haría cargo del resto. Por lo tanto, llamé a Stephanie, y dije simplemente: "¡Nos Vamos"!

La firma de libros era jueves, lo que significaba que tenía tres días para poner el manuscrito en orden. Usando cada minuto libre de mi tiempo para prepararlo, dure hasta el último minuto para terminar. Finalmente, a las 9 pm del miércoles por la noche, yo estaba en la oficina de la impresora haciendo copias. Estaba lista.

Jueves por la mañana llegó, ya a pesar de que Stephanie pensó que no podría llegar, ella vino de todos modos con una línea IV conectado a su corazón, escondida en la manga de su blusa. En el camino a la firma del libro, habíamos hablado de su situación.

"Dios me va a curar", comenzó. "Realmente lo creo." Desafortunadamente, la expresión de su rostro me decía una historia completamente diferente. Me di cuenta de que realmente no lo creía en absoluto.

Cuando miré a esa mujer que me estaba llevando a la cita de mi vida, me dije a mí mismo: "Si había una sala llena de gente, yo nunca la hubiera elegido."

Éramos totalmente opuestos. Ella era un ejecutivo de una empresa, con trajes y todo. Yo viví en mis pantalones vaqueros, y no sabía lo que la palabra "red", significaba. Ella era una "Nina Buena"; le haría competición a Mary Poppins.. En cuanto a mí, bueno...

Stephanie, sin embargo, fue evidente la elección perfecta de Dios. Sólo por su presencia aquí, El me estaba dejando saber en claro que ella estaba involucrada en la misión. Mientras la importancia de esta revelación me golpeó, sentí una aceleración en mi espíritu, hacia ella, y me volví hacia ella para poder mirarle en sus ojos.

"Una cosa que sabemos con certeza", le dije, la predicadora se está levantando en mí. "Dios sana a su pueblo que están llevando a cabo su propósito por las que fueron creados." ¡Entonces, en respuesta a su duda, termine diciendo: "Usted es ahora una parte de esta misión, así que El va a asegurarse de que estés lo suficientemente bien como para llevarlo a cabo!"

¡En ese momento, Stephanie me dio una mirada poco raro, como diciendo:"Oye, te estoy llevando a la librería esos es todo!

"Cuando llegamos a la librería, el lugar estaba lleno, sin una lugar en donde parquear. Entonces, justo cuando llegamos, un hombre salió de un espacio que quedaba a sólo 20 metros de distancia de la parte frontera del edificio. Stephanie encantada, y yo nos miramos con ojos grandes. Fue la primera señal de que estábamos en el lugar correcto en el momento adecuado.

En que entramos, fuimos asignadas un número para nuestro grupo, y luego fuimos a buscar a algunos de los libros de Joyce. Después de que elegimos unos, Stephanie sugirió que oráramos. Por lo tanto nos fuimos a la cafetería para buscar en donde sentarnos, pero no había mesas, y habían mucha gente de pie esperando.

De repente, un hombre se acercó a nosotros, de todos los que estaban allí, para preguntar si queríamos su mesa. Mirando bien, vi que estaba en una esquina privada lejos de los demás, el lugar perfecto para orar. Una vez más, Stephanie y yo nos miramos el uno al otro con una mirada de complicidad.

Después de aceptar la oferta con gratitud, hemos rezado, bebimos un poquito de café, y luego fuimos a pagar por los libros. Justo cuando estaba firmando el recibo de la tarjeta de crédito, llamaron a nuestro número. Todo iba como un reloj. Cuando fuimos a hacer cola, de inmediato nos pusimos a conversar con dos mujeres al lado de nosotros. Sólo estábamos hablando con ellas durante unos minutos, cuando una de las mujeres llamadas Sandy miró a Stephanie, y le dijo:

"Usted está enfermo." Entonces, lo que acentúa su declaración ella dijo otra vez: "No, usted está muy enfermo. ¿Puedo orar por usted?"

Stephanie comenzó a llorar. Ninguna de los dos habíamos dicho algo acerca de su enfermedad. Ni la línea de IV de Stephanie no se podría ver, ya que estaba escondido. Sin embargo, el Espíritu Santo era, obviamente, líder de la arena mientras procedió a colocar su mano derecha sobre la fuente de infección de Stephanie! Al instante, ¡sentí una fuente de energía, a pesar de que yo estaba de tres pies de distancia! Cuando miré a Stephanie, ella estaba sudando y se puso roja brillante.

A medida que la línea se movía hacia adelante, nos mudamos con él, con Sandy orando silenciosamente por mi nueva amiga todo el tiempo. Entonces, justo cuando llegamos a la final de la línea, terminó su oración, y me dé la vuelta para ver que estábamos al ver a Joyce!

A medida de que me acercó a la mesa, yo estaba tan nerviosa, empecé a sentir náuseas. Joyce estaba sentado junto a su esposo Dave, y dos de sus hijos, que trabajaban para el ministerio. Cuando llegó el momento de darle mi libro, todo se puso anublado. Stephanie luego me dijo que yo dije un millón de cosas en menos de un minuto sin sonar apresurado. También, dijo Dave Meyer me miraba todo el tiempo, se centró en cada palabra. Cuando me di la vuelta para irme, él extendió su mano derecha, y sacudió la mía, mientras me miraba a los ojos. No fue hasta que me fui que me di cuenta de que había dado la "mano derecha del compañerismo".

Más tarde, después de la firma de libros, Stephanie volvió a su casa, y una enfermera fue a su casa para extraer la sangre. Análisis de sangre previos de Stephanie había mostrado su recuento de glóbulos blancos era peligrosamente elevados, por lo que un nuevo tratamiento de antibióticos por vía intravenosa que iba a empezar al día siguiente. Por desgracia, con el tratamiento se produjo un efecto secundario muy grave. Que causaría que Stephanie fuera completamente sordo.

Dos semanas más tarde llamó su médico.

"Vamos a parar el tratamiento", dijo el doctor. "¿Por qué?", Respondió Stephanie con sorpresa total.

"Porque no hay nada malo en ti." Continuó el doctor, "Hemos recibido su trabajo de la sangre de hace dos semanas, y está perfectamente normal."Los resultados que el médico no podía explicar. ¡Stephanie había sido sanada sobrenaturalmente!

Dos semanas más tarde, mientras estaba en un servicio de la iglesia juntas, Stephanie recibió una revelación. En medio del servicio que me miró, con lágrimas rodando por su rostro, y dijo: "Dios sólo me dijo que Él me curó para usted."

Cuando dijo eso, el poder del Espíritu vino sobre mí, y yo llore. Yo sabía lo que el Señor quiso decir. ¡La curo para que pudiera ayudarme a completar la misión!

Y ayudarme fue lo que ella hizo. Hasta entonces, yo estaba sola en el proyecto. Ahora bien, había asistencia. Stephanie y yo éramos opuestos completos, pero debido a que poseía todas las habilidades que me faltaba, los dos combinados, se convirtió en una fuerza poderosa. Puertas, que nunca se me abrieron anteriormente ahora se abrieron por completo; mientras Stephanie iba delante de mí con tal poder, era como si las palabras, *"muéstrame favor"*, ¡fueron tatuados en su frente! Una portada de libro fue diseñada para el libro, una página de internet se hizo, y los libros fueron impresos y enviados. A pesar de que al principio comenzamos con solo tres cárceles, el libro estaba en casi 100 prisiones en toda la nación.

Entonces sucedió algo. Llegué a casa un día, y salí al buzón para recoger el correo. Contenía lo normal, una variedad de biles y ofertas de tarjeta de crédito. Afortunadamente, la pila fue redimida por la llegada de mi boletín mensual de Joyce Meyer. Mientras caminaba de vuelta a la casa, recogí el gato, George, que quería comida, y luego deje el correo en la barra de desayuno para que pudiera dar de comer.

Después de botar la lata vacía a la basura, agarre el boletín de Joyce, y luego me sentó en el sofá para darle una mirada. Cuando le di la vuelta el sobre, me di cuenta de la tapa estaba abierta. La carta no estaba cerrada. Agradecida de que su contenido aún se encontraban dentro, lo saque y comencé a leer. Inmediatamente, sin embargo, me di cuenta de que no se parecía a ningún boletín que jamás había recibido antes. De hecho, era totalmente diferente. Esto es cuando mis ojos comenzaron a escanear la página. Palabras como "Dear Katie" y "manuscrito" me llamó la atención. Fue entonces cuando me di cuenta de que, efectivamente, no era lo que pensé por primera vez. De hecho, se trataba de una carta personal a mí de la misma Joyce Meyer!

Todo se veía totalmente borroso por un momento. Luché contra el pánico ahora creciendo rápidamente dentro de mí. Luché para calmarme, sin éxito, tratando de que mi visión se aclare, para que pudiera leer. ¡Sí, lea la carta personal que estaba en mis manos de una mujer que cuyo ministerio cubrió dos tercios de la humanidad! ¡Una mujer a quien Dios mismo prometió que me iban a dar la mano derecha de fraternidad! ¡Una mujer cuyo ministerio podría permitir que mi ministerio ayudara a miles, incluso millones de personas!

Tomé una respiración profunda para pararme de la respiración profunda, y rápidamente leer la carta que podría cambiar mi destino ....

AL LECTOR DE ESTE ESTUDIO

¡Ahora mismo, estoy viviendo este capítulo final! ¡En estos próximos años, el Señor dijo que haría lo imposible para este ministerio! ¡No puedo esperar a compartir con ustedes el cumplimiento de esta promesa! A la espera de estos acontecimientos a suceder, permítanme decir lo siguiente:

La misión de "Expected End Ministries" es de conseguir que *La Serie Cautiverio* este en las manos de todos los prisioneros en los Estados Unidos y el más allá. ¡Si usted comparte esta visión y se siente un ardor en su espíritu ahora mismo, usted es una de las personas que Dios ha escogido para ayudar! Las necesidades actuales de este ministerio son:

- Socios de Oración.

- Las donaciones para los gastos de edición que permiten al "Expected End Ministries" llegar a más prisiones, cárceles, centros de detención, centros de reinserción social, centros de rehabilitación y centros de detención juveniles.*

- Socios mensuales para ayudar con el costo de funcionamiento de este ministerio.*

  *Todas las donaciones son deducibles de impuestos.

Cuando Ezequiel profetizó en el valle de huesos secos, los huesos representaron los cautivos Israelitas que se encontraban en Babilonia, en estado seco, sin espíritu. Hay multitudes de personas en las cárceles hoy en día en las mismas condiciones. Reclusos que son como los huesos secos por falta de saber cuales es su propósito por la cual fueron creados.

Que, junto con "Expected End Ministries", tienen la oportunidad de ayudarles a encontrar su Fin Esperado a través del vehículo de *La Serie Cautiverio*. Creemos que este estudio hará que los cautivos se pongan de pie y que se convierten en "UN EJERCITO ENORME" (Ezequiel 37:10), ¡para el Reino de Dios!

Gracias por su apoyo, y que el Señor te bendiga,

Katie Souza y el personal de "Expected End Ministries"

LAS CÁRCELES AGUANTAN LOS TESOROS DE DIOS

por Bill Yount

Era tarde y estaba cansado, con ganas de ir a dormir, pero Dios quería hablar, era cerca de la medianoche, pero me di cuenta de que Dios no duerme. Su pregunta me inquieto. "¿Bill, donde en la tierra es que guardan sus tesoros más preciosos y objetos de valor?", Dije, "Señor, por lo general estos tesoros como oro, plata, diamantes y piedras preciosas se mantienen bajo llave en algún lugar fuera de la vista, por lo general con los guardianes de seguridad y de mantenerlos bajo llave. "Habló Dios", igual que el hombre, mis más valiosos tesoros en la tierra también están encerrados. "Entonces vi a Jesús de pie delante de aparentemente miles de prisiones y cárceles. El Señor dijo: "Estos han sido prácticamente destruidos por el enemigo, pero estos tienen el mayor potencial de ser utilizados y para traer la gloria a mi nombre. Dile a mi pueblo, voy a esta hora a las prisiones para activar los dones y el llamamiento que se encuentran latentes en estas vidas que se dieron antes de la fundación de la tierra. Fuera de estos muros se levantarán un Ejército de Espirituales, que tendrán el poder de tirar, literalmente, las puertas del infierno y superar los poderes satánicos que mantienen a muchos de Mi propio pueblo desunido en Mi propia casa.

Dile a Mi pueblo que hay un gran tesoro detrás de estas paredes, en estos vasos olvidados. Mi pueblo debe surgir y tocar estos seres, porque una poderosa unción se desatara sobre ellos para una futura victoria en Mi Reino. DEBEN SER RESTAURADOS.

Entonces vi que el Señor caminar hacia las puertas de la cárcel con una llave. Una sola llave abría todas las puertas. Entonces oí y vi grandes explosiones, que sonaba como la dinamita irse detrás de los muros. Sonaba como si todo fuera una guerra espiritual. Jesús se dio la vuelta y dijo: "Dile a mi pueblo para ir ahora y recoger los escombros y rescatar a estos." Entonces Jesús comenzó a caminar y a tocar los reclusos que le estaban buscando. Muchos que fueron tocados, comenzaron a tener un brillo de oro. Dios me habló: "¡AHÍ ESTÁ EL ORO!" Otros tenían un resplandor de plata que les rodeaba. Dios dijo: "¡AHÍ ESTÁ LA PLATA!"

Como en cámara lenta comenzaron a crecer en lo que parecía ser caballeros con armadura gigante-como guerreros. ¡Tenían toda la armadura de Dios, y cada pieza era de oro macizo y puro! ¡Incluso escudos de oro! Cuando vi a los escudos de oro, oí decir a Dios a estos guerreros: "Ahora ve y toma lo que Satanás os ha enseñado y lo utilizan en su contra. Ir a derribar las fortalezas que viene contra MI iglesia. "Los gigantes espirituales luego comenzaron a pasar por encima de los muros de la cárcel sin que nadie les resista, y se dirigieron inmediatamente a la primera línea de la batalla con el enemigo. ¡Los vi caminar a la derecha delante de la iglesia, y grandes nombres de ministros conocidos por su poder con Dios fueron superados por los guerreros gigantes, al igual que David hiendo hacia de Goliat! Cruzaron la línea del enemigo y comenzaron a liberar a muchos del pueblo de Dios de las garras de Satanás, mientras que los demonios temblaron y huyeron fuera de vista en su presencia. Nadie, ni siquiera la iglesia, parecía saber quiénes eran estos gigantes espirituales o de dónde vinieron. Todo lo que podía ver era la armadura, la armadura de oro de Dios, de pies a cabeza, y los escudos de oro estaban allí. Los escudos fueron restaurados a la Casa de Dios y había gran victoria y regocijo.

También vi los tesoros de plata, preciosas, y los buques que se llevaban debajo del oro y la plata estaban las personas que nadie conocía: RECHAZOS DE LA SOCIEDAD, LA GENTE DE LA CALLE, LOS DE FUERA DE LOS NORMALES, LOS POBRES y DESPRECIADOS. Estos fueron los tesoros que habían desaparecido de Su casa.

Para terminar, el Señor dijo: "Si mi pueblo quiere saber donde se necesitan, diles que se necesitan en la CALLES, LOS HOSPITALES, LAS MISIONES, y LAS PRISIONES. Cuando llegan allí, Me encontrarán a mí y el siguiente movimiento de Mi Espíritu, y que serán juzgados por Mi palabra en Mateo 25:42-43. *"Porque tuve hambre y no me disteis de comer; tuve sed y me disteis de beber; fui forastero, y no se me estuve desnudo, y te vestí: No me enfermo, y en la cárcel, y fuimos a verte a mí, no*

Querido Lector:

Leí por primera vez esta profecía cuando yo todavía estaba en la cárcel. ¡Cuando lo hice, una explosión ocurrió dentro de mí! Desde entonces, el Señor me dijo que la UNA CLAVE que Jesús usa para abrir todas las puertas de la prisión es el ¡Fin Esperado! ¡Es lo que va a levantar una Armada para el Reino desde el interior de las paredes! En marzo de 2007, una palabra personal de la profecía fue dada a mí. ¡ ¡ ¡ME DIJERON QUE YO TENIA UN EJERCITO!!! ¡Cada uno de ustedes es parte de este Ejército! ¡Juntos vamos a tomar el mundo para Cristo!

En Su servicio,

Katie

La Serie Cautiverio: La Clave De Su Final Esperad

Extractos de los libros siguientes se utilizan con permiso de los autores y / o editores:

"A la Luz Lenta y Segura" por Elisabeth Elliot y A "Una Vida con Propósito" de Rick Warren.

Portada del libro -concepto de **Katie Souza.**

Cobertor de Gráfico por **Steve Fry** (contacto sfryer@xpmedia.com)

La contraportada la foto por Adam Balch con Fotografía Amplificado (amplifiedphoto@live.com de contacto)

EXPECTED END MINISTRIES
P.O. Box 1289 ~ Maricopa, AZ 85139
520.568.7600 Office
520.568.9961 Prayer Line
866.790.5090 Toll Free
www.expectedendministries.com